# Windows 7

# Windows 7

*Pablo Casla Villares*
*José Luis Raya Cabrera*
*Laura Raya González*

La ley prohíbe
fotocopiar este libro

Editado por:
RA-MA Editorial
Calle Jarama, 3A, Polígono Industrial Igarsa
28860 PARACUELLOS DE JARAMA, Madrid
Teléfono: 91 658 42 80
Fax: 91 662 81 39
Correo electrónico: editorial@ra-ma.com
Internet: www.ra-ma.es y www.ra-ma.com
ISBN: 978-84-7897-968-4
Depósito Legal: M-10989-2010
Autoedición: Autores
Diseño Portada: Antonio García Tomé
Impresión: Service Point
Impreso en España en febrero de 2010

*Para Patricia y mis padres,*

*Aquellos de los que nunca dudaré*

*De su apoyo y amor.*

*P. Casla*

# ÍNDICE

# CONVENCIONES USADAS

Cualquier palabra encerrada entre corchetes "[ ]" equivale a una tecla, siempre que no se esté describiendo la sintaxis de un mandato.

Los valores a sustituir en un mandato se indican entre ángulos "< >", pero dichos símbolos no deben teclearse.

En caso de un signo entre comillas, significa que las comillas no tienen valor ninguno.

Cuando a lo largo del libro se indica \\*WINDOWS* como directorio donde se encuentra instalado Windows 7, puede significar cualquier directorio de cualquier disco duro donde se haya realizado la instalación (en nuestra opinión, es preferible indicarlo así que como *%systemroot%* que es menos intuitivo).

# Capítulo 1

# LAS NOVEDADES DE WINDOWS 7

## 1.1 INTRODUCCIÓN

Windows 7 es la versión más reciente de Windows, diseñado por Microsoft Corporation, y durante su desarrollo ha cambiado de nombre en diversas ocasiones, como *Blakcomb* o *Vienna*.

El sistema está destinado al uso en PC, incluyendo equipos en hogares y oficina, portátiles, *tablet PC, netbooks* y equipos *media center*.

Windows 7 ha sido desarrollado pensando en la facilidad de uso para el usuario, implementando sistemas que agilicen las tareas diarias de manera más fácil y rápida. También se ha actualizado el sistema para conseguir que sea más ligero, estable y rápido.

Windows 7 es una actualización incremental del núcleo NT 6.0 lo que favorecerá un alto grado de compatibilidad con las aplicaciones y *hardware* en los que Windows Vista ya era compatible.

Incluye numerosas actualizaciones, entre las que se encuentran avances en reconocimiento de voz, táctil y escritura, soporte para discos virtuales, mejor desempeño en procesadores multi-núcleo, mejor arranque y mejoras en el núcleo del sistema operativo.

# 1.2 NOVEDADES DE WINDOWS 7

## 1.2.1 Nueva barra de tareas

En esta versión, la barra de tareas se ha renovado completamente. Ademas de mostrar iconos más grandes, se han cambiado los antiguos botones con texto y, ahora, sólo muestran el icono de la aplicación. Si sitúa el puntero del ratón sobre el icono, obtendrá una vista previa de la aplicación con controles sencillos sobre ella, conocida como **Jump List** (cambiar de pestaña en el navegador de Internet, cambiar de canción el reproductor, etc.), y todo ello en varios niveles.

Si pulsa con el botón derecho, mostrará una lista con acciones sencillas a realizar sobre la aplicación en cuestión. Con el botón izquierdo, traerá la aplicación a primer plano para poder trabajar con ella.

También en esta versión se ha mejorado el control sobre los iconos del área de notificación.

El botón **Mostrar escritorio** ha cambiado de situación y está en la parte inferior derecha de la pantalla. Se ha añadido una nueva propiedad, ya que si se coloca sobre el botón sin pulsarlo, las pantallas se volverán totalmente transparentes (**Aero Peek**). Si pulsa en dicho botón, todas las pantallas se minimizarán al igual que en las anteriores versiones.

## 1.2.2 Gadgets y escritorio

Los **gadgets** cuentan con una libertad total para ser posicionados en cualquier parte del escritorio, convirtiendo a éste en un soporte de entrada y salida de información y no sólo en un espacio donde colocar directorios y archivos.

Se ha renovado el **Aero**. Ahora se podrán hacer transparentes las ventanas a voluntad, para acceder a la información de otras ventanas o del escritorio. También se incluyen novedades como el **Aero Snap**, con el que se podrá cambiar el tamaño de una ventana simplemente moviéndola a uno de los extremos de la pantalla. Si se mueve la ventana al extremo superior, ésta se maximizará. Si por el contrario, se desplaza al extremo derecho, la ventana se redimensionará para ocupar sólo la parte derecha del escritorio.

Con el **Aeroshake**, podrán minimizar todas las ventanas abiertas a excepción de la que se desee tener activa, con una simple "sacudida" de la ventana abierta.

## 1.2.3 UAC mejorado

Se mejora el sistema de notificaciones del *control de cuentas de usuario* (**UAC**), facilitando al usuario el control sobre estos procesos, al permitirle aprobar todas las acciones que requieran permisos de administración de una sola vez.

También, se tendrá más control sobre las notificaciones en la bandeja del sistema, pudiendo elegir qué es lo que se desea que aparezca.

## 1.2.4 Librerías y explorador

El usuario podrá acceder a todos los archivos que desee desde sus librerías, estén donde estén ubicados esos archivos. Estas librerías funcionan a modo de "directorios virtuales" facilitando al usuario el acceso a dichos archivos de manera más rápida y efectiva.

## 1.2.5 Mejoras para portátiles

Windows 7 permite aumentar la duración de la batería del portátil mediante características de ahorro de energía, incluida la atenuación de la pantalla si no se usa el equipo durante un determinado tiempo. Otra nueva característica pensada para los portátiles es la impresión con reconocimiento de ubicación de red, que permite cambiar automáticamente la impresora predeterminada cuando se cambia de ubicación el equipo.

## 1.2.6 Utilidad de búsqueda mejorada

El nuevo sistema de búsqueda en Windows 7 encontrará más elementos en más ubicaciones con mayor rapidez que en versiones anteriores.

Sólo es necesario escribir algunas letras para que el sistema muestre una lista de resultados, los cuales estarán agrupados por categorías y contendrán la palabra clave resaltada para que resulte más fácil examinarlas.

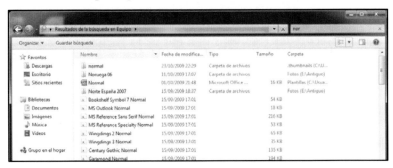

## 1.2.7 Dispositivos e impresoras

Windows 7 tiene una sola ubicación **Dispositivos e Impresoras** para conectar, administrar y usar impresoras, teléfonos y otros dispositivos, facilitando al usuario la interacción con ellos. Desde esta ubicación, se podrá interactuar con los dispositivos, examinar archivos y administrar la configuración. La instalación de un nuevo dispositivo se ha simplificado enormemente, pudiendo estar listo para ser usado con un par de pulsaciones.

# 1.2.8 Device stage

**Device Stage** facilita la administración de teléfonos móviles, cámaras, impresoras, reproductores MP3 y otros dispositivos conectados al equipo. Cuando conecte un dispositivo compatible, verá su estado, una lista de tareas habituales e, incluso, una imagen del dispositivo. La página de *Device Stage* de cada dispositivo deberá ser programada por cada fabricante (son páginas en openXML que Microsoft recibirá de cada fabricante para firmarlas digitalmente).

# 1.2.9 Grupo Hogar

**Grupo Hogar** evita la molestia de compartir archivos e impresoras en una red doméstica. Conecte dos o más equipos que ejecuten Windows 7 y Grupo Hogar facilitará el inicio automático del uso compartido de bibliotecas de música, imágenes, vídeo y documentos con otras personas en su casa.

Puede unirse a un Grupo Hogar en cualquier edición de Windows 7, pero sólo puede crearlos en las versiones: *Home Premium*, *Professional* o *Ultimate*.

# 1.2.10 Centro de actividades

El **Centro de actividades** gestiona las notificaciones de varias características de Windows, incluido *Windows Defender*. Cuando Windows 7 requiera su atención, aparecerá un icono del Centro de actividades en el área de notificación que le ofrecerá más información si pulsa sobre él. Ante cualquier problema que detecte el sistema, desde el Centro de actividades se podrá gestionar su solución.

## 1.2.11 Windows Touch

Si dispone de una pantalla táctil, podrá trabajar de manera sencilla olvidándose del teclado y del raton, bastará con tocarla para trabajar de forma más directa y sencilla. **Windows Touch** se encuentra disponible solamente en las versiones: *Home Premium*, *Professional* y *Ultimate* de Windows 7. Todos sus programas favoritos de Windows 7 también están preparados para la tecnología táctil.

## 1.2.12 Modo XP

Con el Modo XP, Windows 7 se integra con la nueva versión de Windows Virtual PC, permitiendo ejecutar un equipo virtual Windows XP de manera transparente para el usuario. De esta manera, será posible ejecutar programas instalados dentro de la máquina virtual como una opción de menú en Windows 7, sin necesidad de ir al sistema virtualizado para ejecutar dicha aplicación.

# Capítulo 2

# LOS CONCEPTOS PREVIOS

## 2.1 REQUISITOS DEL SISTEMA WINDOWS 7

Si desea ejecutar Windows 7 en su equipo, necesitará:

- Procesador de 32 bits (x86) o 64 bits (x64) a 1 GHz como mínimo.

- Memoria RAM de 1 GB (32 bits) o 2 GB (64 bits).

- Espacio disponible en disco rígido de 16 GB (32 bits) o 20 GB (64 bits).

- Dispositivo gráfico *DirectX* 9 con controlador *WDDM* 1.0 o superior.

Requisitos adicionales para usar ciertas funciones:

- Acceso a Internet.

- Según la resolución, la reproducción de vídeo puede requerir memoria adicional y *hardware* gráfico avanzado.

- Es posible que algunos juegos y programas requieran tarjetas gráficas compatibles con *DirectX* 10 o superior para un rendimiento óptimo.

- Para algunas funcionalidades de *Windows Media Center*, puede ser necesario un sintonizador de TV y *hardware* adicional.

- *Windows Touch* y *Tablet PC* requieren *hardware* específico.

- Grupo Hogar requiere una red y equipos que ejecuten Windows 7.

- Para la creación de DVD/CD se necesitará una unidad óptica compatible.

- *BitLocker* requiere el Módulo de plataforma segura (*TPM*) 1.2.

- *BitLocker To Go* requiere una unidad flash USB.

- Windows XP Mode requiere 1 GB adicional de memoria RAM, 15 GB adicionales de espacio disponible en disco duro y un procesador habilitado para virtualización de *hardware* con Intel VT o AMD-V activados.

- Para escuchar música y sonidos se necesitará una salida de audio.

La funcionalidad del producto y los gráficos pueden variar en función de la configuración del sistema. Algunas funciones pueden requerir *hardware* avanzado o adicional.

## 2.2 COMPARATIVA CON OTROS SISTEMAS OPERATIVOS WINDOWS

La comparativa con otros sistemas operativos Windows son las siguientes:

| Simplifica las tareas cotidianas | Windows XP | Windows Vista | Windows 7 (✔+= mejorado) | Característica |
|---|---|---|---|---|
| Realice varias tareas simultáneamente con más facilidad. | ✔ | ✔ | ✔+ | Barra de tareas de Windows |
| Converse y comparta mediante programas de mensajería instantánea, correo electrónico y fotografía *gratuitos*. | ✔ | ✔ | ✔ | Windows Live Essentials |
| Explore la Web de manera sencilla y más segura. | ✔ | ✔ | ✔ | Internet Explorer 8 |
| Encuentre archivos y programas al instante. | | ✔ | ✔+ | Windows Search |
| Abra los programas y archivos que usa con mayor frecuencia con uno o dos clics. | | | ✔ | Jump Lists |
| Conéctese a cualquier red inalámbrica disponible en sólo tres clics. | | | ✔ | Ver redes disponibles |
| Desplácese por muchas ventanas abiertas con mayor rapidez. | | | ✔ | Aero Peek |
| Comparta fácilmente archivos, fotos y música en su red doméstica. | | | ✔ | Grupo Hogar |
| Imprima en una sola impresora desde cualquier equipo del hogar. | | | ✔ | Grupo Hogar |
| Administre impresoras, cámaras y otros dispositivos de una mejor manera. | | | ✔ | Device Stage |
| Organice gran cantidad de archivos, documentos y fotografías de manera sencilla. | | | ✔ | Bibliotecas de Windows |

| | Windows XP | Windows Vista | Windows 7 (✔+= mejorado) | Característica |
|---|:---:|:---:|:---:|---|
| **Facilita las tareas nuevas** | | | | |
| Mire y grabe TV en su equipo. | ✔ | ✔ | ✔+ | Windows Media Center |
| Cree y comparta películas y presentaciones de diapositivas en minutos. | | ✔ | ✔ | Windows Live Movie Maker |
| Transmita música, fotos y vídeos en todo su hogar. | | | ✔ | Reproducir en |
| Conéctese a su biblioteca multimedia del equipo doméstico mientras está de viaje. | | | ✔ | Remote Media Streaming |
| Obtenga los gráficos de juegos más reales y contenido multimedia vívido. | | | ✔ | DirectX 11 |
| Toque y puntee en vez de señalar y hacer clic. | | | ✔ | Windows Touch |

| | Windows XP | Windows Vista | Windows 7 | Característica |
|---|:---:|:---:|:---:|---|
| **Funciona como usted lo desea** | | | | |
| Personalice su escritorio con temas y fotos. | ✔ | ✔ | ✔+ | Escritorio |
| Conéctese a las redes de las empresas de manera segura. | ✔ | ✔ | ✔ | Unión a un dominio |
| Totalmente compatible con equipos de 64 bits. | ✔ | ✔ | ✔ | Compatibilidad con 64 bits |
| Ejecute los programas de productividad de Windows XP. | ✔ | | ✔ | Windows XP Mode |
| Protección integrada contra spyware y otro tipo de malware. | | ✔ | ✔+ | Windows Defender |
| Ayude a mantener sus datos privados y seguros. | | ✔ | ✔+ | BitLocker |
| Administre y supervise la manera en que sus hijos usan el equipo. | | ✔ | ✔ | Control parental |
| Diseñado para suspenderse y reiniciarse más rápidamente. | | | ✔ | Mejoras de rendimiento |
| Administración de energía mejorada para una duración prolongada de la batería. | | | ✔ | Administración de energía |

# 2.3 LA FAMILIA DE WINDOWS 7

Está formada por seis versiones distintas, cuyas características se detallan en la figura siguiente:

| | Home Premium | Home Premium N | Professional | Professional N | Ultimate | Ultimate N |
|---|---|---|---|---|---|---|

## Características

| Característica | Home Premium | Home Premium N | Professional | Professional N | Ultimate | Ultimate N |
|---|---|---|---|---|---|---|
| Haga más sencillas las tareas cotidianas con la exploración mejorada del escritorio. | ✓ | ✓ | ✓ | ✓ | ✓ | ✓ |
| Inicie programas de manera más rápida y sencilla, y encuentre rápidamente los documentos que usa más a menudo. | ✓ | ✓ | ✓ | ✓ | ✓ | ✓ |
| Agilice, facilite y proteja más que nunca su experiencia en Internet con Internet Explorer 8. | ✓ | ✓ | ✓ | ✓ | ✓ | ✓ |
| Mire muchos de sus programas de TV favoritos de manera gratuita cuando y donde lo desee con la TV por Internet. | ✓ | ✓ | | ✓ | | ✓ |
| Cree fácilmente una red doméstica y conecte sus equipos a una impresora con Grupo Hogar. | ✓ | ✓ | ✓ | ✓ | ✓ | ✓ |
| Ejecute varios programas de productividad de Windows XP en Windows XP Mode. | | | ✓ | ✓ | ✓ | ✓ |
| Conéctese a redes empresariales de forma fácil y más segura con Unirse a un dominio. | | | ✓ | ✓ | ✓ | ✓ |
| Además del sistema completo Copias de seguridad y restauración que se encuentran en todas las ediciones, puede realizar copias de seguridad en una red doméstica o comercial. | | | ✓ | ✓ | ✓ | ✓ |
| Ayude a proteger los datos de su equipo y de los dispositivos de almacenamiento portátiles contra pérdidas y robos con BitLocker. | | | | | ✓ | ✓ |
| Trabaje en el idioma de su preferencia y alterne con alguno de los 35 idiomas. | | | | | ✓ | ✓ |

# 2.4 CONCEPTOS BÁSICOS SOBRE TCP/IP

El nombre **TCP/IP** proviene de dos de los protocolos más importantes de la familia de protocolos *Internet*, el **Transmission Control Protocol** (**TCP**) y el **Internet Protocol** (**IP**).

La principal virtud de TCP/IP estriba en que está diseñado para enlazar ordenadores de diferentes tipos, incluyendo PC, minis y *mainframes*, que ejecutan sistemas operativos distintos, sobre redes de área local y redes de área extensa y, por tanto, permite la conexión de equipos distantes geográficamente.

Otro gran factor que ha permitido su expansión es la utilización de TCP/IP como estándar de Internet.

El mayor problema de TCP/IP estriba en la dificultad de su configuración, por lo que no es recomendable su uso en una red pequeña.

TCP/IP fue desarrollado en 1972 por el Departamento de Defensa de los Estados Unidos, ejecutándose en *ARPANET* (una red de área extensa del Departamento de Defensa). Posteriormente, una red dedicada exclusivamente a aspectos militares denominada *MILNET* se separó de *ARPANET*. Fue el germen de lo que después constituiría Internet.

La arquitectura TCP/IP transfiere datos mediante el ensamblaje de datos en paquetes. Cada paquete comienza con una cabecera que contiene información de control seguida de los datos.

El **Internet Protocol** (**IP**), un protocolo del nivel de red de *OSI*, permite a las aplicaciones ejecutarse de forma transparente sobre las redes interconectadas. De esta forma, las aplicaciones no necesitan conocer qué *hardware* está siendo utilizado en la red y, por tanto, la misma aplicación puede ejecutarse en cualquier arquitectura de red.

El **Transmission Control Protocol** (**TCP**), un protocolo del nivel de transporte de *OSI*, asegura que los datos sean entregados, que lo que se recibe se corresponda con lo que se envió y que los paquetes sean reensamblados en el orden en que fueron enviados.

*UNIX* se empezó a comercializar como el principal sistema operativo que utilizaba TCP/IP y llegaron a ser sinónimos.

## 2.4.1 Cómo denominar a un ordenador en TCP/IP

Es importante que se establezca la identificación de la estación de trabajo de una forma que evite su duplicidad dentro de todos los ordenadores que puedan conectarse. Para ello, en TCP/IP, se utiliza el nombre del equipo y el nombre del dominio de la red.

Para identificar al equipo es necesario nombrarlo evitando que pueda haber dos con el mismo nombre y produzca confusiones al servidor de la red.

Para identificar a la red se utiliza el concepto de dominio. La estructura del dominio se asemeja a un árbol invertido (es decir, el tronco se encuentra en la parte superior y las ramas en la parte inferior) y cada hoja corresponde a un dominio.

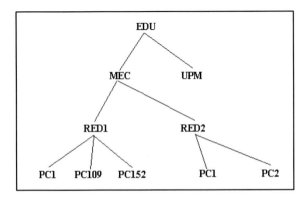

La identificación de un dominio está formada por varios apartados separados por un punto (por ejemplo, *RED1.MEC.EDU*). Cada uno de ellos recibe el nombre de subdominio. El subdominio situado más a la derecha es el de carácter más general y recibe el nombre de dominio de nivel alto.

El **nombre de un dominio completamente calificado** (**FQDN, Full Qualified Domain Name**) ha de empezar por el nombre de la estación de trabajo (*HOST*), un punto y el nombre de la red (*DOMINIO*). Por ejemplo, si se denomina al equipo como *PC109* y a la red principal como *RED1*, la identificación completa de la estación de trabajo sería *PC109.RED1*.

Si, a su vez, esta red formara parte de otra red superior, se volvería a poner otro punto y el nombre de dicha red (por ejemplo, *PC109.RED1.MEC*). En este caso, después del *HOST* vendría el *SUBDOMINIO* (es posible tener varios niveles de subdominios) y, para finalizar, el *DOMINIO*.

También es interesante identificar a la institución de la que forma parte la red, así como la organización o el país a la que pertenece. Para ello, se le habrán de añadir estos dos nuevos conceptos separados, también, por puntos.

| DOMINIO DE ALTO NIVEL DE ORGANIZACIÓN | |
|---|---|
| DOMINIO | SIGNIFICADO |
| com | Organización comercial |
| edu | Institución educativa |
| gov | Institución gubernamental |
| int | Organización internacional |
| mil | Organización militar |
| net | Organización de red |
| org | Organización sin ánimo de lucro |
| es | Organización española |

Si se toma como ejemplo la identificación *RODRIGUEZJL@PC109. RED1. MEC.EDU* se ve que el usuario (*RODRIGUEZJL*) se separa con una arroba del dominio, que está formado por el nombre de la estación (*PC109*), de la red (*RED1*), de la institución (*MEC*) y de la organización (*EDU*).

Existe una institución que se encarga del registro de todas las direcciones IP y sus correspondientes dominios que se denomina **INTERNIC** y que ha delegado para España sus funciones en **REDIRIS**.

Es necesario hacer constar que la definición de dominio dada en este apartado no tiene nada que ver con los dominios definidos por Microsoft para sus sistemas operativos de servidor.

## 2.4.2 Direccionamiento IPv4

Las direcciones IP consiguen que el envío de datos entre ordenadores se realice de forma eficaz, de forma parecida a como se utilizan los números de teléfono en las llamadas telefónicas.

Las direcciones IP de la versión IPv4 tienen 32 bits, formados por cuatro campos de 8 bits (octeto) cada uno, separados por puntos.

Por tanto, las direcciones IP están en representación binaria (por ejemplo, 01111111.00000000.00000000.00000001). Cada uno de los campos de 8 bits puede tener un valor que esté comprendido entre 00000000 (cero en decimal) y 11111111 (255 en decimal).

Normalmente y debido a la dificultad del sistema binario, la dirección IP se representa en decimal. Por ejemplo, la dirección IP indicada anteriormente 01111111.00000000.00000000.00000001 (en representación binaria) tiene su correspondencia con 127.0.0.1 (en representación decimal).

La forma de pasar de un sistema binario a un sistema decimal se hace por potencias de dos en función de la posición de cada uno dentro del octeto, correspondiendo cero a la primera posición a la derecha y siete a la primera posición de la izquierda (por ejemplo, 00000001 corresponde a 1 ya que $2^0 = 1$, 00000010 corresponde a 2 ya que $2^1 = 2$ y 00001000 corresponde a 8 ya que $2^3 = 8$).

Si hay varios unos en el octeto, se deberán sumar los resultados de las potencias de dos correspondientes a su posición (por ejemplo, 00001001 corresponde a 9 ya que $2^3 + 2^0 = 8 + 1 = 9$ y 01001001 corresponde a 73 ya que $2^6 + 2^3 + 2^0 = 64 + 8 + 1 = 73$).

Los cuatro octetos de la dirección IP componen una dirección de red y una dirección de equipo que están en función de la clase de red correspondiente.

Existen cinco clases de redes: *A*, *B*, *C*, *D* o *E* (esta diferenciación viene dada en función del número de ordenadores que vaya a tener la red).

- La clase *A* contiene 7 bits para direcciones de red (el primer bit del octeto siempre es un cero) y los 24 bits restantes representan a direcciones de equipo. De esta manera, permite tener un máximo de 128 redes (aunque en realidad tienen 126, ya que están reservadas las redes cuya dirección de red empieza por cero y por 127), cada una de las cuales puede tener 16.777.216 ordenadores (aunque en realidad tienen 16.777.214 ordenadores cada una, ya que se reservan aquellas direcciones de equipo, en binario, cuyos valores sean todos ceros o todos unos). Las direcciones, en representación decimal, estarán comprendidas entre 0.0.0.0. y 127.255.255.255 y la máscara de subred será de 255.0.0.0.

- La clase *B* contiene 14 bits para direcciones de red (ya que el valor de los dos primeros bits del primer octeto ha de ser siempre 10) y 16 bits para direcciones de equipo, lo que permite tener un máximo de 16.384 redes, cada una de las cuales puede tener 65.536 ordenadores (aunque en realidad tienen 65.534 ordenadores cada una, ya que se reservan aquellas direcciones de equipo, en binario, cuyos valores sean todos ceros o todos unos). Las direcciones, en representación decimal, estarán comprendidas entre 128.0.0.0 y 191.255.255.255 y su máscara de subred será de 255.255.0.0.

- La clase *C* contiene 21 bits para direcciones de red (ya que el valor de los tres primeros bits del primer octeto ha de ser siempre 110) y 8 bits para direcciones de equipo, lo que permite tener un máximo de 2.097.152 redes, cada una de las cuales puede tener 256 ordenadores (aunque en realidad tienen 254 ordenadores cada una, ya que se reservan aquellas direcciones de equipo, en binario, cuyos valores sean todos ceros o todos unos). Las direcciones, en representación decimal, estarán comprendidas entre 192.0.0.0 y 223.255.255.255 y su máscara de subred será de 255.255.255.0.

- La clase *D* se reserva todas las direcciones para multidestino (*multicasting*), es decir, un ordenador transmite un mensaje a un grupo específico de ordenadores de esta clase. El valor de los cuatro primeros bits del primer octeto ha de ser siempre 1110 y los últimos 28 bits representan los grupos multidestino. Las direcciones, en representación decimal, estarán comprendidas entre 224.0.0.0 y 239.255.255.255.

- La clase *E* se utiliza con fines experimentales únicamente y no está disponible para el público. El valor de los cuatro primeros bits del primer octeto ha de ser siempre 1111 y las direcciones, en representación decimal, estarán comprendidas entre 240.0.0.0 y 255.255.255.255.

La dirección de equipo indica el número que corresponde al ordenador dentro de la red (por ejemplo, al primer ordenador de una dirección de red de clase *C* 192.11.91 se le otorgará la dirección IP 192.11.91.1, al segundo 192.11.91.2, al cuarto 192.11.91.4 y así sucesivamente).

## 2.4.3 Direccionamiento IPv6

El tamaño de la dirección IPv6 aumenta de 32 a 128 bits para poder soportar un número mayor de nodos direccionables, más niveles de direcciones jerárquicas y una autoconfiguración más sencilla de las direcciones (Windows 7, Vista y Windows Server 2008 pueden ser configurados con direccionamiento IPv6 e IPv4).

Hay tres formas de representar dichas direcciones:

- La primera forma, que es la más aceptada, consiste en representarla de la manera $x:x:x:x:x:x:x:x$, donde las $x$ representan los valores hexadecimales de los ocho bloques de 16 bits cada uno.

Ejemplos:

FADB:CA58:96A4:B215:FABC:BA61:7994:1782

A090:1:0:8:A800:290C:1:817B

Como puede observarse, no es necesario escribir todos los ceros que hay por delante de un valor hexadecimal en un campo individual, pero se ha de tener por lo menos una cifra en cada campo.

- La segunda forma consiste en suprimir los ceros que se encuentran en medio de las direcciones. La expresión de dos "::" indicaría uno o varios grupos de 16 bits iguales a 0. Por ejemplo, la dirección siguiente:

A123:FF01:0:0:0:0:0:92

se representaría de la manera siguiente:

A123:FF01::92

los "::" sólo pueden aparecer una vez en la dirección.

- Otra forma, más cómoda cuando haya un entorno mixto de nodos con direcciones IPv6 e IPv4, es representarla de la manera $x:x:x:x:x:x:d.d.d.d$, donde las $x$ son valores hexadecimales (6 grupos de 16 bits en la representación futura) y las $d$ son valores decimales (4 grupos de 8 bits en la representación estándar actual).

Ejemplos:

0:0:0:0:0:A234:23.1.67.4

0:0:0:0:0:1:129.154.52.1

o con el formato comprimido:

::A234:23.1.67.4

::1:129.154.52.31

El **prefijo** es la parte de la dirección que indica los bits que tienen valores fijos o que son los bits del identificador de red. Los prefijos de los sitios y los identificadores de subred en IPv6 se expresan de la misma forma que la notación *Enrutamiento entre dominios sin clase* (*CIDR*) de IPv4. Un prefijo IPv6 se escribe con la notación *dirección/longitudDePrefijo*.

El **prefijo de sitio** de una dirección IPv6 ocupa como máximo los 48 bits de la parte más a la izquierda de la dirección IPv6. Por ejemplo, el prefijo de sitio de la dirección IPv6 2001:db8:3c4d:0015:0000:0000:1a2f:1a2b/48 se ubica en los 48 bits que hay más a la izquierda (2001:db8:3c4d, ya que cada bloque son 16 bits). Se puede utilizar la representación siguiente (con ceros comprimidos) para representar este prefijo: 2001:db8:3c4d::/48.

También se puede especificar un **prefijo de subred**, que define la topología interna de la red respecto a un encaminador. La dirección IPv6 de ejemplo tiene el siguiente prefijo de subred: 2001:db8:3c4d:15::/64. El prefijo de subred siempre contiene 64 bits. Estos bits incluyen 48 del prefijo de sitio, además de 16 bits para el ID de subred.

## 2.4.4 Direccionamiento estático o dinámico

TCP/IP es un protocolo que proporciona acceso a Internet y, por ello, necesita una dirección IP en cada ordenador (se ha de indicar en las propiedades del protocolo TCP/IP). Para proporcionar esa dirección se pueden seguir los siguientes métodos de configuración:

- **Configuración manual o estática**. Se utilizará este método de configuración cuando se disponga de una red con múltiples segmentos y no se cuente con un servidor DHCP. Será necesario indicar una dirección IP, una máscara de subred (IPv4) o longitud de prefijo de red (IPv6), la puerta de enlace predeterminada y el servidor DNS, el servidor *WINS* o ambos en cada uno de los equipos (incluido el servidor).

- **Configuración automática o dinámica**. Con este método se asignará automáticamente una dirección IP al equipo. Hay dos formas posibles:

  - **Configuración automática**. Se utilizará este tipo de configuración cuando se disponga de una red pequeña con un servidor sin necesidad de conexión a Internet y no se cuente con un servidor DHCP. Se deberá indicar que se desea obtener una dirección IP automáticamente y, al no encontrar un servidor DHCP, Windows asignará la dirección IP utilizando:

- **APIPA (Automatic Private IP Addressing)**. Esta asignación se realizará en IPv4 dentro del rango de direcciones 169.254.0.1-169.254.255.254 y con la máscara de subred 255.255.0.0 (no es necesario indicar la puerta de enlace predeterminada, el servidor DNS o el servidor *WINS*).

- **Dirección local del enlace**. Es una dirección de uso local identificada por el prefijo 1111 1110 10 (FE80::/10), cuyo ámbito es el del enlace local. Los nodos utilizan estas direcciones para comunicarse con nodos vecinos en el mismo enlace. Es el equivalente a APIPA en IPv6.

- **Configuración dinámica**. Este tipo de configuración se utilizará en una red que disponga de un servidor DHCP. Se deberá indicar que se desea obtener una asignación automática de dirección IP y, al encontrar el servidor *CDP*, éste asignará una dirección IP, una máscara de subred, la puerta de enlace predeterminada y el servidor DNS, el servidor *WINS* o ambos a cada uno de los equipos cuando se conecten.

## 2.4.5 Autoconfiguración en IPv6

La autoconfiguración es el conjunto de pasos por los cuales un equipo decide cómo autoconfigurar sus interfaces de red en IPv6.

Este proceso incluye la creación de una dirección de enlace local, la verificación de que no está duplicada en dicho enlace y la determinación de la información que ha de ser autoconfigurada (direcciones IP y otra información).

Las direcciones IP pueden obtenerse de forma totalmente manual, mediante DHCPv6 (**statefull, modo con estado** o configuración predeterminada), o de forma automática (**stateless, modo sin estado**, descubrimiento automático o sin intervención).

Este protocolo define la manera de generar una dirección de enlace local, direcciones globales y locales de sitio, mediante el modo sin estado. También define el mecanismo para detectar direcciones duplicadas.

El **modo sin estado** no requiere ninguna configuración manual del equipo, configuración mínima (o ninguna) de routers y no precisa servidores adicionales. Permite a un equipo generar su propia dirección IP mediante una combinación de información disponible localmente e información anunciada por los routers. Los routers anuncian los prefijos que identifican la subred (o subredes) asociadas con el enlace, mientras el equipo genera un **identificador de interfaz**, que identifica de forma única la interfaz en la subred. La dirección IP se compone combinando ambos campos. En ausencia de un router, el equipo sólo puede generar la dirección de enlace local, aunque esto es suficiente para permitir la comunicación entre nodos conectados al mismo enlace.

En el **modo con estado**, el equipo obtiene la dirección de la interfaz y/o la información y parámetros de configuración desde un servidor. Los servidores mantienen una base de datos con las direcciones IP que han sido asignadas a cada host.

Ambos tipos de autoconfiguración se complementan. Un equipo puede usar autoconfiguración sin intervención (**stateless**) para generar su propia dirección y obtener el resto de parámetros mediante autoconfiguración predeterminada (**stateful**).

El mecanismo de autoconfiguración sin intervención se emplea cuando no importa la dirección exacta que se asigna a un equipo, sino tan sólo asegurarse de que es única y correctamente enrutable.

El mecanismo de autoconfiguración predeterminada, por el contrario, asegura que cada equipo tiene una determinada dirección, asignada manualmente.

Cada dirección IP es cedida a una interfaz de red durante un tiempo predefinido (tienen asociado un tiempo de vida que indica durante cuánto tiempo está vinculada dicha dirección a una determinada interfaz de red. Cuando el tiempo de vida expira, la vinculación se invalida y dicha dirección puede ser reasignada a otra interfaz en cualquier punto de la red).

Para gestionar la expiración de los vínculos, una dirección IP pasa a través de dos fases diferentes mientras está asignada a una interfaz de red. Inicialmente, una dirección es *preferred* (preferida), que significa que su uso es arbitrario y no está restringido. Posteriormente, la dirección pasa a ser *deprecated* (desaprobada), anticipándose a que el vínculo con su interfaz actual vaya a ser anulado.

Mientras se encuentra en estado *desaprobado*, su uso está desaconsejado aunque no prohibido. Cualquier nueva comunicación (por ejemplo, una nueva conexión TCP) deberá usar una dirección *preferida*, siempre que sea posible.

Una dirección *desaprobada* debería utilizarse tan sólo por aquellas aplicaciones que ya la venían utilizando y a las que les es muy difícil cambiar a otra dirección sin interrupción del servicio.

Para asegurarse de que todas las direcciones configuradas son únicas en un determinado enlace, los nodos ejecutan un algoritmo de detección de direcciones duplicadas, antes de asignarlas a una interfaz. Este algoritmo es ejecutado para todas las direcciones, independientemente de que hayan sido obtenidas mediante **el modo con estado** o **sin estado**.

## 2.4.6 Resolución de nombres

La resolución de nombres es un proceso que permite a los usuarios conectarse a la red utilizando el nombre de los equipos en lugar de su dirección IP (de esta manera, no es necesario tener que usar la dirección IP que es más difícil de recordar). Windows 7 proporciona dos métodos de resolución de nombres que pueden coexistir conjuntamente:

- **DNS**. Es un método que utiliza servidores distribuidos a lo largo de la red para resolver el nombre de un ordenador en su dirección IP. Se necesita DNS para correo electrónico de Internet, navegación por páginas web, trabajar con el Directorio Activo y para los clientes que ejecutan Windows 2000, Windows XP, Vista o 7. Este método de resolución de nombres se instala automáticamente cuando se crea un controlador de dominio o se promociona un servidor a controlador de dominio, a no ser que se detecte que ya existe un servidor DNS.

- **WINS**. Si va a disponer de clientes que ejecuten Windows NT u otros sistemas operativos de Windows distintos de Windows 2000, Windows XP, Vista o 7, será necesario utilizar este método de resolución de nombres. Únicamente se puede utilizar con IPv4.

# Capítulo 3

# LA INSTALACIÓN DE WINDOWS 7

## 3.1 OPCIONES DE INSTALACIÓN DE WINDOWS 7

Existen dos opciones de instalación de Windows 7:

- **Actualización**. Instalar Windows 7 sobre la versión actual de Windows instalada en el equipo, conservando los archivos, las configuraciones y los programas. De no ser posible la actualización se deberá elegir la opción personalizada que instala una nueva versión del sistema.

- **Personalizada**. Instalar Windows 7 en la partición que se seleccione, eliminando los programas y la configuración de esa partición. Será necesario realizar una copia de seguridad de los archivos y de la configuración para poder restaurarlos después de la instalación. Al finalizarla será necesario la reinstalación de los programas. En caso de ser una instalación en un equipo nuevo, no será necesario realizar dicha copia de seguridad.

## 3.2 EL ASESOR DE ACTUALIZACIONES DE WINDOWS

En caso de proceder a la instalación o actualización en un equipo que no sea nuevo, es aconsejable utilizar el *software* suministrado por Microsoft para comprobar si el equipo cumple con los requisitos mínimos para ejecutar este sistema operativo. Dicha herramienta se denomina **Asesor de actualizaciones de Windows 7** y se podrá descargar desde la página de Microsoft.

Una vez ejecutada la aplicación, se mostrará la pantalla de inicio donde se informa de que se deberán tener conectados todos los dispositivos para que el programa verifique también su correcto funcionamiento en Windows 7.

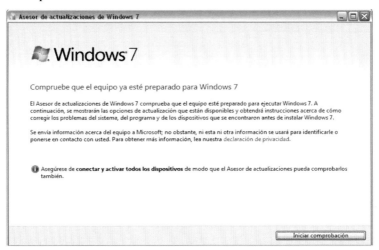

Al pulsar sobre **Iniciar comprobación**, el programa realizará una serie de comprobaciones para validar la compatibilidad del equipo, tanto a nivel *software* como *hardware*, con el nuevo sistema antes de su instalación. Verá la pantalla siguiente:

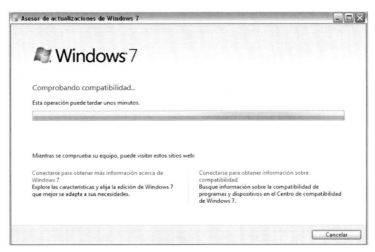

Una vez que el programa termine de evaluar nuestro equipo, nos mostrará un resumen con la información sobre la compatibilidad del sistema, los dispositivos y los programas instalados.

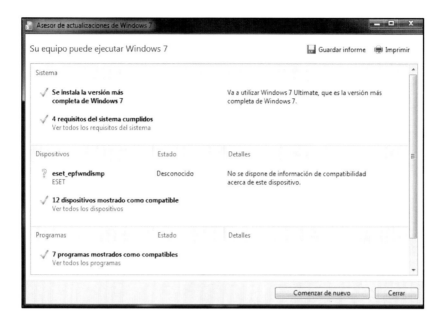

Desde esta pantalla se podrá acceder con más detalle a la información de cada uno de los tres apartados, pulsando sobre la opción correspondiente:

- **Compatibilidad del sistema**:

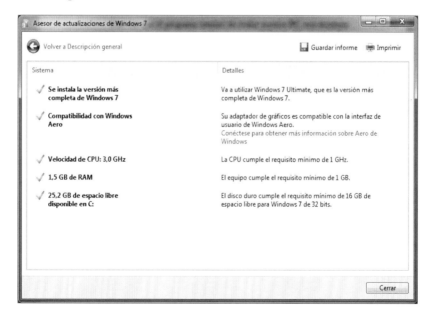

- **Compatibilidad de los dispositivos:**

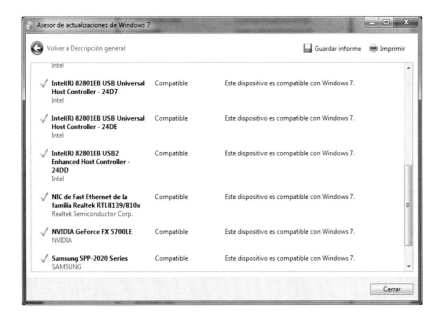

- **Compatibilidad de los programas:**

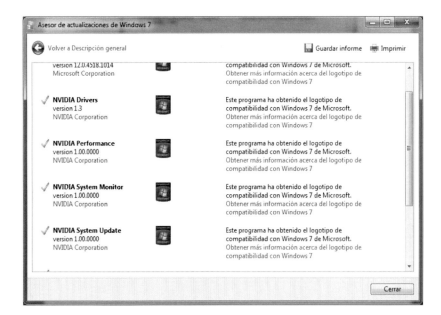

# 3.3 INSTALACIÓN DE WINDOWS 7

Una instalación nueva se puede realizar en un equipo que dispone previamente de otro sistema operativo (para realizar una configuración de arranque dual) o en un equipo totalmente limpio. En ambos casos, el proceso de la instalación se puede comenzar de varias formas:

- Desde una unidad DVD del propio equipo. Es la forma más común de iniciar la instalación y puede hacerse de dos maneras distintas:

  - Iniciando el ordenador desde la unidad DVD de un ordenador limpio. Comenzará automáticamente la instalación, aunque previamente tendrá que haberse colocado el DVD de Windows 7 en la unidad correspondiente y se habrá indicado en el *SETUP* o *BIOS* del ordenador que puede iniciarse desde una unidad DVD.

  - Iniciando el ordenador desde otro sistema operativo. Una vez cargado dicho sistema operativo y colocado el DVD de Windows 7 en la unidad DVD correspondiente, se pueden dar tres opciones:

    - Ejecución automática del proceso de instalación.

    - Desde el Explorador de Windows, visualización del contenido del DVD y comienzo de la instalación.

    - Cambio a la letra correspondiente de la unidad DVD, visualización de su contenido y comienzo de la instalación.

- Desde un recurso compartido de la red y utilizando un equipo que ya cuenta con otro sistema operativo. Para ello, se puede actuar de dos maneras distintas:

  - Colocando el DVD de Windows 7 en una unidad DVD compartida de un equipo de la red. Habrá que buscar dicho recurso compartido, ver su contenido y comenzar la instalación.

  - Copiando el contenido del DVD de Windows 7 en una carpeta compartida de un equipo de la red. Habrá que buscar dicho recurso compartido, ver su contenido y comenzar la instalación.

Con cualquier método de iniciar la instalación, si ésta no comienza automáticamente, se deberá ejecutar el archivo **SETUP.EXE** del directorio raíz del DVD de la instalación.

El ejemplo de instalación que se va a desarrollar en el libro es el de una instalación limpia desde el DVD propio del equipo, de *Windows 7, Ultimate Edition.*

1.  Se pueden dar las dos opciones siguientes:

    *   Que en el equipo no hubiera ningún sistema operativo. En este caso, una vez colocado el DVD en su unidad e iniciado el equipo (deberá haberse seleccionado el arranque desde el DVD en la *BIOS*), cargará los archivos necesarios. Al cabo de un momento le mostrará la pantalla siguiente:

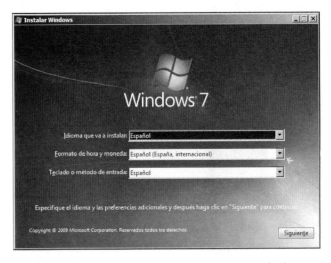

Compruebe que los datos sean correctos y, cuando lo sean, pulse en **Siguiente** y verá la pantalla:

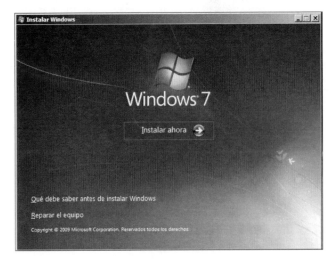

En este lugar se pueden realizar tres alternativas:

- **Qué debe saber antes de instalar Windows**. Si pulsa en esta opción, le mostrará una lista de requisitos, mensajes de error e información diversa sobre la instalación.

- **Reparar el equipo**. Si pulsa esta opción, podrá recuperar un sistema Windows 7 que estuviera previamente instalado (se describirá posteriormente en el capítulo denominado *La Recuperación de los fallos*).

- **Instalar ahora**. Si pulsa en esta opción, procederá a continuar con la instalación de este sistema operativo. Vaya al punto dos.

- **Que en el equipo hubiera otro sistema**. Una vez iniciado el ordenador y cargado el sistema operativo correspondiente e introducido el DVD en su unidad (o ejecutado el archivo SETUP.EXE), se iniciará automáticamente el programa de instalación y le mostrará la pantalla siguiente:

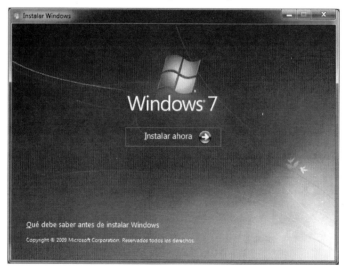

En este lugar se pueden realizar dos alternativas:

- **Qué debe saber antes de instalar Windows**. Si pulsa en esta opción, le mostrará una lista de requisitos, mensajes de error e información diversa sobre la instalación.

- **Instalar ahora**. Si pulsa en esta opción, procederá a continuar con la instalación de este sistema operativo y verá la pantalla siguiente:

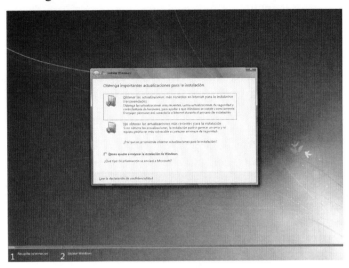

Es conveniente que seleccione la primera opción, ya que dispondrá de las últimas actualizaciones del sistema operativo y de los últimos controladores diponibles.

En cualquiera de los dos casos, vaya al punto dos.

2. Verá una pantalla para que acepte los términos de la licencia de Microsoft.

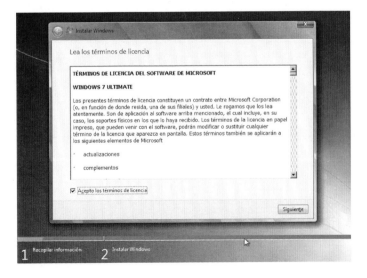

Cuando los haya leído, marque en **Acepto los términos de licencia**, pulse en **Siguiente** y verá una pantalla donde se puede seleccionar cómo se va a realizar la instalación, pudiéndose escoger entre **Actualización** o **Personalizada**.

3.  Pulse en **Personalizada** para realizar una instalación limpia del sistema operativo y le mostrará una pantalla parecida a la siguiente:

En dicha pantalla se encuentran las siguientes alternativas:

* **Actualizar**. Para que refresque la lista de particiones.

- **Eliminar.** Si pulsa en esta opción, eliminará la partición.

- **Formatear.** Para formatear una partición existente.

- **Nuevo.** Si pulsa en esta opción, se creará una nueva partición.

- **Cargar controlador.** Si en la lista no aparece ninguna partición, puede ocurrir que el sistema no disponga de los controladores necesarios para ello. Al pulsar en esta opción, le mostrará una nueva pantalla indicándole que introduzca los controladores en la unidad correspondiente y pulse en **Aceptar**. Cuando los haya detectado, volverá a la pantalla anterior pero ya se verán las particiones disponibles.

- **Extender.** Si pulsa en esta opción, se extenderá una partición existente.

4.  Cuando haya finalizado, seleccione la partición en la que desea instalar el sistema operativo, pulse en **Siguiente** y empezará el proceso (si hubiera una instalación previa, le mostrará un mensaje en donde le indica que los archivos de dicha instalación se guardarán en una carpeta llamada *windows.old*; cuando se haya acabado la instalación, se podrán borrar. Cuando lo haya leído, pulse en **Aceptar**). Verá una pantalla parecida a la siguiente:

5.  Cuando haya acabado de marcar toda la lista de actuaciones a realizar, habrá acabado la instalación.

6. Verá la pantalla siguiente para que indique el nombre de usuario para la cuenta (esa cuenta pertenecerá al grupo Administradores) y el nombre del equipo.

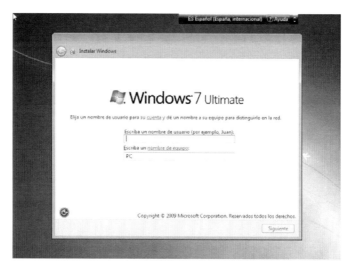

7. Una vez haya indicado el nombre del usuario y el del equipo, pulse en **Siguiente**.

8. En la siguiente pantalla se deberá indicar la contraseña de usuario, repitiéndola como medida de seguridad. Ademas habrá que indicar un indicio de contraseña (que mostrará el sistema si olvidamos la contraseña, con la finalidad de recordarla).

9. Después de indicarlo, pulse en **Siguiente**. El sistema mostrará la siguiente pantalla, donde deberá indicar la clave del producto.

Esta clave se encuentra en una etiqueta incluida en el paquete con la copia de Windows 7 o en la caja del equipo (dicha clave puede ser indicada con posterioridad a realizar la instalación).

Si activa la casilla **Activar Windows automáticamente cuando esté conectado**, el sistema se activará de forma automática cuando se conecte por primera vez (la activación asocia la clave del producto con el equipo). Para obtener más información, vea el epígrafe *Validación y Activación de Windows 7* de este capítulo.

10. Cuando haya acabado, pulse en **Siguiente** y verá la pantalla:

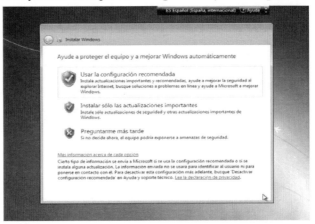

En ella podrá indicar la configuración para las actualizaciones del sistema. Podrá elegir entre automatizar todas las actualizaciones, automatizar sólo las más importantes y las de seguridad, y posponer la configuración.

11. Una vez elegida la configuración para las actualizaciones, pulse en **Siguiente** y verá la pantalla:

En ella podrá configurar la hora y la fecha del sistema.

12. Si Windows detecta que el equipo está conectado a una red, se deberá indicar a qué tipo de red lo está para su correcta configuración.

13. Cuando lo haya indicado, el sistema mostrará el escritorio, terminando así la instalación de Windows 7.

14. Cuando desee finalizar la sesión, pulse en el menú **Inicio** y, a continuación, pulse en **Apagar**.

## 3.4 LAS ACTUALIZACIONES

En el siguiente cuadro se podrá consultar cuál de los dos métodos (instalación personalizada o actualización) será el adecuado para cada equipo, dependiendo del sistema operativo que se vaya a actualizar.

| Actualizar desde: | Actualizar a: | | |
|---|---|---|---|
| | Windows 7 Home Premium | Windows 7 Professional | Windows 7 Ultimate |
| Windows XP | Personalizada | | |
| Cualquier versión 32-bit a 64-bit, o viceversa | Personalizada | | |
| Windows Vista Home Basic | Actualización | Personalizada | Actualización |
| Windows Vista Home Premium | Actualización | Personalizada | Actualización |
| Windows Vista Business | Personalizada | Actualización | Actualización |
| Windows Vista Ultimate | Personalizada | Personalizada | Actualización |

## 3.4.1 Actualizando Windows XP a Windows 7

Como se observa en el cuadro de actualizaciones anterior, no es posible actualizar desde Windows XP a Windows 7, por lo que será necesario usar la opción **Personalizada** de la instalación.

La opción **Personalizada** es más compleja y requiere de un mayor tiempo para ser completada.

Como ya se comentó en el capítulo anterior la opción **Personalizada** no conserva los programas, los archivos ni la configuración del equipo. Es una instalación nueva del sistema operativo.

Por este motivo, antes de comenzar la instalación de Windows 7 hay que tener en cuenta dos aspectos:

- **Reinstalación de todos los programas**. Después de finalizar la instalación de Windows 7, será necesario reinstalar todos los programas en el equipo actualizado. Para ello, necesitará los discos de instalación o los archivos de configuración originales.

- **Realizar una copia de seguridad de los archivos personales del equipo**. Para realizar este proceso, Microsoft facilita de forma gratuita la aplicación **Windows Easy Transfer**. También será necesario un dispositivo de almacenamiento para realizar esta copia de seguridad.

Como ya se dijo en el punto 3.2, se deberá ejecutar el **Asesor de actualizaciones** para comprobar si el equipo cumple con las especificaciones mínimas para ejecutar Windows 7 de manera efectiva.

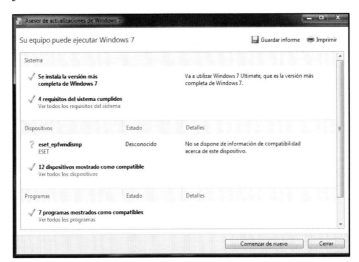

Una vez comprobada la compatibilidad del equipo con Windows 7, habrá que realizar la copia de seguridad de los archivos y valores de configuración para luego volverlos a ubicar en el equipo una vez finalizada la instalación de Windows.

Para ello, utilice la aplicación **Windows Easy Transfer**, que se puede obtener de la web de Microsoft, específica para Windows XP.

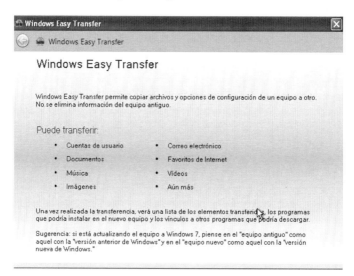

*Windows Easy Transfer* creará un único fichero que contendrá los archivos y configuraciones del equipo. El tamaño de este archivo dependerá de la cantidad de información del equipo, pero se recomienda el uso de un disco duro externo para evitar problemas de capacidad.

*Windows Easy Transfer* no moverá los programas, sólo los archivos y valores de configuración. Será, por tanto, necesario volver a reinstalar todos los programas una vez finalizada la instalación de Windows 7.

Para el correcto funcionamiento de la aplicación, será necesario tener instalado en el equipo Windows XP *Service Pack 2*. Para comprobarlo, pulse sobre el menú **Inicio**, luego, pulse con el botón derecho del ratón en **Mi PC** y, a continuación, en **Propiedades**.

Si en el apartado **Sistema**, observa *Service Pack 2* o *Service Pack 3*, podrá usar *Windows Easy Trasfer*. De no ser así, deberá actualizar el sistema operativo al *Service Pack 2* como mínimo (se recomienda visitar la web de Microsoft).

Una vez ejecutada la aplicación, deberá elegir la opción **Un disco duro externo o una unidad** *flash USB*.

Verá la siguiente pantalla:

En ella, deberá pulsar en **El equipo anterior**, para que la aplicación comience a examinar el equipo. Verá la pantalla siguiente:

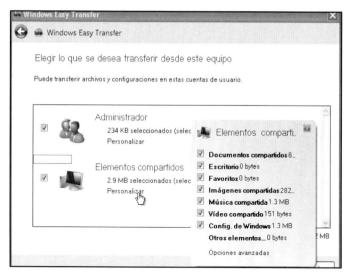

En ella deberá desactivar las casillas de las cuentas de usuario de las que no desea transferir datos. Si pulsa en el acceso **Personalizar**, accederá a un listado detallado de los elementos que va a transferir a Windows 7, pudiendo desmarcar aquellos que considere oportuno. También, podrá pulsar en **Opciones Avanzadas** desde donde accederá a un *Explorador* en el que podrá marcar qué directorios se van a transferir en el proceso de exportación.

Una vez elegida la información a exportar, pulse en **Aceptar** y la aplicación solicitará que indique una contraseña para acceder a los datos (si se considera necesario).

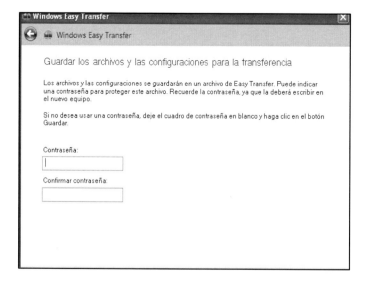

Cuando lo haya indicado, pulse en **Guardar** y solicitará el destino del archivo con los datos a exportar (se recomienda el uso de un disco duro externo para esta tarea).

Al pulsar en **Guardar**, el sistema comenzará a guardar todos los datos seleccionados. Este proceso puede durar bastante tiempo, dependiendo de la cantidad de datos seleccionados.

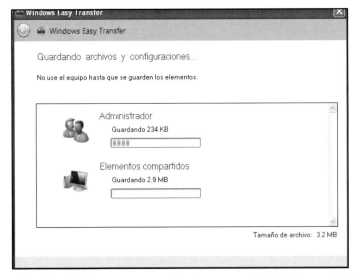

Una vez finalizado el proceso, mostrará una pantalla informando de que el proceso ha finalizado correctamente, indicando el nombre y ubicación del archivo de datos.

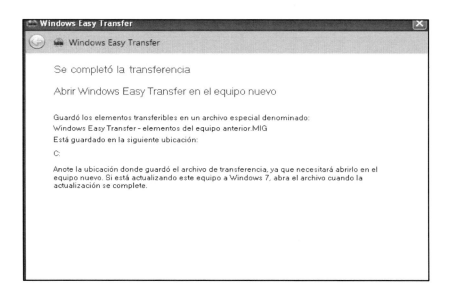

Una vez realizada la copia de los archivos del equipo, ya se puede proceder a la instalación limpia de Windows 7, tal como se explica en el epígrafe 3.3 de este capítulo (opción **Personalizada**).

Se elegirá, por tanto, la opción **Instalación Personalizada**. Durante este proceso, mostrará un mensaje en el que se informa de que la información de la antigua instalación será movida a una carpeta llamada *Windows.Old*, que sólo estará disponible para consulta.

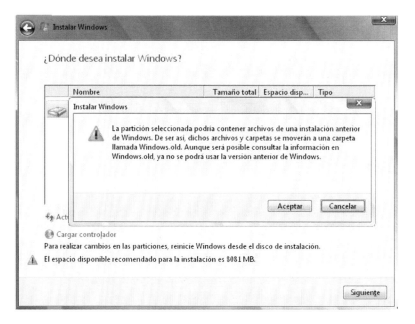

Es posible que al elegir la partición de destino Windows 7, un mensaje de error muestre que Windows no se puede instalar en la partición seleccionada y al pulsar sobre **Mostrar detalles**, muestre un un mensaje informando de que **Windows se debe instalar en una partición con formato NTFS**. Esto es debido a que el disco duro donde se va a instalar Windows 7 está formateado con el sistema de archivos *FAT32* y no con el sistema requerido *NTFS*.

El procedimiento para convertir el sistema *FAT32* del disco duro a la versión más actualizada de *NTFS* es el siguiente:

- Cancele la instalación de Windows 7 y quite el disco de instalación.

- Pulse en el menú **Inicio**, elija **Todos los programas**, **Accesorios**, pulse con el botón derecho del ratón en **Símbolo del sistema** y, finalmente, pulse en **Ejecutar como**.

- Seleccione **El siguiente usuario**, elija un usuario con permisos de administrador, escriba la contraseña y, a continuación, pulse en **Aceptar**.

- En el símbolo del sistema, escriba cuidadosamente *convert <unidad>: /fs:ntfs* donde <unidad> es la letra asociada con la instalación de Windows XP. Por ejemplo, si Windows XP está en la unidad C:, escriba *convert c: /fs:ntfs* (cuando lo escriba, asegúrese de incluir un espacio inmediatamente antes de */fs:ntfs*).

- Pulse [**INTRO**].

- Si pregunta si desea forzar un desmontaje en este volumen, escriba **Y** o **S** (dependiendo de la versión) y, a continuación, pulse [**INTRO**].

- Si pregunta si desea programar la unidad para que se convierta la próxima vez que reinicie el sistema, escriba **Y** o **S** (dependiendo de la vesión) y, a continuación, pulse [**INTRO**].

Pulse en el menú **Inicio**, pulse en **Apagar**, a continuación, seleccione **Reiniciar** y pulse en **Aceptar**.

Cuando el equipo se reinicie Windows procederá a convertir el disco duro a *NTFS* y, a continuación, reiniciará el equipo. No use el equipo durante este tiempo.

- Cuando Windows XP se haya convertido al nuevo sistema de archivos, vuelva al epígrafe 3.3 de este capítulo para realizar una instalación personalizada de Windows 7.

Una vez instalado el sistema operativo, será el momento de recuperar los datos del equipo.

Para ello, localice el archivo generado con la aplicación *Windows Easy Transfer*, seleccione el archivo y se abrirá la siguiente pantalla en la que solicita la contraseña que indicó en el momento de la creación del archivo.

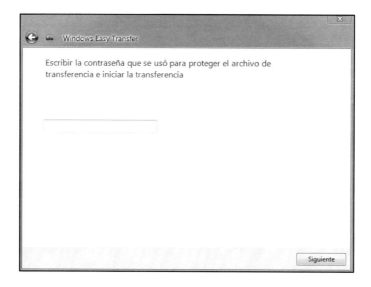

Una vez se indique dicha contraseña, en la siguiente pantalla se podrá seleccionar qué perfiles son los que va a copiar en Windows 7.

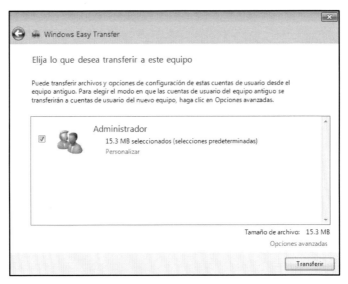

Pulsando sobre **Personalizar** de cada perfil, accederá a un menú en el que podrá desmarcar aquella información que no desee copiar al equipo.

En esa pantalla podrá pulsar en **Opciones avanzadas** para acceder a un listado detallado de los directorios que se han exportado del equipo. Podrá elegir qué directorios van a ser copiados a Windows 7.

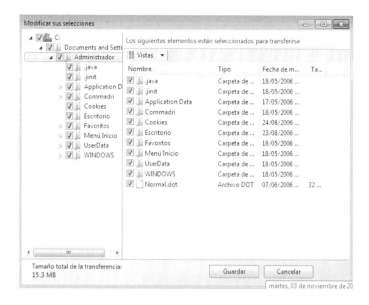

Una vez pulse en **Guardar**, volverá a la pantalla anterior.

Podrá pulsar en **Opciones avanzadas** para acceder a dos nuevas pantallas.

En la primera de ellas, podrá elegir la forma en la que desea que las cuentas de usuario del equipo anterior se transfieran al nuevo. Además, podrá crear nuevas cuentas de usuario.

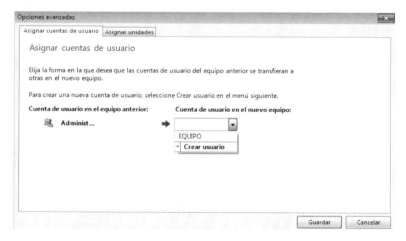

Cuando haya finalizado, pulse en la ficha **Asignar unidades** (accesible a través de las pestañas superiores) y podrá elegir cómo transferir el contenido de las unidades del antiguo equipo a las del nuevo equipo.

Una vez configurado todo el proceso, pulse en **Guardar** y el sistema realizará la copia de la información al nuevo equipo.

Al finalizar el proceso, el sistema mostrará una pantalla informando de que el proceso se finalizó satisfactoriamente y mostrará dos informes.

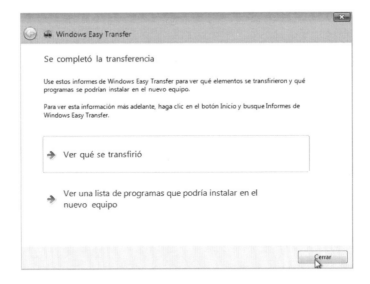

El primero de ellos mostrará información sobre los datos que han sido transferidos en el proceso.

Pulsando en cada botón **Detalles**, accederá a información más detallada sobre lo que se ha transferido.

Si pulsa en la ficha **Informe de programas** (accesible a través de las pestañas superiores), accederá a un listado del *software* instalado en el equipo anterior y que será necesario instalar de nuevo.

Con este proceso se da por terminada la actualización de Windows XP a Windows 7.

## 3.4.2 Actualizando Windows Vista a Windows 7

En la siguiente tabla, se muestra qué ediciones de Windows Vista se pueden actualizar a Windows 7. Si la versión actual del equipo no permite la actualización, podrá realizar una instalación personalizada para instalar Windows 7 en el equipo.

| Si ejecuta: | Actualizar a Windows 7 Home Premium | Actualizar a Windows 7 Professional | Actualizar a Windows 7 Ultimate |
|---|---|---|---|
| Windows Vista Home Basic | ✓ | | ✓ |
| Windows Vista Home Premium | ✓ | | ✓ |
| Windows Vista Business | | ✓ | ✓ |
| Windows Vista Ultimate | | | ✓ |

En la instalación personalizada se seguirán los pasos explicados en el epígrafe *Actualizando Windows XP a Windows 7*. Para realizar el proceso correctamente será necesario descargarse de la página de Microsoft la aplicación **Windows Easy Transfer** específica para Windows Vista.

Si la versión de Windows Vista instalada en el equipo permite la actualización a Windows 7, el proceso se realizará de manera mucho más sencilla y cómoda, ya que en el proceso se mantendrán los archivos, los valores de configuración y los programas existentes en el equipo.

Se recomienda descargar y ejecutar la aplicación *Asesor de actualizaciones de Windows 7* con el fin de encontrar posibles problemas de *hardware*, dispositivos o programas del equipo que puedan afectar a la instalación de Windows 7, ya que proporcionará recomendaciones sobre cómo solucionar tales problemas de compatibilidad.

Antes de realizar la actualización hay que tener en cuenta los siguientes puntos:

- El equipo deberá tener instalado *Service Pack 1* o *Service Pack 2* para Windows Vista (para obtener más información, consulte los *Service Pack* de Windows Vista en el sitio web de Microsoft).

- Se deberá conectar el equipo a Internet para poder obtener las actualizaciones de instalación durante el proceso de instalación (aunque no se disponga de una conexión a Internet, podrá instalar Windows 7).

- Si el equipo utiliza un lector de huellas dactilares u otro dispositivo biométrico para iniciar sesión en el equipo, habrá que guardar la contraseña antes de la actualización. Se deberá iniciar sesión indicando el nombre de usuario y la contraseña la primera vez que se use Windows 7 después de la actualización.

Una vez comprobados los puntos anteriores, se iniciará la actualización del sistema. Para ello, se ejecutará el programa de instalación y verá la pantalla siguiente:

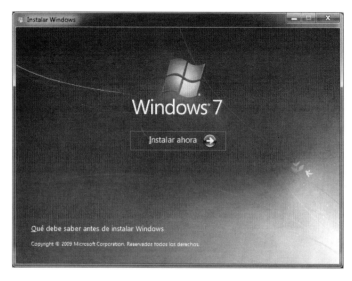

En ella, se pulsará sobre **Instalar ahora** para comenzar la actualización del sistema y verá la pantalla siguiente:

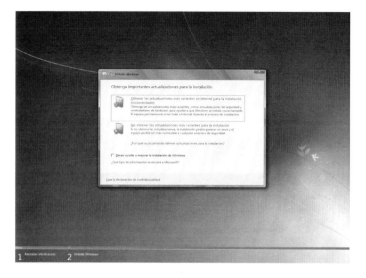

Deberá indicar si descarga las actualizaciones disponibles desde Internet. Se recomienda usar esta opción para facilitar la instalación y evitar posibles problemas. Verá la pantalla siguiente:

Despues de leer los términos de la licencia de Microsoft y aceptarlos, se pulsará sobre **Siguiente** y verá la pantalla:

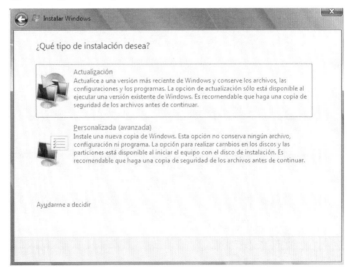

En ella, deberá pulsar sobre **Actualización**. Con este sistema se mantendrán los archivos, los valores de configuración y los programas existentes en el equipo, aunque es recomendable realizar anteriormente una copia de seguridad de los archivos del equipo por motivos de protección.

El sistema realizará una serie de comprobaciones del sistema, mostrando un informe de compatibilidad, y comenzará a actualizar el sistema.

Este proceso puede durar bastante tiempo, dependiendo de la cantidad de información en el equipo. Además durante el proceso, el sistema puede reiniciarse varias veces antes de finalizar la actualización a Windows 7.

Al igual que en la instalación personalizada, habrá que indicar la clave del producto, indicar la fecha del sistema y configurar el sistema de actualizaciones del equipo.

Una vez el sistema finalice el proceso, mostrará el escritorio y el proceso de actualización se dará por concluido.

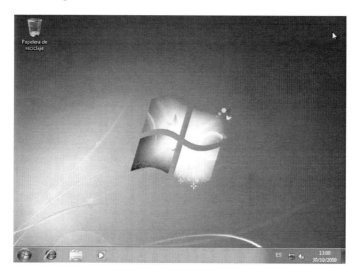

## 3.5 VALIDACIÓN Y ACTIVACIÓN DE WINDOWS 7

Windows 7 contiene una tecnología contra la piratería, llamada *tecnologías de activación de Windows*, que permite a Microsoft combatir la piratería de forma eficaz.

Las tecnologías de activación de Windows incluyen la activación y la validación del producto, lo que ayuda a asegurarse de que el sistema operativo Windows 7 que está funcionando en el equipo es original.

La **activación** es un proceso necesario mediante el que Microsoft determina si la clave de producto se usa de forma correcta en función de la licencia de *software* asociada a ella. La **validación** es un proceso mediante el que Microsoft puede determinar si su clave de producto se ha falsificado o se ha usado de forma incorrecta. Si no se supera la validación, es posible que se requiera la reactivación.

El *software* original Windows 7 ayuda a los usuarios a disfrutar de todas las características de Windows al tiempo que se evitan virus, archivos manipulados y otro *software* malintencionado que suele ir asociado a las copias falsificadas.

Durante la instalación del *software*, el asistente le pide que introduzca una clave de producto situada normalmente en la parte posterior de la caja del CD de Windows 7 o en el equipo. La clave de producto es un código alfanumérico de 25 caracteres agrupados de cinco en cinco. Guarde dicha clave de producto en un lugar seguro y no la comparta con nadie, ya que le permite instalar y utilizar Windows 7.

La clave de producto es también la base del identificador de producto que se crea al instalar cualquier sistema operativo de la familia Windows 7. Cada uno de dichos sistemas operativos con licencia tiene un identificador de producto único que consta de 20 caracteres agrupados de la manera siguiente: XXXXX-XXX-XXXXXXX-XXXXX, que se puede ver desde **Propiedades** del menú contextual de **Equipo**.

Además y únicamente para la activación del producto, se genera un identificador de *hardware* no único a partir de la información general incluida en los componentes del sistema. Según indica Microsoft, en ningún momento se examinan los archivos del disco duro ni se utiliza ningún tipo de información que identifique personalmente al usuario para crear el identificador de *hardware*. Para garantizar su privacidad, el identificador de *hardware* se crea mediante lo que se denomina un *hash unidireccional*, que procesa la información mediante un algoritmo con el fin de crear una nueva cadena alfanumérica. De esta forma, es imposible calcular la información original a partir de la cadena resultante.

Este identificador de *hardware* se utiliza junto con el identificador de producto para crear un identificador de instalación único. Tanto si se elige realizar la activación mediante una conexión a Internet como si se realiza por teléfono a través del servicio de atención al cliente de Microsoft, el identificador de instalación es la única información necesaria para activar Windows 7. Es posible activar y validar el producto ante Microsoft simultáneamente o por separado.

Normalmente, se dispone de un período de gracia de 30 días (especificado en el *contrato de licencia de Microsoft*) para activar la instalación de Windows 7. Puede ver los días que le quedan para activar en el apartado **Activación de Windows** de **Propiedades** del menú contextual de **Equipo**.

El sistema mostrará mensajes periódicamente para recordar que es necesario realizar la activación de Windows 7. La periocidad de los mensajes será, contando desde el día en que se use por primera vez Windows 7:

- Días 1 al 3. No hay mensajes recordatorios.

- Días 4 al 26. Un mensaje cada día.

- Días 27 al 29. Un mensaje cada cuatro horas.

- Día 30. Un mensaje cada hora.

Si finaliza dicho período de gracia y no se ha realizado la activación, el sistema mostrará de manera persistente numerosos mensajes durante el acceso al sistema y durante todo el tiempo que se esté trabajando con el equipo, recordando que se debe activar Windows 7 para seguir usando el sistema.

Para activar Windows 7, una vez iniciada una sesión en el equipo, seleccione **Active Windows ahora** del apartado **Activación de Windows** de **Propiedades** del menú contextual de **Equipo** y verá una nueva pantalla con las opciones siguientes:

- Si pulsa en **Activar Windows en línea ahora** podrá realizar la activación a través de Internet (en caso de no haber indicado la clave de producto durante la instalación, se la pedirá ahora). Para ello, el Asistente para activación de productos de Windows intentará establecer una conexión con Microsoft y realizará la activación automáticamente (enviando el identificador de instalación). Una vez finalizada la activación, se lo indicará y podrá verlo en el apartado **Activación de Windows** de **Propiedades** del menú contextual de **Equipo**.

  En caso de no poder realizarlo, le mostrará una nueva pantalla con las dos opciones que se describen a continuación.

- Si pulsa en **Preguntar más tarde**, volverá a la pantalla de anterior.

- Si pulsa en **Mostrar otras formas de activación** (esta opción únicamente aparecerá si no dispone de acceso a Internet), podrá seleccionar entre **Usar el módem para conectarse directamente al servicio de activación** (siempre que disponga de un módem) o **Usar el servicio telefónico automatizado**. En este último caso, deberá indicar la ubicación desde donde va a realizar la llamada y le mostrará una nueva pantalla donde le indica el número de teléfono al que llamar, mostrándole el identificador de instalación generado. Una vez realizada la llamada, el representante de atención al cliente le pedirá que le indique dicho identificador de instalación; opcionalmente, los sistemas de respuesta telefónica automatizados le guiarán por el proceso de activación. Una vez indicado, le dará un identificador de confirmación que deberá escribir en las casillas correspondientes.

Una vez realizada la activación, la clave de producto podrá utilizarse para instalar Windows en ese equipo un número limitado de veces. Sin embargo, si necesita instalar Windows en otro equipo diferente con dicha clave de producto, deberá ponerse en contacto telefónico con un representante del servicio de atención al cliente de Microsoft para que le indique un nuevo identificador de confirmación.

Recuerde que si se modifica sustancialmente el *hardware* del equipo, le mostrará un aviso en donde le indica que deberá volver a activar Windows.

Los usuarios de Windows original tienen acceso exclusivo a todas las actualizaciones y todas las descargas opcionales de Microsoft, así como a las ofertas y promociones especiales, para que pueda sacar el máximo partido a su equipo.

# 3.6 LA DOCUMENTACIÓN EN LÍNEA

En Windows 7 la documentación no viene impresa; se encuentra grabada en el disco duro y se puede acceder a ella desde el propio ordenador en cualquier momento. Además, se puede acceder, a través de Internet, a las páginas de Microsoft para conseguir actualizaciones, herramientas, soporte técnico, acceso a los mensajes de error, etc.

Se pueden dar dos formas de acceso a la documentación en línea:

* Con la opción **Ayuda y soporte técnico** del menú **Inicio**, que mostrará la ayuda completa dividida en distintas secciones. Una vez seleccionada esta opción, le aparecerá la pantalla lateral:

En la parte superior de la pantalla está disponible un cuadro de búsqueda donde se podrá realizar una pregunta sobre aquello de lo que se tenga dudas. Luego, se pulsará en la lupa situada a la derecha del cuadro y el sistema mostrará un listado con los resultados de la búsqueda. Una vez elegida la opción deseada, se pulsará con el ratón para acceder al contenido de la ayuda.

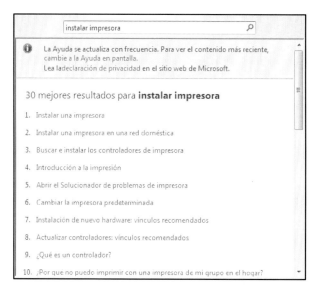

En la parte central de la pantalla de *Ayuda y soporte técnico de Windows*, existen tres opciones:

- **Cómo empezar a usar el equipo**. En esta opción se mostrará una lista de tareas que se deberán realizar para configurar el equipo.

- **Obtener información acerca de los aspectos básicos de Windows**. Desde esta opción se podrá consultar la información necesaria para comprender las tareas y herramientas que se necesitan para utilizar satisfactoriamente el equipo.

- **Explorar los temas de Ayuda**. Desde esta opción se tendrá acceso a un listado con las principales opciones del equipo. Se podrá profundizar en cada una de ellas, pulsando sobre el enunciado, lo que nos dará acceso a más información sobre cada una.

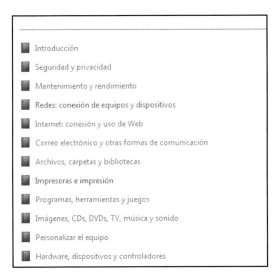

En la parte inferior izquierda de la pantalla se encuentra la opción **Más opciones de soporte técnico**. Desde ella se accederá a otras opciones adicionales de soporte. Entre ellas se encuentran:

- **Recibir ayuda de un amigo a través de Internet**.

- **Preguntar a expertos y a otros usuarios de Windows**.

- **Ponerse en contacto con el servicio de soporte técnico**.

En la parte inferior derecha de la pantalla, se encuentra un menú desplegable desde el que se tendrá acceso a activar la opción **Obtener ayuda en pantalla** (se recomienda su activación). Con esta opción se tendrá acceso a la información *on line* más actualizada sobre los temas de ayuda.

- Con la opción **Ayuda**, que se encuentra en la barra de menús de cualquier utilidad, mostrará la ayuda concreta de la utilidad correspondiente. Una vez seleccionada esta opción, le aparecerá una pantalla parecida a la lateral:

Además de estas dos formas, también es posible acceder a la ayuda de Windows 7 o de cualquier programa con el que se esté trabajando, pulsando la tecla [**F1**]. De esta manera, se accederá a la ayuda de la aplicación activa o, si se pulsa en el escritorio, se accederá a la ayuda de Windows 7.

Windows 7 también mostrará información gracias a los **Tooltips** que son unas ventanas emergentes con información. Esta información aparecerá al dejar el cursor sobre los menús y botones correspondientes, y dará una descripción del uso de ese botón o de qué opciones se encontrarán en ese menú.

También se podrán encontrar preguntas en color azul que enlazarán directamente con la parte de la ayuda en la que se responde a esa pregunta. Si el texto en vez de ser una pregunta es una acción, al pulsar sobre ella se accederá a la ventana desde donde se podrá realizar dicha acción.

# Capítulo 4

# PERSONALIZAR WINDOWS 7

## 4.1 INICIO DE SESIÓN

Windows 7 dispone de una cuenta de usuario de tipo administrador que es la que se configuró durante el proceso de instalación del sistema operativo.

Al arrancar el equipo por primera vez, Windows 7 mostrará una ventana solicitando la contraseña de dicho usuario para iniciar una sesión en el equipo (en el capítulo once se indicará cómo crear nuevos usuarios y poder cambiar de sesión entre ellos).

## 4.2 LAS VENTANAS EN WINDOWS 7

La interfaz de Windows 7 se basa en el uso de ventanas, al igual que en las anteriores versiones de Windows.

Cuando se ejecute una aplicación en el equipo, dicha aplicación se abrirá en una ventana propia. Esto facilitará el trabajo con las aplicaciones, pudiendo tener varias abiertas y mostrando u ocultando las aplicaciones según convenga al usuario.

La estructura de las ventanas en Windows 7 es muy parecida para todas las aplicaciones y tienen elementos comunes que se pueden ver en la pantalla siguiente.

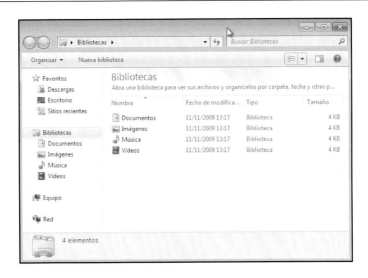

En la parte superior se encuentran los botones que permitirán minimizar, maximizar, restaurar y cerrar la ventana.

**Botón Cerrar**. Cierra la aplicación activa en esa ventana.

**Botón Maximizar**. Amplia el tamaño de la ventana a todo el área de trabajo.

**Botón Minimizar**. La ventana se oculta y sólo se muestra su botón correspondiente en la barra de tareas. Para restaurar la ventana a su tamaño, se ha de pulsar el botón de la barra de tareas.

**Botón Restaurar**. Sólo se muestra cuando la ventana está maximizada y permite volver al tamaño original de la ventana.

En la parte inferior y en la derecha, aparecerá una barra, denominada **Barra de desplazamiento**, cuando el contenido de la ventana no se muestra en su totalidad y dependiendo del tamaño de la ventana. Para mover esta barra se ha de situar el puntero del ratón sobre ella, se mantendrá pulsado el botón izquierdo y se arrastrará el mismo para desplazar la barra. También se podrá desplazar usando las flechas que aparecen en ambos extremos de la barra.

Pulse sobre los bordes de ésta con el botón izquierdo del ratón (el puntero cambiará de forma a una flecha doble) y, sin soltar, se desplazará la ventana. Esta acción no se podrá realizar si la ventana no está maximizada.

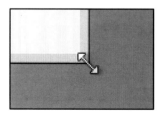

# 4.3 EL ESCRITORIO Y LA BARRA DE TAREAS

Cada vez que se accede al equipo, la primera pantalla que se verá (cuando acabe la carga del sistema operativo) será el **Escritorio**. Desde ella se accederá a todas las herramientas, utilidades y programas del equipo, mediante iconos de acceso directo, opciones de menú en el botón **Inicio** de Windows, desde la **barra de tareas** de Windows, etc.

El escritorio de Windows 7 comparte similitudes con versiones anteriores, pero en esta versión se han cuidado más los detalles y es más configurable por el usuario.

En el escritorio también se encontrarán los accesos directos a las aplicaciones o documentos que haya disponibles en el equipo, siendo una manera rápida de acceder a ellos.

En la siguiente pantalla se muestrá un escritorio típico de Windows 7.

## 4.3.1 El menú Inicio

El botón del menú **Inicio** se encuentra en la parte inferior izquierda del escritorio. Este botón tiene la forma del logotipo de Windows y será el acceso a todas las tareas habituales que se realizan con Windows 7. Si se pulsa sobre él o se pulsa en la tecla del logotipo de Windows en el teclado, se desplegará un menú parecido al siguiente:

Desde el menú **Inicio** se podrá:

- Iniciar programas.

- Abrir las carpetas usadas habitualmente.

- Buscar archivos, carpetas y programas.

- Ajustar la configuración del equipo.

- Obtener ayuda para usar el sistema operativoWindows.

- Apagar el equipo.

- Cerrar sesión en Windows o cambiar a una cuenta de usuario diferente.

El menú **Inicio** está dividido en tres partes, fundamentalmente:

- El panel izquierdo, donde se muestra una lista breve de las aplicaciones del equipo.

- El panel derecho, desde el que se accede a los archivos, carpetas y configuraciones del equipo. Desde este panel también se accede al menú para apagar el equipo o cambiar de usuario.

- En la parte inferior del panel izquierdo se encuentra el cuadro de búsqueda. Con esta opción se podrán buscar archivos o programas en el equipo.

El panel izquierdo está dividido en cuatro partes:

1.  En la parte superior aparecen los programas que han sido anclados al menú **Inicio**. Este anclaje se realiza con los programas que se usan habitualmente y permite tener disponible siempre el acceso a los programas de una manera muy sencilla.

2.  En la parte central se encuentra un listado con las aplicaciones que han sido usadas últimamente y que permitirá, igualmente, acceder a ellas de manera sencilla. Este listado, al contrario que el de la parte superior, variará dependiendo de las aplicaciones que se usen más habitualmente.

    Dependiendo de las aplicaciones, en ambos listados aparecerá a la derecha de cada aplicación una flecha negra. Esta flecha indica que se puede acceder (pulsando sobre ella o, simplemente, dejando el ratón sobre el nombre de la aplicación) a un histórico de archivos abiertos recientemente y a un listado de tareas de esa aplicación.

Es posible modificar el listado de aplicaciones que aparecen en ambas listas. Para ello  hay que pulsar con el botón derecho del ratón sobre una aplicación y aparecerán varias posibilidades (es su menú contextual):

- **Abrir**. Iniciará la aplicación.

- **Ejecutar como Administrador**. Se iniciará la aplicación con permisos de administrador.

- **Anclar a la barra de tareas**. Al usar esta opción, se colocará un icono de la aplicación en la zona denominada *Quick Launch* de la barra de tareas. De esta manera, es posible acceder a las aplicaciones más utilizadas de manera más rápida.

- **Anclar al menú Inicio**. Con esta opción se indicarán las aplicaciones que aparecerán en la parte superior del menú **Inicio**.

- **Quitar de esta lista**. Al pulsar sobre esta opción, se eliminará la aplicación de la lista (funciona en ambas listas).

- **Propiedades**. Se accederá a las propiedades del acceso directo.

Es posible configurarlo para que el equipo no muestre el listado de aplicaciones abiertas recientemente. Para ello, se situará el cursor sobre una zona vacía de la barra de tareas y se pulsará con el botón derecho, para que muestre su menú contextual y volviendo a pulsar sobre **Propiedades**.

En la pestaña **Menú Inicio** se podrán desactivar las opciones mostradas según le convenga al usuario.

El hecho de quitar del menú **Inicio** las aplicaciones usadas recientemente no implica que sean desinstaladas del equipo.

3.  Para poder acceder al resto de los programas instalados en el equipo, se tendrá que pulsar en **Todos los programas**. Al pulsar sobre él, aparecerá un listado con todos los programas. Si se desea volver al menú **Inicio**, habrá que pulsar sobre el mismo icono, que habrá cambiado su nombre por **Atrás**.

4.  En la parte inferior, se dispondrá de un recuadro en blanco en el que se podrá escribir el nombre de un archivo, de un documento o de una aplicación. A medida que se vaya escribiendo, el sistema mostrará un informe con todos los resultados de la búsqueda, ordenado por tipo (música, programa, archivo, etc.).

En la parte superior del panel derecho del menú **Inicio**, se encuentra la imagen escogida por el usuario para su perfil. Pulsando sobre ella se accederá al menú de **Cuentas de Usuario**, que se verá más adelante.

En el panel derecho del menú **Inicio** se muestran los vínculos a los componentes más usados del equipo. Por defecto, son los siguientes:

- **Carpeta personal**. Tiene el nombre del perfil que actualmente haya iniciado Windows 7. Esta carpeta contiene los archivos específicos del usuario, incluidas las carpetas Documentos, Música, Imágenes y Vídeos.

- **Documentos**. Abre la carpeta Documentos, en la que se podrá almacenar y abrir archivos de texto, hojas de cálculo, presentaciones y otros tipos de documentos.

- **Imágenes**. Abre la carpeta Imágenes, donde se podrá almacenar y ver fotografías digitales y archivos gráficos.

- **Música**. Abre la carpeta Música, donde se podrá almacenar y reproducir música y otros archivos de audio.

- **Juegos**. Abre la carpeta Juegos, donde se podrá obtener acceso a todos los juegos del equipo.

- **Equipo**. Abre una ventana donde se podrá obtener acceso a unidades de disco, cámaras, impresoras, escáneres y otro *hardware* conectado al equipo.

- **Panel de control**. Abre el Panel de control, donde se podrá personalizar la apariencia y la funcionalidad del equipo, instalar o desinstalar programas, configurar las conexiones de red y administrar las cuentas de usuario.

- **Dispositivos e impresoras**. Abre una ventana donde se podrá ver información acerca de la impresora, el ratón y otros dispositivos instalados en el equipo.

- **Programas predeterminados**. Abre una ventana donde se podrá elegir el programa que desea que Windows use para actividades como la búsqueda en web.

- **Ayuda y soporte técnico**. Abre la Ayuda y soporte técnico de Windows, donde se podrá examinar y buscar temas de ayuda acerca del uso de Windows y del equipo.

Se podrá configurar el menú, agregando o quitando elementos, como **Equipo**, **Panel de control** e **Imágenes**. También se pueden cambiar algunos elementos de forma que aparezcan como vínculos o menús. Para ello, se accederá a las propiedades del menú **Inicio**, situando el cursor sobre una zona vacía de la barra de tareas y pulsando con el botón derecho y volviendo a pulsar sobre **Propiedades**. Se seleccionará la pestaña **Menú Inicio** y, después, se pulsará sobre **Personalizar**. En el menú que se muestra, se configurarán los parámetros que se consideren oportunos.

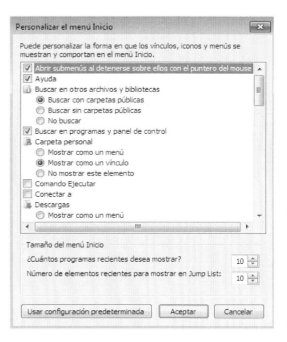

En la parte inferior del panel derecho del menú **Inicio**, se encuentra un botón con el que se podrán realizar diversas acciones sobre el equipo. Por defecto, la opción que se muestra es la de apagar el equipo. Esto se podrá configurar desde las opciones de **Menú Inicio**, indicando la acción que realizará dicho botón (Cambiar de usuario, Cerrar sesión, Bloquear, Reiniciar, Suspender, Hibernar y Apagar).

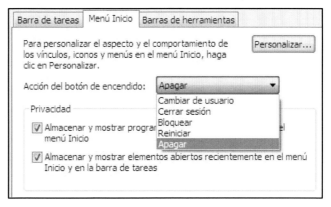

También es posible elegir cualquiera de las opciones desde el menú **Inicio**, si se pulsa o se deja el cursor inmovil sobre la flecha negra a la derecha del botón, mostrándose todas las opciones disponibles.

## 4.3.2 La barra de tareas

La **barra de tareas** ha sido modificada en Windows 7 para facilitar al usuario el trabajo diario, ya que se podrá configurar a la medida de cada usuario.

Es una barra horizontal, que se encuentra en la parte inferior de la pantalla, ocupando todo el espacio horizontalmente.

Esta barra se encontrará visible la mayor parte del tiempo que se trabaje con el equipo, a diferencia del escritorio, que estará oculto por las ventanas de las aplicaciones que se tengan abiertas.

La barra de tareas de divide en tres partes.

- El **botón Inicio**. Al pulsar sobre este botón, se mostrará el menú **Inicio.**

- Una gran sección, donde se mostrará los programas y archivos actualmente abiertos, desde la que se podrá acceder a ellos rápidamente. También se utilizará para acceder rápidamente a las aplicaciones.

- El **área de notificación**. Situada en el extremo derecho de la barra, en la que se mostrará información del sistema y se podrá también acceder a determinados valores de configuración.

Las aplicaciones abiertas por el usuario tendrán su representación en la barra de tareas en forma de icono sin etiqueta.

En la vista predeterminada (el usuario podrá modificarla) cada programa aparecerá representado con un único icono sin etiqueta aun cuando estén abiertos varios elementos para un programa. Esto proporcionará al usuario más orden en la **barra de tareas**.

El usuario podrá personalizar la apariencia de la **barra de tareas** y cambiar la manera de agrupar los iconos. También es posible configurarla para que aparezcan botones individuales para cada archivo abierto.

Para ello, se colocará el ratón sobre una zona libre de la **barra de tareas** y se pulsará con el botón derecho. En el menú que aparecerá, se pulsará sobre **Propiedades**.

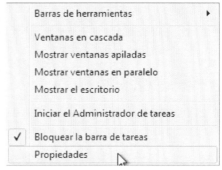

Mostrará la pantalla de configuración de la barra de tareas.

En el apartado **Apariencia de la barra de tareas**, se podrán personalizar los siguientes apartados.

- **Bloquear la barra de tareas**. La barra de tareas está ubicada de forma predeterminada en la parte inferior del escritorio, pero es posible modificar su posición.

  Al desmarcar esta opción, el usuario podrá cambiar la ubicación de la barra.

  Para ello, se posicionará el ratón sobre una zona libre de la barra y pulsará con el botón izquierdo. Sin dejar de pulsar, se arrastrará la barra hacia los margenes del escritorio. Al dejar de pulsar, la barra se colocará en la nueva posición.

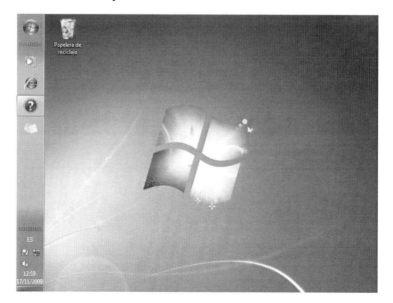

- **Ocultar automáticamente la barra de tareas**. Esta opción permitirá al sistema ocultar la barra de tareas, siempre que no se utilice. Para volver a mostrar la barra, se desplazará el ratón hacia el borde del escritorio por el lugar donde se encuentra la barra y aparecerá de nuevo.

- **Usar iconos pequeños**. Esta opción reducirá el tamaño de los iconos en la barra de tareas.

- **Ubicación de la barra de tareas en la pantalla**.

En esta opción se configurará la posición de la barra de tareas, pudiendo elegirse entre la zona inferior, izquierda, derecha o superior.

- **Botones de la barra de tareas**. En esta opción se configurará la manera en la que se muestran los iconos en la barra:

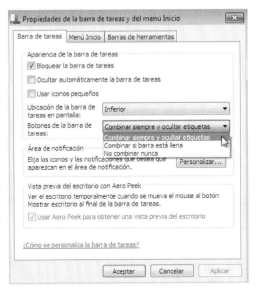

- **Combinar siempre y ocultar etiquetas**. Éste es el valor predeterminado. Cada programa aparecerá como un solo icono sin etiqueta, aunque estén abiertos varios elementos para el mismo programa.

- **Combinar si la barra está llena**. Cada programa aparecerá como un icono individual con etiqueta. Cuando se llene la barra de tareas, aquellos programas con varios elementos abiertos se contraerán en un único icono. Al pulsar sobre este icono, se mostrará un listado con los elementos abiertos.

- **No combinar nunca**. Esta opción personaliza la barra, para que nunca se agrupen los iconos en uno sólo, independientemente de los elementos abiertos para una aplicación. A medida que se abrán más ventanas, el tamaño de los iconos se reducirá y se desplazarán dentro de la barra de tareas.

También se podrá reorganizar y ordenar todos los iconos situados en la barra de tareas, incluyendo los programas actualmente en ejecución y los programas anclados en la barra.

Para realizarlo, se pulsará sobre el icono con el botón izquierdo del ratón y, sin soltar, se arratrará el icono hasta la posición deseada, dejando de pulsar el botón del ratón para realizar el cambio.

De igual manera que se podían anclar programas en el menú **Inicio**, también es posible anclar programas en la **barra de tareas**. Al anclar el programa a la barra, se tendrá un acceso más rápido a las aplicaciones más usadas por el usuario. Además de esto, Windows 7 incluye las **Jump Lists**, de modo que al iniciar el programa desde la barra de tareas, se tendrá también acceso a un listado de elementos favoritos y recientes con una única pulsación de ratón.

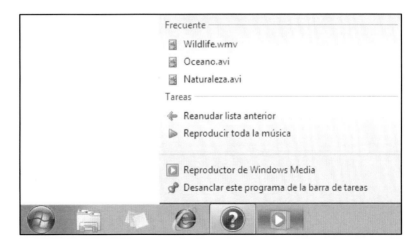

Las **Jump Lists** son un listado de los elementos que han sido abiertos recientemente o que se abren con frecuencia, como archivos, carpetas, tareas o direcciones web, organizados por el programa que se usa para abrirlos.

También es posible anclar dentro de las Jump Lists elementos favoritos, para así tener un acceso más rápido por parte del usuario.

Las Jump Lists aparecen tanto para los programas que están anclados en la barra de tareas como aquellos programas que están en ejecución.

Para acceder a las Jump Lists, se ha de pulsar con el botón derecho en el icono de de la barra de tareas o arrastrar el icono hacia el escritorio. Para abrir los elementos de las Jump List, se pulsará sobre dichos elementos.

El área que se encuentra en el extremo derecho de la barra de tareas se denomina **Área de Notificación** y contiene accesos directos a programas e información importante sobre el estado del equipo.

Esta utilidad ha sido mejorada en Windows 7 con respecto a las versiones anteriores, lo que supone que se van a recibir un número menor de notificaciones y que aquellas que se reciban serán recopiladas en un único lugar. De esta manera, se evitará el desorden que se producía en versiones anteriores de Windows.

El usuario podrá configurar el área de notificación para cambiar la forma en la que aparecerán los iconos. Se podrá configurar qué iconos y notificaciones aparecerán en dicha área y qué iconos del sistema (iconos especiales para la gestión del sistema) deberán aparecer o no.

También se podrá cambiar el orden en que aparecen los iconos en el área de notificación y el orden de los iconos ocultos pulsando sobre ellos con el botón izquierdo y arrastrándolos hasta su nueva posición en la barra.

Si se desea mover un icono del área para no visualizarlo, se pulsará sobre dicho icono y se arrastrará hacia el escritorio. De esta manera, el icono quedará oculto.

Para poder visualizar los iconos ocultos, se deberá pulsar sobre la flecha situada junto al área de notificación (si no hay flecha significa que no existen iconos ocultos).

Si se desea agregar un icono oculto al área de notificación, primero habrá que mostrar los iconos ocultos pulsando la flecha junto al área. A continuación, se pulsará sobre el icono y se arrastrará al área de notificación de la barra de tareas. Es posible realizar esta operación con todos los iconos ocultos que se desee.

Se podrá configurar el equipo para que muestre siempre todos los iconos en el área de notificación. Para ello, se pulsará con el botón derecho en una zona libre de la barra de tareas y, a continuación, pulsar en **Propiedades**.

En la pantalla mostrada, en el apartado **Área de notificación**, hay que pulsar en **Personalizar** y mostrará la siguiente pantalla:

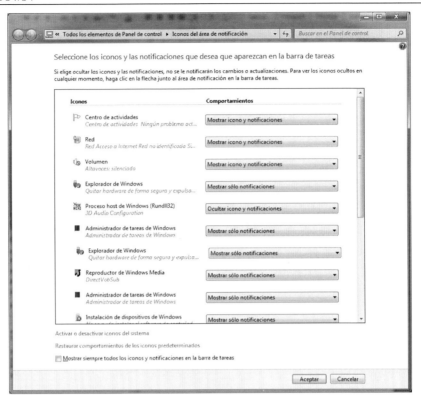

Para ello, se selecciona la casilla **Mostrar siempre todos los iconos y notificaciones en la barra de tareas** y se pulsa en **Aceptar**.

Se puede configurar la forma en la que aparecerán los iconos y notificaciones en el área de notificación. Para ello, hay que acceder a la pantalla de configuración anterior. Observe que, para cada icono, se podrá elegir entre **Mostrar icono y notificaciones**, **Ocultar icono y notificaciones** y **Mostrar sólo notificaciones**. Una vez configurado, pulse en **Aceptar**.

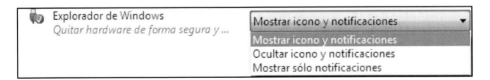

Hay que tener en cuenta que si se elige ocultar los iconos y las notificaciones, no se notificarán los cambios o actualizaciones que hubiera.

El usuario también podrá activar o desactivar los **iconos del Sistema**. Estos iconos (incluido el icono del reloj, red, volumen, energía y centro de actividades) son iconos especiales en Windows 7. Para desactivar o activar estos iconos, se realizará desde la pantalla de configuración anterior, pulsando sobre **Activar o desactivar iconos del sistema**. Para cada icono, se podrá elegir entre **Activar** (para que aparezca en el área de notificaciones) o **Desactivar** (para que no aparezca).

En Windows 7, el botón **Mostrar escritorio** aparece en el extremo derecho de la barra de tareas.

Cuando se pulsa en dicho botón, todas las ventanas abiertas se minimizarán y se podrá ver el escritorio. Si se vuelve a pulsar, las ventanas volverán a la posición original en la que se encontraban antes de pulsar el botón **Mostrar escritorio**.

Como novedad, gracias a la utilidad **Aero Peek**, al colocar el ratón sobre el icono **Mostrar escritorio**, todas las ventanas se atenuarán y se podrá ver el escritorio sin necesidad de minimizar todas las ventanas.

## 4.3.3 Aero en Windows 7

Windows 7 ha mejorado la interfaz gráfica **Aero** (*Authentic Energetic Reflective and Open*) que ya estaba implementada en Windows Vista, dotándola de mejoras además de varias novedades.

A continuación, se detallan algunas de las características de Windows Aero:

- **Aero Glass**. Esta utilidad proporciona un efecto de cristalizado transparente tanto a las ventanas abiertas como a la barra de tareas y el menú **Inicio**.

El sistema ofrece un amplio número de colores para elegir, además de poder modificar los parámetros de matiz, saturación y colores para ampliar el abanico de posibilidades.

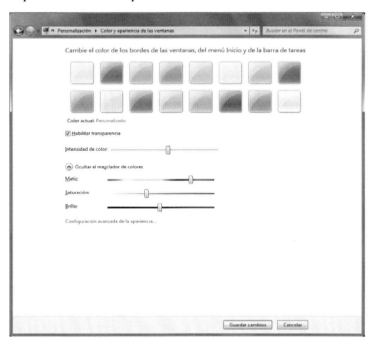

- **Aero Flip**. Esta función permite, al pulsar las teclas [**ALT**] + [**TAB**], mostrar miniaturas reales de las ventanas actuales, permitiendo así una búsqueda rápida entre ventanas. Esta opción facilita el trabajo a usuarios que utilicen muchas ventanas al mismo tiempo.

- **Aero Flip 3D**. Es una función mejorada respecto a *Aero Flip*, ya que mostrará las ventanas actualmente abiertas con un efecto en tercera dimensión. Para activar esta característica, se ha de pulsar las teclas [**Botón de Windows**] + [**TAB**] lo que mostrará una vista previa, a tamaño más amplio que *Aero Flip*, de las ventanas activas, con el mencionado efecto 3D.

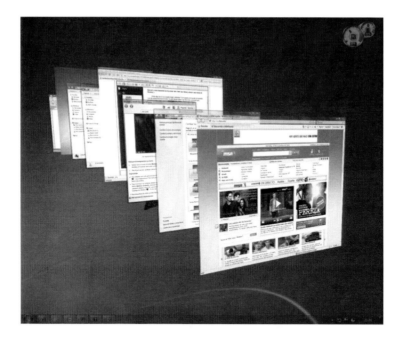

- **Efectos de apertura y cerrado de ventanas**. Con ello se mejora el aspecto visual a la hora de abrir y cerrar las ventanas, con un efecto de "hundimiento" de la ventana hacia la barra de tareas.

- **Aero Peek**. Es una novedad de Windows 7. Ofrece varias funciones al usuario para facilitar su trabajo diario.

    Si se deja el puntero del ratón sobre el botón **Mostrar Escritorio**, el sistema mostrará el escritorio pero conservando las ventanas abiertas y señalándolas con un leve contorno. Una vez que se desplace el puntero, se volverá a la vista normal de las ventanas.

    Esta opción es especialmente útil para poder consultar los **gadgets** que haya activados.

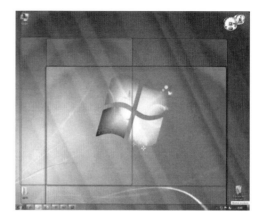

Otra posibilidad que ofrece esta opción es obtener una vista previa en miniatura de las ventanas abiertas.

Para ello, se colocará el puntero del ratón sobre los iconos de la barra de tareas. Al realizarlo, se mostrará una miniatura de la ventana o ventanas abiertas de esa aplicación.

Una vez se muestre la miniatura de la pantalla, si se posiciona el cursor del ratón sobre dicha miniatura, se mostrará una vista previa a tamaño real de la ventana. Además, en la miniatura aparecerá, en todos los casos, un aspa para poder cerrar la ventana y, dependiendo de la aplicación, diversos iconos para realizar tareas sobre la aplicación (como detener la reproducción de un vídeo).

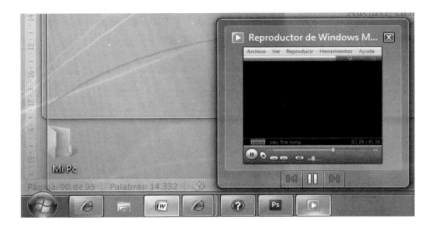

- **Aero Shake**. Con esta opción, se pueden minimizar rápidamente todas las ventanas abiertas salvo en la que se esté trabajando, pulsando con el ratón en la parte superior de la ventana y agitándola hacia los lados.

  Esta característica ahorra tiempo si se desea trabajar en una sola ventana sin tener que minimizar las demás ventanas abiertas una a una. Posteriormente, se pueden restaurar todas esas ventanas agitando nuevamente la ventana abierta.

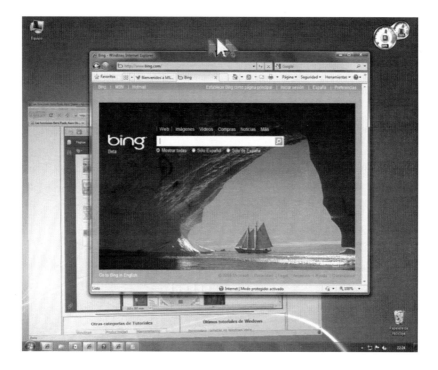

Para volver a maximizar todas las ventanas, solamente habrá que volver a agitar la ventana activa.

- **Aero Snap (Ajustar)**. Esta característica simplifica el ajustar una ventana a los bordes del escritorio o maximizarla.

  Para maximizar una ventana, se arrastrará dicha ventana desde la barra de título hasta la parte superior de la pantalla y el contorno de la ventana se expandirá hasta cubrir toda la pantalla. Al soltar el botón del ratón, la pantalla se maximizará.

  También se podrá ajustar la ventana en paralelo. Para ello, se arrastrará la ventana al lado izquierdo o derecho del escritorio hasta que aparezca el contorno de la ventana expandida. Al soltar el botón del ratón, la pantalla se ajustará.

Esta operación se puede repetir en sentido inverso para ajustar dos ventanas en paralelo, tal como se muestra en la siguiente pantalla con dos exploradores:

---

**TRUCO**. Si no funciona Aero al pulsar las teclas [**WINDOWS**] + [**TAB**], vaya a **Propiedades** del menú contextual de **Equipo** y pulse en **Evaluación de la experiencia de Windows** para que valide el rendimiento y vea si el *hardware* es compatible con Aero.

---

## 4.3.4 Trabajando con iconos y accesos directos

Se conoce como icono a una representación gráfica de pequeño tamaño que se utiliza para representar archivos, carpetas, programas o accesos directos. La utilidad de los iconos es poder identificar, de manera rápida y visual, qué tipo de archivo es con el que se va a trabajar.

Por regla general, cada aplicación tendrá su propio icono característico. De esta manera, se podrá identificar de forma más rápida.

Los iconos se encuentran en cualquier parte del sistema operativo pero, normalmente, los lugares desde los que se utilizarán habitualmente serán el escritorio, la barra de tareas y el menú **Inicio**.

Un icono especial que es utilizado a diario por el usuario es el **acceso directo**. Un acceso directo es un icono que se suele encontrar en el escritorio, barra de tareas y menú **Inicio** que permite al usuario acceder a una aplicación, carpetas, dirección web, etc., de manera rápida sin necesidad de tener que buscar por el equipo. De esta manera, se ahorra mucho tiempo.

Un acceso directo es fácilmente reconocible ya que tendrá una flecha curvada en la imagen de su icono para diferenciarlo de los demás iconos.

Existen cuatro métodos para crear un acceso directo en el escritorio:

- Para el primer método, se seleccionará de qué programa o archivo se va a crear el acceso directo. Luego, se pulsará con el botón derecho del ratón sobre él.

  En la opción **Enviar**, se seleccionará **Escritorio (crear acceso directo)**. De esta manera, el sistema creará un acceso directo al programa o archivo seleccionado y lo colocará en el escritorio.

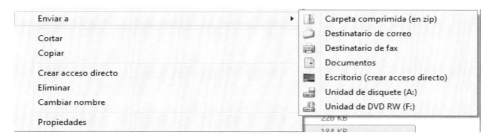

- El segundo método es pulsar con el botón derecho del ratón sobre una zona libre del escritorio y elegir la opción **Nuevo**.

En el menú desplegable que mostrará, se elegirá **Acceso directo**.

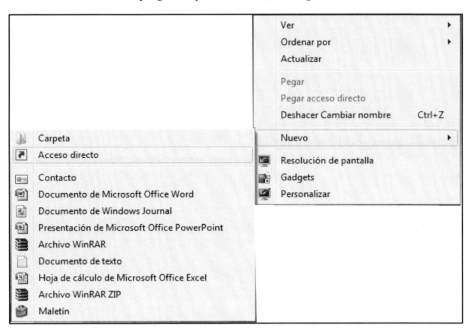

Al pulsar sobre esta opción, el sistema mostrará una pantalla desde la que se indicará el origen del acceso directo.

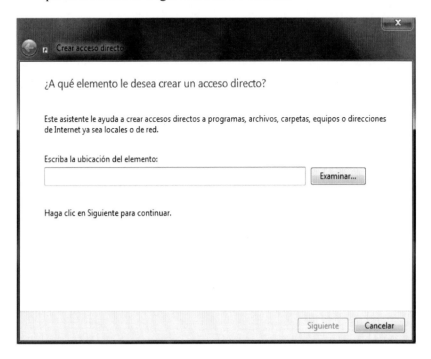

Una vez que se haya localizado el origen, se pulsará sobre **Siguiente**.

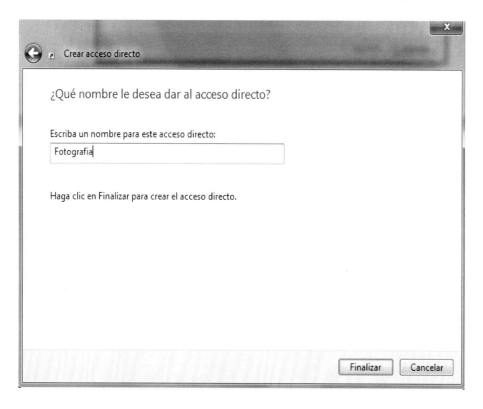

El sistema preguntará por el nombre que va a tener el acceso directo. Al pulsar sobre **Finalizar**, se creará el acceso directo en el escritorio.

- El tercer método consiste en localizar el archivo o programa del que se necesite crear un acceso directo. Una vez localizado, se arrastrará hasta una zona limpia del escritorio. Antes de soltar, se pulsará la tecla [**ALT**] y sin dejar de pulsar dicha tecla, se dejará de pulsar el botón derecho del ratón. De esta manera, se creará el acceso directo en el escritorio.

- El cuarto método para crear un acceso directo consiste en localizar el archivo o programa del que sea necesario crear un acceso directo. Una vez localizado se pulsará con el botón derecho del ratón sobre él y se elegirá la opción **Copiar**.

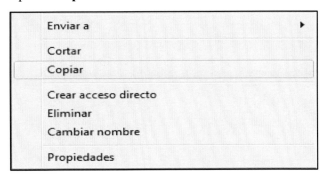

Después, se pulsará con el botón derecho del ratón sobre una zona limpia del escritorio y se elegirá la opción **Pegar acceso directo**.

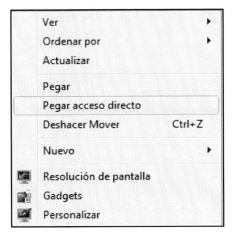

Como ya se ha comentado, el escritorio será el lugar principal donde se trabajará con iconos, al ser la pantalla principal desde la que el usuario iniciará el trabajo.

Se podrá configurar el sistema para modificar las características de visualización y organización de los iconos en el escritorio.

Para ello se pulsará sobre el botón derecho del ratón sobre una zona limpia del escritorio y se mostrará la siguiente pantalla:

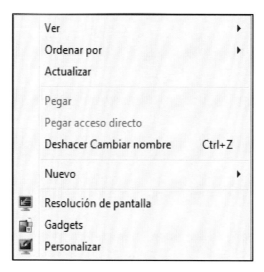

En la opción **Ver** se podrá configurar cómo se van a mostrar los iconos en el escritorio:

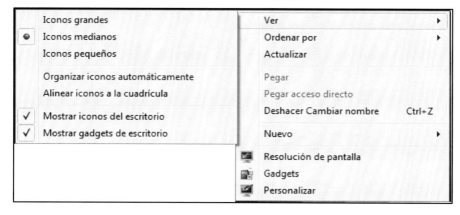

Se podrá elegir entre:

- **Tamaño de los iconos**. Desde aquí, se puede configurar si el tamaño de los iconos mostrados será: grande, mediano o pequeño.

- **Organizar iconos automáticamente**. Al activar esta opción, el sistema colocará los iconos en el escritorio de forma automática y secuencial. Si se quieren colocar los iconos en una posición determinada por el usuario, esta opción habrá que desactivarla para tener total libertad con la posición de los iconos.

- **Alinear iconos a la cuadrícula**. Al activarla, todos los iconos del escritorio se alinearán. Si se desactiva, el usuario podrá colocar los iconos donde desee pero no estarán alineados.

- **Mostrar iconos del escritorio**. Al desactivar esta opción, Windows 7 ocultará todos los iconos del escritorio para tener una vista limpia del fondo de escritorio. Al realizar esto, no se borran los iconos, sólo se ocultan. Al volver a activarla, todos los iconos reaparecerán.

- **Mostrar gadgets de escritorio**. Al desactivar esta opción, no se mostrarán los gadgets del escritorio.

También será posible configurar la forma en que se ordenarán los iconos en el escritorio. Para ello, se pulsará sobre el botón derecho del ratón sobre una zona limpia del escritorio. En la opción **Ordenar por**, se podrá configurar si los iconos se ordenarán por nombre, tamaño, tipo de elemento o fecha de modificación:

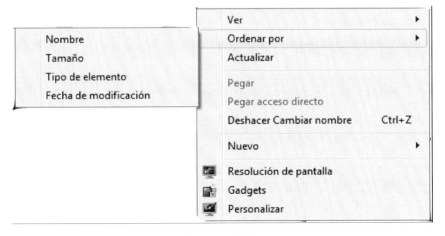

## 4.3.5 Configurar la fecha y hora del sistema

En muchas de las acciones que se realizarán en el equipo (como puede ser crear o modificar archivos), la fecha actual del equipo se queda registrada en el momento en que son realizadas.

La fecha y hora del equipo puede ser modificada por el usuario. Para ello, se pulsará con el botón izquierdo del ratón sobre el área de notificación donde se encuentra el reloj.

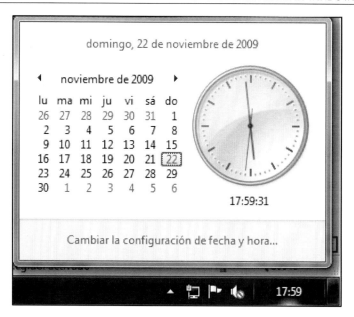

En la pantalla que mostrará, se elegirá **Cambiar la configuración de fecha y hora** (es posible que solicite la contraseña de administrador del equipo para acceder a esta pantalla y poder modificar la fecha del equipo).

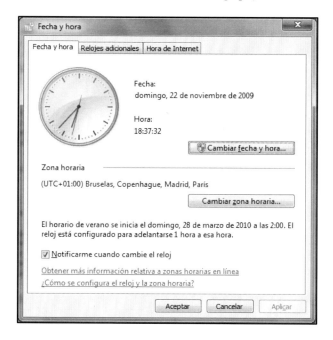

- En la primera pestaña, **Fecha y hora**, se podrá cambiar la fecha del sistema y la zona horaria del equipo.

- Para cambiar la fecha del equipo, se pulsará sobre el icono **Cambiar fecha y hora**. En esa pantalla se indicará la fecha y la hora actual del equipo.

Una vez se seleccione, se pulsará sobre **Aceptar** para validar los cambios.

- En el apartado **Zona horaria**, se muestra la zona horaria en la que se encuentra el equipo. Si fuese necesario modificar esta información, se pulsará sobre el icono **Cambiar zona horaria** y se seleccionará la zona horaria adecuada:

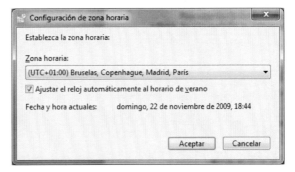

En esta pantalla también es posible configurar, activando la casilla correspondiente, si el reloj de equipo se ajustará automáticamente al horario de verano.

- En la zona inferior de la pestaña, se podrá configurar si el sistema mostrará un aviso cada vez que cambie la hora del equipo automáticamente.

- En la segunda pestaña, **Relojes adicionales**, se podrá configurar hasta dos relojes extras para que muestren información de otras zonas horarias:

Una vez configurado, para poder mostrar los relojes adicionales, se dejará el cursor del ratón sobre el reloj del equipo (figura 1) o se pulsará sobre el reloj de equipo (figura 2).

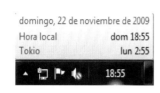

*Figura 1*

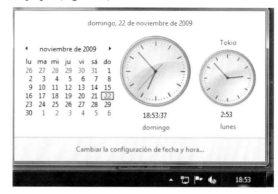

*Figura 2*

- La última pestaña, **Hora de Internet**, permite al equipo sincronizar la hora con el reloj del servidor horario. Suele sincronizarse una vez a la semana y es necesario tener conexión a Internet para que se realice la sincronización:

Para ello, se pulsará en **Cambiar la configuración**, se activará la función de sincronización pulsando en la casilla correspondiente y se selecionará un servidor de la lista de servidores disponibles:

Es posible configurar con mucho más detalle cómo se muestra la fecha en el equipo. Para ello, desde la pestaña **Fecha y Hora**, se pulsará en **Cambiar fecha y hora** y, después, sobre **Cambiar configuración del calendario**.

Al realizar esto, se abrirán dos pantallas en las que se podrán modificar multitud de parámetros según conveniencia del usuario:

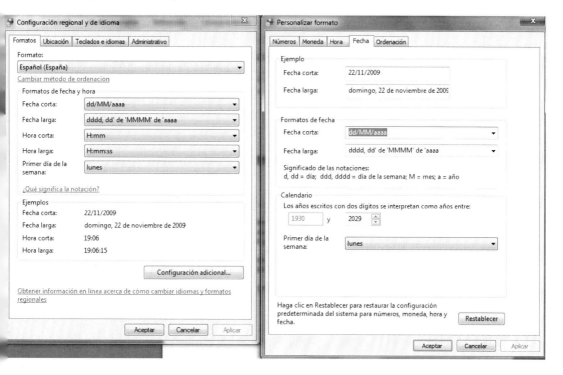

Una vez finalizada la configuración, se pulsará sobre el botón **Aceptar** en ambas pantallas para validar los cambios.

## 4.3.6 Los gadgets

Los **gadgets** son una serie de pequeños programas cuya utilidad es mostrar información al usuario y facilitar el acceso a las herramientas de mayor uso en el equipo.

Windows 7 ha mejorado el sistema de gadgets que se encontraba en Windows Vista, dotándolos de total libertad en el escritorio.

En el anterior sistema operativo de Microsoft, los gadgets estaban situados, en el escritorio, necesariamente en una barra lateral, denominada *sidebar*.

En Windows 7, esta restricción no existe y se podrán situar en cualquier punto del escritorio.

Para poder activar estos programas, antes han debido ser instalados en el equipo. Para ver los gadgets de que se dispone en el equipo en un momento dado, pulse con el botón derecho del ratón en una zona libre del escritorio y verá el menú contextual siguiente:

Elija la opción **Gadgets** y se mostrarán todos los que haya instalados en el equipo.

En dicha ventana, podrá pulsar sobre **Mostrar detalles** para acceder a una mayor información sobre los gadgets en cuestión:

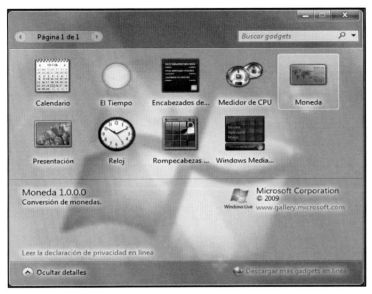

Es posible descargar más gadgets para poder usarlos en el equipo. Para ello, pulse en **Descargar más gadgets en línea** y se abrirá una ventana del explorador con la página web de Microsoft donde se encuentra una galería con todos los gadgets disponibles para su descarga.

Se puede agregar un gadget al escritorio de dos maneras distintas.

- Desde la ventana de gadgets, pulsando dos veces sobre el que se quiera instalar.

- Desde la ventana de gadgets, arrastrándolo hacia la parte del escritorio en la que desee situarlo.

Para quitar un gadget del escritorio, pulse con el botón derecho sobre él y seleccione **Cerrar gadget**.

Si lo que se desea es desinstalar el gadget completamente del equipo, desde la pantalla de gadgets pulse sobre el que se quiere desinstalar con el botón derecho y seleccione **Desinstalar**.

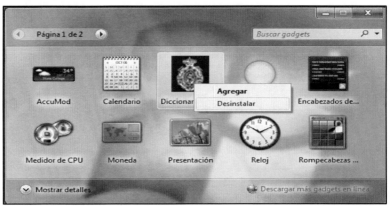

Para modificar la posición del gadget en el escritorio, sólo será necesario arrastrarlo hasta la posición deseada dentro del escritorio.

Todos los gadgets pueden configurarse. Para ello, pulse con el botón derecho del ratón sobre el gadget y, en el menú que muestra, podrá seleccionar entre las siguientes opciones:

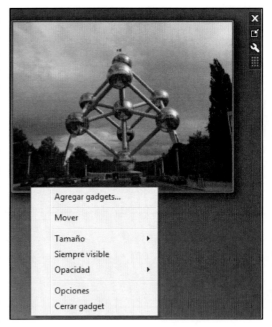

- **Agregar gadgets**. Abrirá la pantalla de gadgets, desde la que podrá seleccionar uno nuevo y arrastrarlo al escritorio

- **Mover**. Podrá mover el gadget por el escritorio.

- **Tamaño**. Podrá elegir entre tamaño grande o pequeño.

- **Siempre visible**. Al activar esta opción, el gadget siempre estará en primer plano de trabajo.

- **Opacidad**. Podrá configurar la opacidad del gadget entre los valores determinados (20%, 40%, 60%, 80% y 100%). A menos opacidad, más difumidado se verá el gadget.

- **Opciones**. Dependiendo del gadget, mostrará un determinado menú de opciones.

- **Cerrar gadget**. Cerrará el gadget desapareciendo del escritorio del equipo. Esta opción no desinstala el gadget, pudiendo ser de nuevo añadido al escritorio.

En la parte superior derecha de los gadgets, hay cuatro botones. El primero de ellos, con forma de aspa, cierra el gadget. El segundo cambia su tamaño. El tercero, con forma de herramienta, da acceso al menú **Opciones**. El cuarto se utiliza para desplazar el gadget por el escritorio (en caso de querer mover su ubicación).

## 4.3.7 Windows SideShow

**Windows SideShow** es una tecnología introducida por Microsoft en sus sistemas operativos desde Windows Vista. Esta tecnología permite que un dispositivo acceda a información del equipo mediante gadgets, aunque esté apagado o en hibernación.

Pueden existir dos tipos de dispositivos:

- **Dispositivos integrados en el equipo**. Como una pequeña pantalla integrada en la tapa de un portátil o teclado.

- **Dispositivos independientes del equipo**. Como marcos digitales, LCD inalámbricas, teléfonos móviles, etc.

Con esta tecnología, se podrán escuchar canciones ubicadas en el equipo, en un móvil o poder ver fotografías en un marco digital sin necesidad de encender el equipo.

Si el dispositivo no está integrado en el equipo, se deberá instalar para poder usarlo con Windows *SideShow*.

Se podrá instalar o desinstalar un dispositivo compatible con Windows *SideShow* como cualquier otro dispositivo de Windows. Antes de realizar la instalación de un dispositivo, se deberá determinar si es compatible con Windows *SideShow*. Para ello, se deberá consultar la documentación que acompaña al dispositivo o visitando el sitio web del fabricante del dispositivo.

Para poder visualizar la información en el dispositivo, será necesario instalar gadgets en el equipo y activarlos. Algunos gadgets de Windows *SideShow* son específicos para un dispositivo, por lo que no se podrá usar en uno distinto al original.

Una vez instalado el gadget, será necesario activarlo o desactivarlo desde la pantalla de Windows *SideShow*. Para ello, se activará la casilla correspondiente situada junto al gadget que se desea activar o desactivar, tal como se muestra en la siguiente pantalla:

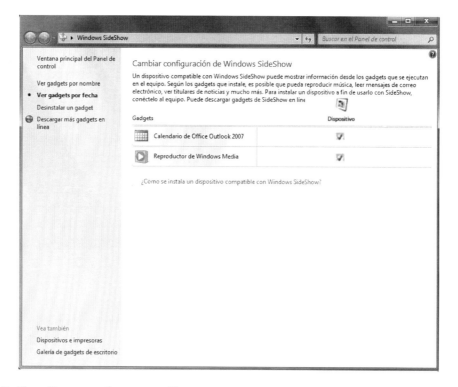

## 4.3.8 Configurar la pantalla del equipo

Windows 7 permite al usuario configurar un gran número de características de la pantalla del equipo, para poder trabajar de una manera más eficaz y comoda. Una mala configuración puede provocar problemas de vista al usuario y convertir el trabajo diario en una tarea incómoda.

Para acceder a la configuración de la pantalla, pulse el botón derecho del ratón sobre una zona libre del escritorio y, en el menú contextual que aparecerá, pulse en **Personalizar**.

La ventana que muestra, proporciona la posibilidad al usuario de poder elegir un tema para el equipo. Un tema está compuesto, normalmente, por un fondo de escritorio, la configuración de los colores de las ventanas, los sonidos del sistema y el protector de pantalla. Por ello, este sistema es muy cómodo para el usuario, pues le facilita cambiar muchas características del equipo en un solo paso.

Para elegir uno de los temas, pulse sobre dicho tema de entre los que le muestran. También tendrá la posibilidad de obtener más temas en línea. Para ello, pulse sobre el acceso que se encuentra en esa misma ventana.

Si lo que se desea es configurar con más detalle cada uno de los apartados que componen un tema, se pulsará en cada uno de los cuatro iconos que se encuentran en la parte inferior de la pantalla:

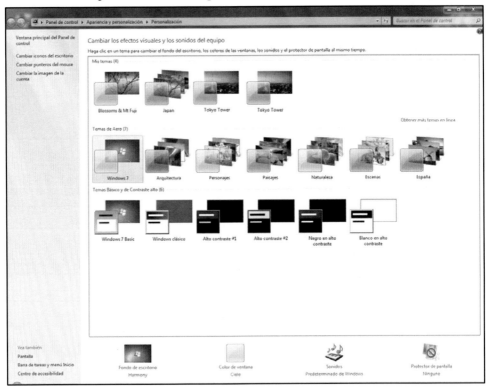

- El primero de los iconos se denomina **Fondo de escritorio**. Al pulsar sobre dicho icono, mostrará una ventana donde aparecerán las imágenes que se podrán configurar como fondo de escritorio.

   En la parte superior de dicha ventana, podrá elegir el origen de las imágenes que se muestran en la ventana.

En la parte inferior se podrá elegir qué método se utilizará en la imagen para configurarla como fondo de pantalla.

Si selecciona más de una imagen como fondo de pantalla, activando la casilla situada en cada una de las imágenes, también se podrá configurar con qué temporalidad cambiará la imagen de fondo de pantalla y si se usa un orden aleatorio para mostralas:

- El segundo icono, denominado **Color de ventana**, permite al usuario configurar el color que tendrán las ventanas, además de poder activar su transparencia (característica del *Aero*).

  Además, permitirá modificar diversos valores de los colores, como son la intensidad, el matiz, la saturación y el brillo.

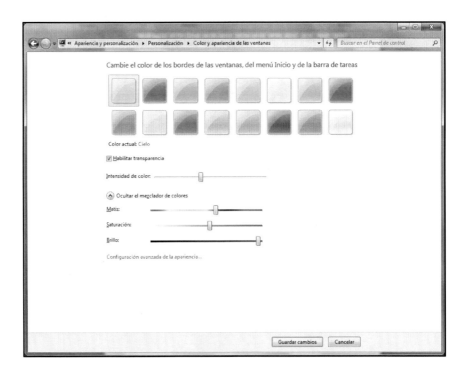

- El tercer icono, denominado **Sonidos**, permite configurar los sonidos del sistema.

En esta ventana se podrá elegir una combinación de sonidos ya existente o por el contrario, se podrá configurar el sonido de cada uno de los eventos del sistema.

Dado el número elevado de eventos en Windows, se recomienda el uso de las combinaciones ya existentes.

En la parte inferior de la ventana, tendrá la posibilidad de reproducir los sonidos, antes de configurarlos.

- El último icono, denominado **Protector de pantalla**, permitirá al usuario configurar no sólo el protector de pantalla que tendrá activado el equipo, sino qué tiempo de inactividad deberá esperar antes de que se active dicho protector.

  Windows 7 tiene instalados varios protectores de pantalla, pero se podrán instalar más por parte del usuario:

A la izquierda de los cuatro iconos comentados, existe la posibilidad de pulsar sobre **Pantalla**.

Desde esta opción, el usuario podrá modificar el tamaño del texto y de otros elementos de la pantalla.

Por defecto, el tamaño es del 100%, pero se podrá elegir el tamaño mediano (125%) o el grande (150%):

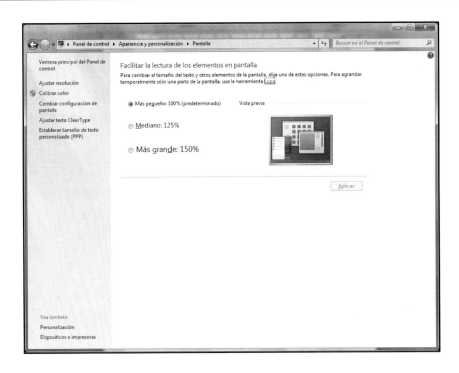

Windows 7 también permite modificar la resolución de la pantalla.

Para acceder a la resolución de la pantalla, pulse el botón derecho del ratón sobre una zona libre del escritorio. En el menú contextual que aparecerá, pulse en **Resolución de pantalla**.

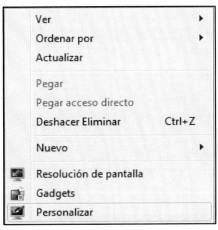

En la ventana que le mostrará, podrá configurar la resolución de la pantalla.

En esta ventana, dependiendo del *hardware* que posea el equipo, se podrán acceder a distintas opciones de configuración:

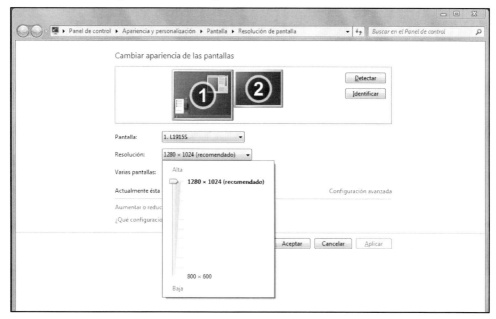

# 4.4 LA CONFIGURACIÓN DEL RATÓN

El ratón o *mouse* es un dispositivo de pequeño tamaño que detecta su movimiento relativo en dos dimensiones sobre la superficie en que se apoya. Se utiliza para apuntar y seleccionar elementos en la pantalla de un equipo.

Existen diversos tipos de ratón, dependiendo del mecanismo que utilizan para detectar el movimiento. Los más comunes son: los mecánicos, los ópticos y los láser.

Todos los ratones se deben conectar a un equipo y las conexiones más habituales son mediante un cable o por sistemas inalámbricos.

Los ratones tienen varios botones para realizar las acciones en el equipo. No existe un número estándar de botones para un ratón y varían desde un único botón, a ratones con diez botones.

Para acceder a la configuración del ratón, pulse en el menú **Inicio**, seleccione **Panel de control** y pulse sobre **Hardware y sonido**.

En la ventana que le muestra y bajo el menú **Dispositivos e impresoras**, pulse en **Mouse**.

El sistema mostrará la ventana, donde se puede personalizar el ratón del equipo, dividida en cinco pestañas:

- **Botones**. En esta pestaña se podrá configurar con qué botón se realizarán las funciones de selección y arrastre. Por defecto, el botón izquierdo del ratón es el encargado de realizar estas tareas, pero desde esta opción se podrá modificar para que sea el botón derecho el encargado.

  También se personalizará la velocidad de la doble pulsación, configurando si es necesario realizarla a una velocidad mayor o menor. Se dispondrá de un botón de prueba para realizar las comprobaciones de la configuración.

  Por último, es posible activar el bloqueo de pulsación. Esta opción permite resaltar o arrastrar elementos sin necesidad de tener pulsado el botón del ratón.

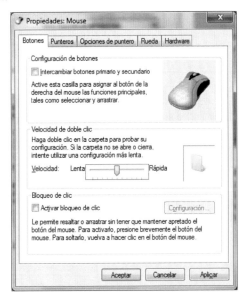

- **Punteros**. El puntero es el icono que se muestra en el monitor del equipo y que obedece al movimiento del ratón. Normalmente, tiene forma de flecha, cambiando su forma dependiendo de la tarea que se realice. Desde esta pestaña se podrá modificar el aspecto de los punteros en el equipo.

  Desde la opción de **Esquema**, se podrá seleccionar uno de los paquetes de punteros que tenga el equipo ya instalado. Para ello, se desplegará el listado de los esquemas y se seleccionará uno de ellos.

  Es posible personalizar cada puntero, dependiendo del proceso que se realice. Para ello, en el apartado **Personalizar**, se pulsará sobre cada proceso y se pulsará de nuevo sobre **Examinar.** En la pantalla que muestra se seleccionará el nuevo puntero.

  Se puede guardar el nuevo esquema para ser utilizado con posterioridad, pulsando sobre **Guardar como**.

  De la misma manera, si se pulsa sobre **Eliminar**, se borrará el esquema seleccionado en ese momento.

  Si se desea volver a la configuración original, se ha de pulsar sobre **Usar predeterminado**.

  En la parte inferior, se encuentran dos casillas de validación. En ellas se podrá habilitar la sombra del ratón y se permitirá a los temas de Windows modificar los punteros.

- **Opciones de puntero**. Desde esta pestaña, se podrán configurar propiedades de los punteros relacionadas con el manejo y la visibilidad.

En la parte superior de la pestaña se podrá configurar la velocidad con la que se desplaza el puntero por la pantalla.

También se podrá activar la característica **Mejorar la precisión del puntero**, gracias a la cual el movimiento del ratón será más preciso y regular.

En el apartado **Ajustar a**, si se activa esta propiedad pulsando sobre ella, cada vez que se abra un cuadro de diálogo, el cursor se desplazará automáticamente sobre el botón predeterminado.

En la parte inferior de la pestaña, se podrán activar opciones de visibilidad del puntero.

Con **Mostrar rastro del puntero**, se activará una estela que seguirá al puntero al moverse por el monitor, facilitando su localización.

También se podrá activar **Ocultar puntero mientras se escribe**, si se considera necesario.

La última opción permite localizar el puntero del ratón de manera sencilla, ya que al pulsar la tecla [**CONTROL**], se generará un círculo alrededor del puntero, facilitando su localización.

- **Rueda**. Los ratones actuales incorporan una rueda en la parte superior, entre los botones. Su utilidad es desplazar la pantalla verticalmente arriba o abajo, como si se desplazará con las barras de desplazamiento.

  En los ratones más actuales, esta rueda también permite el movimiento horizontal de la pantalla, gracias a que dicha rueda se puede inclinar horizontalmente a izquierda y derecha.

  En la pestaña de configuración se podrá seleccionar cómo se comporta el sistema con el movimiento de la rueda.

  En el primer apartado, **Desplazamiento vertical**, se seleccionará si al desplazar la rueda verticalmente, el sistema avanzará un determinado número de líneas o si avanzará una página completa.

  En el apartado **Desplazamiento horizontal**, se configurará el número de caracteres que se desplazará el cursor, al inclinar la rueda a izquierda o derecha.

- **Hardware**. En esta pestaña se podrá consultar información relativa a la configuración del *hardware* del ratón.

En la parte superior, **Dispositivos**, se podrán consultar todos los dispositivos conectados al equipo y, pulsando sobre cada uno de ellos, acceder a información más detallada.

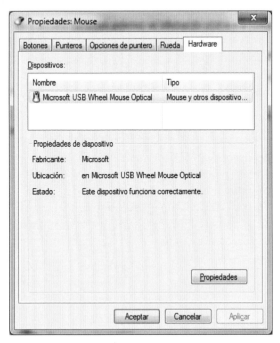

En la parte inferior, se podrá pulsar sobre el icono **Propiedades**.

De esta manera, se accederá a la ventana de configuración del ratón.

Desde ella, se podrá consultar información diversa sobre el dispositivo en cuestión, además de poder actualizar el controlador del ratón.

Para acceder a todas las opciones de configuración, es posible que el sistema requiera al usuario que disponga de permisos de administrador.

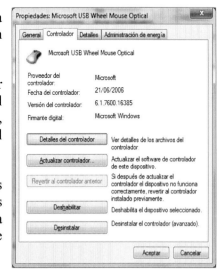

Capítulo 5

# LA PAPELERA DE RECICLAJE

## 5.1 LA PAPELERA DE RECICLAJE

La **Papelera de reciclaje** es un área de almacenamiento, es decir, una parte del disco duro del equipo donde se almacena información del equipo (archivos y carpetas) antes de su eliminación definitiva del equipo.

Cuando se elimina un archivo o una carpeta del equipo, no se elimina inmediatamente. Dicho archivo o carpeta se mueve a la Papelera de reciclaje, desde la que aún es posible recuperarlo. Esto es muy útil ante posibles errores en la eliminación de información en el equipo.

Está representada en el escritorio por un icono con forma de papelera. Si no hay ninguna información en ella, el icono tendrá la forma de una papelera vacía. Si por el contrario hubiera información, el icono representará una papelera llena.

El icono de la Papelera de reciclaje suele estar situado en el escritorio, pero es posible ocultarlo.

Para ello, pulse en el botón de **Inicio** y, en el cuadro de búsqueda, escriba *iconos de escritorio*, pulse [**INTRO**] y, después, pulse sobre la entrada **Mostrar u ocultar iconos en el escritorio**. Se abrirá la ventana de configuración que se muestra a continuación:

En esta pantalla pulse en la opción **Papelera de reciclaje** para activarla y que el sistema muestre el icono en el escritorio.

También es posible cambiar el icono de la papelera por otro. Para ello pulse en **Cambiar icono**, una vez seleccionado el icono de papelera llena o papelera vacía.

Aunque el icono de la papelera esté oculto, los archivos que se eliminen se seguirán almacenando en ella hasta que se decida eliminarlos definitivamente.

Para eliminar un archivo o una carpeta del equipo hay varios procedimientos:

- Seleccionando el archivo o carpeta y pulsando la tecla [**SUPR**].

- Pulsando el archivo o carpeta y arrastrándolo hasta la papelera.

- Pulsando con el botón derecho del ratón y seleccionando **Eliminar** en las opciones que se muestran.

## 5.2 RESTAURAR ARCHIVOS O CARPETAS

Para recuperar archivos o carpetas de la Papelera de reciclaje, será necesario abrir la propia papelera. Para ello, se pulsará dos veces sobre el icono de la papelera.

Al realizarlo, se abrirá la ventana de la Papelera de reciclaje. Seleccione el archivo o carpeta a recuperar y pulse sobre **Restaurar elemento** en la barra superior.

Si lo que se necesita es restaurar todos los elementos, se pulsará en **Restaurar todos los elementos** sin tener ninguno seleccionado.

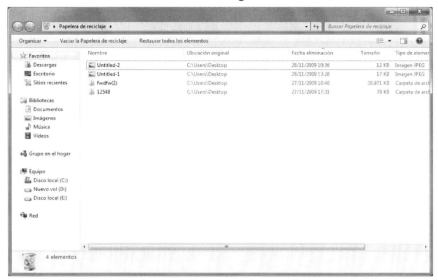

Los archivos se restaurarán en las ubicaciones originales donde se escontraban al ser eliminados.

## 5.3 VACIAR LA PAPELERA

Los archivos y las carpetas que han sido eliminadas y, por tanto, movidos a la Papelera de reciclaje siguen ocupando espacio en el disco duro del equipo.

Si se desea recuperar ese espacio, se deberán eliminar definitivamente esos archivos o carpetas.

Este proceso se puede realizar de dos formas:

• Abriendo la Papelera de reciclaje. Se pueden dar dos opciones:

- Seleccionar el archivo o carpeta que se desea eliminar definitivamente y pulsar la tecla [**SUPR**]:

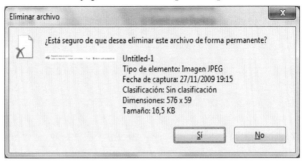

Pulse en el botón **Sí** para eliminarlo.

- Si desea vaciar por completo la Papelera de reciclaje, pulse en **Vaciar la Papelera de reciclaje** en la barra superior.

- Pulsando con el botón derecho del ratón sobre el icono de la Papelera de reciclaje y, después, seleccionando **Vaciar papelera de reciclaje**.

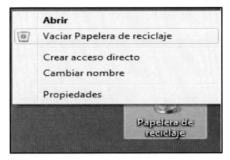

Es posible borrar definitivamente un archivo o una carpeta sin enviarlo antes a la Papelera de reciclaje. Para ello, seleccione el archivo y pulse la combinación de teclas [**MAYÚS**] + [**SUPR**].

Si se elimina un archivo o una carpeta de una unidad *flash USB* o de una carpeta de red, es posible que se elimine de manera permanente y no se mueva a la Papelera de reciclaje.

Es posible que un archivo no permita ser borrado. Esto podría deberse a que está siendo usado por algún programa en el momento de su borrado. Será necesario cerrar el programa e intentar eliminar el archivo de nuevo.

Es posible que se soliciten permisos de administrador para borrar ciertos archivos o carpetas, como archivos del sistema.

# Capítulo 6

# AGREGAR O QUITAR PROGRAMAS

En el equipo, además de tener instalado el sistema operativo Windows 7, es necesario instalar nuevas aplicaciones para realizar las tareas diarias del usuario.

Estas aplicaciones facilitarán el trabajo al usuario, como, por ejemplo, realizar una carta o una hoja de cálculo.

En algún momento, estas aplicaciones dejarán de tener utilidad para el usuario y deberán ser desinstaladas.

Para ambos procesos, instalación y desinstalación, Windows 7 ofrece un procedimiento sencillo al usuario.

## 6.1 LA INSTALACIÓN DE NUEVOS PROGRAMAS

La forma de instalar un nuevo programa en el equipo depende de la ubicación de los archivos de instalación del programa.

- Instalación de un programa desde CD o DVD.

Para realizar la instalación, se insertará el CD o DVD y se seguirán las indicaciones que el programa vaya mostrando en el monitor.

Es posible que para la instalación se solicite la contraseña de administrador o una confirmación.

En muchos de los casos, al insertar el CD o DVD, se iniciará automáticamente el sistema de instalación del programa. En estos casos, aparecerá un cuadro de dialogo de reproducción automática, desde el que se podrá ejecutar el asistente de instalación.

Si esta reproducción automática no se llevara a cabo, será necesario ejecutar la instalación manualmente. Para ello, deberá leer las instrucciones proporcionadas por el fabricante.

Durante el proceso de instalación, el sistema requerirá al usuario información sobre la ubicación del programa en el equipo, la creación o no de accesos directos en el escritorio y en el menú **Inicio** y una serie de información necesaria para la correcta instalación del programa.

Dependiendo del programa que se esté instalando, variarán las pantallas y la información que se solicite.

- Instalación de un programa desde Internet.

Para realizar la instalación de un programa desde Internet, generalmente el sistema mostrará un mensaje con la opción de **Abrir** o **Ejecutar**. A continuación, se seguirán las instrucciones que se muestran en la pantalla.

Al igual que en el caso anterior, durante el proceso de la instalación se requerirá del usuario información para el correcto funcionamiento del programa de instalación.

- Instalación de un programa sin instalador.

En algunos casos y debido casi siempre a su sencillez, algunos programas carecen de sistema de instalación.

Para trabajar con este tipo de programa, sólo será necesario ejecutar el archivo que ejecute la aplicación.

Una vez se termine el proceso de instalación del nuevo programa, ya se podrá trabajar con él en el equipo.

# 6.2 LA COMPATIBILIDAD DE PROGRAMAS

Windows 7 incorpora un sistema de compatibilidad que posibilita que, programas que fueron creados para sistemas operativos anteriores a Windows 7, funcionen correctamente.

La mayoría de los programas que funcionan en Windows Vista, funcionan correctamente en Windows 7, y no debería ser necesario ejecutar el modo de compatibilidad.

Para ello, se abrirá el **Solucionador de problemas de compatibilidad de programas**, mostrando la pantalla siguiente:

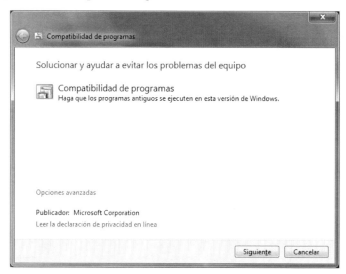

Al pulsar en **Siguiente**, el sistema mostrará una ventana con un listado con las aplicaciones instaladas en el equipo.

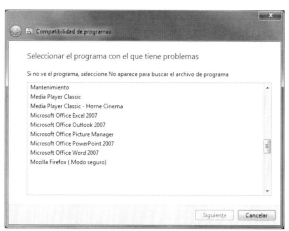

En el listado, se seleccionará la aplicación y se pulsará en **Siguiente**, mostrando esta pantalla:

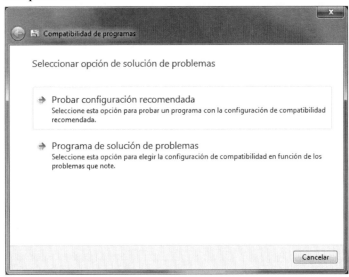

En esta pantalla se podrá elegir entre la opción automatizada, en la que es el propio sistema el que busca y propone una solución al problema de compatibilidad, o personalizar la compatibilidad del programa.

- En el primer de los casos, al pulsar sobre **Probar configuración recomendada**, el sistema mostrará un resumen de las características de compatibillidad con las que se va a ejecutar el programa.

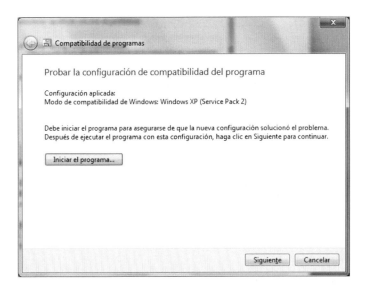

Se deberá ejecutar el programa pulsando en **Iniciar el programa** para comprobar si el funcionamiento es el correcto.

Una vez comprobado su funcionamiento, se pulsará en **Siguiente**, mostrando la pantalla siguiente:

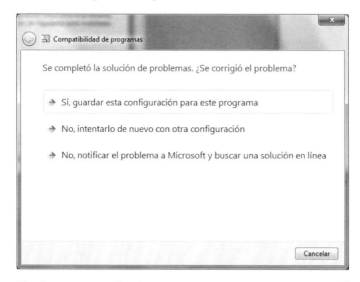

Si el programa funciona correctamente, en esta pantalla se deberá validar la configuración. De lo contrario, se podrá volver a probar una nueva configuración o notificar a Microsoft el problema.

- Si se quiere personalizar la configuración de compatibidad, se pulsará sobre **Programa de solución de** problemas, mostrando la pantalla siguiente:

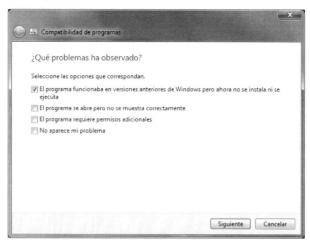

En esta pantalla, se notificarán al sistema los problemas que se han tenido al intentar ejecutar la aplicación. Con la información aportada, se mostrarán las posibles soluciones que hubiera.

Por ejemplo, si se notifica que el programa funcionaba correctamente en versiones anteriores a Windows 7, el sistema mostrará un listado con las distintas versiones. En este caso, se seleccionará la versión de Windows en la que funcionaba correctamente y se pulsará en **Siguiente**:

Igual que en el caso anterior, el sistema solicitará ejecutar el programa y validar si la solución al problema de comptatibilidad es correcta.

Otro método para acceder a la pantalla del **Solucionador de problemas de compatibilidad de programas** es localizar el ejecutable de la aplicación y pulsar sobre ella con el botón derecho del ratón. En el menú contextual que muestra, se pulsará sobre **Solucionar problemas de compatibilidad.**

De esta manera, se accederán a las pantallas anteriormente comentadas.

Para cambiar manualmente la configuración de compatibilidad de un programa, se pulsará con el botón derecho del ratón sobre ella y en el menú contextual que muestra, se pulsará sobre **Propiedades**.

En la ventana que mostrará, se ha de pulsar sobre la pestaña **Compatibilidad**. En dicha pestaña, el usuario configurará las características de compatibilidad para esta aplicación. Para ello, activará o desactivará los distintos apartados que se muestran en la ventana:

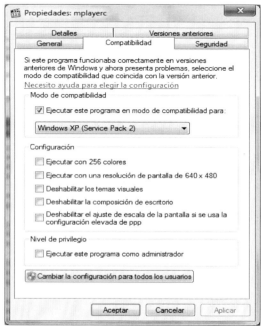

## 6.3 LA DESINSTALACIÓN DE PROGRAMAS

Windows 7 permite desinstalar los programas que el usuario considere conveniente, ya sea por no usarlos o por si considera necesario liberar espacio en el disco duro del equipo.

La opción desde la que se va a realizar este proceso se denomina **Programas y características**.

Para acceder a ella, pulse sobre el botón del menú **Inicio**. Seguidamente, pulse sobre **Panel de control** y **Programas**. En la nueva ventana que muestra el sistema, pulse sobre **Programas y características**.

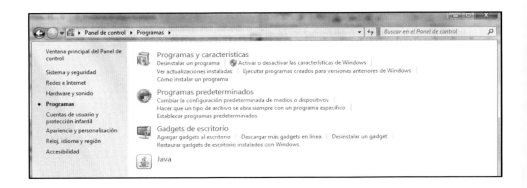

En esta pantalla, se muestra un listado con todos los programas instalados en el equipo.

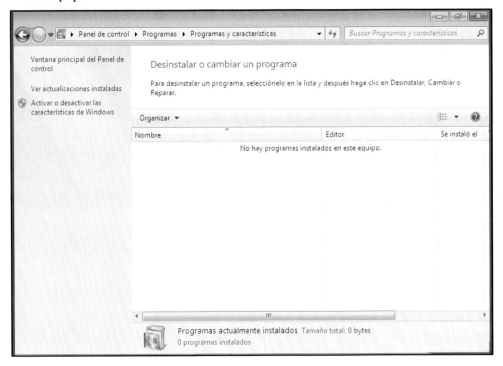

El usuario podrá modificar el modo de presentación de los programas, usando el icono situado en la esquina superior derecha al lado del icono de **Ayuda**.

Al desplegar el catálogo, mostrará las diferentes vistas disponibles para la pantalla.

Además del nombre del programa, si selecciona la vista **Detalles**, la pantalla mostrará más información (cuándo se instaló el programa y su versión, cuánto espacio ocupa en el disco duro y el fabricante).

Para desinstalar un programa, pulse sobre la aplicación deseada. En la barra de herramientas aparecerá una serie de botones con las distintas opciones a realizar sobre el programa.

No todas las opciones estarán disponibles para todos los programas y dependerá de la naturaleza de éste.

Las opciones posibles son:

- **Desinstalar**. Al pulsar sobre esta opción, se lanzará el programa de desinstalación. Este programa le guiará por una serie de ventanas hasta completar el proceso.

- **Cambiar**. Al pulsar sobre esta opción, se lanzará de nuevo el instalador del programa. Con este procedimiento, el usuario podrá añadir o quitar elementos opcionales del programa.

- **Reparar**. Esta opción vuelve a instalar el programa por completo, pero respetando las configuraciónes que hubiera anteriormente del usuario.

Se recomienda esta opción cuando el programa no funcione correctamente o esté dañado.

Para realizar todas las acciones anteriores, es posible que el sistema solicite una contraseña con permisos de administrador.

Es posible que en la pantalla de **Programas y características** no aparezcan todos los programas. En esta pantalla sólo aparecerán aquellos programas que han sido creados para sistemas Windows.

Para desinstalar dichos programas será necesario revisar la documentación que se suministra con ellos o visitar su página web.

Es posible que aun siguiendo los pasos anteriores no se consiga desinstalar el programa. Para solventar este problema, se iniciará el sistema en **modo seguro** y se procederá a la desinstalación del mismo.

Si el programa se instaló recientemente, también es posible restaurar el sistema, para, de esta forma, cambiar los archivos del equipo por los de una fecha anterior a la instalación del programa.

# 6.4 LAS ACTUALIZACIONES AUTOMÁTICAS

Windows 7 incorpora una potente aplicación denominada **Windows Update** que facilitará el proceso de actualización del equipo.

Es recomendable tener siempre el equipo actualizado. De esta manera, se evitarán riesgos para el equipo y se subsanarán errores en los programas.

Con este sistema, no es necesario buscar las actualizaciones en la web, ni aquellas correcciones importantes para Windows.

El sistema se podrá configurar para que se instalen automáticamente todas las actualizaciones de manera transparente para el usuario o hacer que se notifique cuando estén disponibles las nuevas actualizaciones para que el usuario decida si desea descargarlas.

Para configurar las actualizaciones, pulse en el botón de menú **Inicio**. Seguidamente, pulse en **Panel de control** y en **Sistema y seguridad**. En la pantalla que se muestra a continuación, pulse en **Windows Update**.

Windows Update
Activar o desactivar la actualización automática | Buscar actualizaciones | Ver actualizaciones instaladas

Al pulsar sobre el icono, el sistema mostrará la ventana de **Windows Update**, desde la que se podrá consultar y configurar todo lo relacionado con las actualizaciones automáticas.

En dicha ventana, pulse sobre la opción **Cambiar la configuración**, situada a la izquierda de la ventana.

El sistema mostrará la pantalla desde la que se configurarán las actualizaciones automáticas en el equipo.

En la parte superior, en el apartado **Actualizaciones importantes**, se podrá elegir la opción que más convenga al usuario, permitiendo al sistema: instalar todas las actualizaciones (se activará un menú en la parte inferior, con el que se configurará cuándo se instalarán las actualizaciones), preguntar al usuario si desea descargarlas o desactivar las actualizaciones.

Actualizaciones importantes

Buscar actualizaciones, pero permitirme elegir si deseo descargarlas e instalarlas

Instalar actualizaciones automáticamente (recomendado)
Descargar actualizaciones, pero permitirme elegir si deseo instalarlas
Buscar actualizaciones, pero permitirme elegir si deseo descargarlas e instalarlas
No buscar actualizaciones (no recomendado)

En el apartado **Actualizaciones recomendadas** se podrá configurar el sistema para que trate de igual forma a las actualizaciones recomendadas que a las actualizaciones importantes del equipo.

Por último, en el apartado **Quién puede instalar actualizaciones**, se configurará qué usuarios del equipo están acreditados para poder instalar actualizaciones.

Existen tres tipos de actualizaciones y varían dependiendo de la importancia que tienen para el equipo:

- **Importantes**. Ofrecen al sistema ventajas importantes para su funcionamiento y seguridad.

- **Recomendadas**. Solucionan problemas o aportan mejoras al equipo, que no sean de carácter crítico.

- **Opcionales**. Pueden incluir actualizaciones, controladores o *software* nuevo de Microsoft. Este tipo de actualizaciones deben instalarse de forma manual.

Si no se configura el sistema para que automáticamente busque las actualizaciones, se podrá hacer de forma manual. En este caso, el equipo las buscará y las instalará el usuario cuando lo crea conveniente.

Para ello, desde la ventana principal de *Windows Update*, pulse en **Buscar actualizaciones**. De esta manera, el sistema comenzará la búsqueda de las actualizaciones disponibles para el equipo.

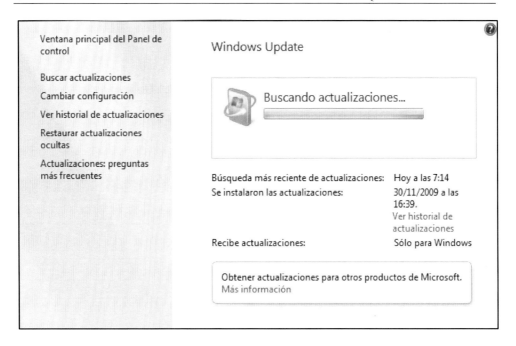

Se tendrá acceso a un listado detallado de todas las actualizaciones instaladas en el equipo. Para ello, pulse en **Ver historial de actualizaciones**.

En la ventana que le mostrará, podrá consultar el estado de las actualizaciones instaladas en el equipo, la importancia de éstas y la fecha en la que se instalaron.

### Revisar el historial de actualizaciones

Compruebe la columna Estado para asegurarse de que se hayan instalado correctamente todas las actualizaciones importantes. Para quitar una actualización, consulte Actualizaciones instaladas.

Solucionar problemas con la instalación de actualizaciones

| Nombre | Estado | Importancia | Fecha de instalación |
|--------|--------|-------------|----------------------|
| Definition Update for Windows Defender - KB915597 (... | Correcto | Importante | 03/12/2009 |
| Definition Update for Windows Defender - KB915597 (... | Correcto | Importante | 30/11/2009 |
| Definition Update for Windows Defender - KB915597 (... | Errores | Importante | 26/11/2009 |
| Actualización para Windows 7 (KB976098) | Correcto | Importante | 25/11/2009 |
| Definition Update for Windows Defender - KB915597 (... | Correcto | Importante | 23/11/2009 |
| Definition Update for Microsoft Windows Defender - ... | Correcto | Importante | 19/11/2009 |
| Definition Update for Windows Defender - KB915597 (... | Correcto | Importante | 16/11/2009 |
| Definition Update for Windows Defender - KB915597 (... | Correcto | Importante | 12/11/2009 |
| Definition Update for Windows Defender - KB915597 (... | Cancelada | Importante | 12/11/2009 |
| Actualización para la lista de Vista de compatibilidad ... | Correcto | Recomendada | 11/11/2009 |

Desde esta ventana se tendrá también acceso a desinstalar una actualización. No será posible desinstalar aquellas actualizaciones que afecten a archivos vitales para el sistema operativo y, por regla general, se desaconseja desinstalar cualquier actualización a no ser que se tengan instrucciones específicas para ello.

Para realizar esta tarea, desde la pantalla de historial de actualizaciones, pulse en **Actualizaciones instaladas**.

En la ventana que le mostrará, seleccione la actualización a desinstalar y pulse sobre **Desinstalar** en la barra superior.

| Ventana principal del Panel de control | Desinstalar una actualización | | | | |
|---|---|---|---|---|---|
| Desinstalar un programa | Para desinstalar una actualización, selecciónela en la lista y después haga clic en Desinstalar o Cambiar. | | | | |
| Activar o desactivar las características de Windows | Organizar ▾   Desinstalar | | | | |
| | Nombre | Programa | Versión | Editor | Se instaló el |
| | Microsoft Windows (10) | | | | |
| | Actualizar para Microsoft Windows (KB976098) | Microsoft Windows | | Microsoft Corporation | 25/11/2009 |
| | Actualizar para Microsoft Windows (KB975364) | Microsoft Windows | | Microsoft Corporation | 11/11/2009 |
| | Actualizar para Microsoft Windows (KB976749) | Microsoft Windows | | Microsoft Corporation | 03/11/2009 |
| | Actualizar para Microsoft Windows (KB974431) | Microsoft Windows | | Microsoft Corporation | 17/10/2009 |
| | Revisión para Microsoft Windows (KB975467) | Microsoft Windows | | Microsoft Corporation | 14/10/2009 |
| | Actualización de seguridad para Microsoft Windows (... | Microsoft Windows | | Microsoft Corporation | 14/10/2009 |
| | Actualización de seguridad para Microsoft Windows (... | Microsoft Windows | | Microsoft Corporation | 14/10/2009 |
| | Actualización de seguridad para Microsoft Windows (... | Microsoft Windows | | Microsoft Corporation | 14/10/2009 |
| | Actualizar para Microsoft Windows (KB974332) | Microsoft Windows | | Microsoft Corporation | 23/09/2009 |
| | Actualizar para Microsoft Windows (KB973874) | Microsoft Windows | | Microsoft Corporation | 22/09/2009 |

También se podrá acceder a esta ventana, desde **Programas y características**, pulsando en **Ver actualizaciones instaladas**, en el panel izquierdo de la ventana.

# 6.5 LAS CARACTERÍSTICAS DE WINDOWS 7

En Windows 7 vienen preinstalados una serie de programas y características que deben ser activados por el usuario para poder ser utlizados. Algunos de estos programas están activados de forma predeterminada, aunque pueden ser desactivados también por el usuario.

Una novedad en Windows 7 es que para desactivar una característica no es necesario desinstalarla, como ocurría en versiones anteriores del sistema. En Windows 7, quedará almacenada en el equipo para poder activarse de nuevo si el usuario lo considera oportuno.

Para activar o desactivar una característica, pulse sobre el botón del menú de **Inicio**, luego pulse en **Panel de control** y, después, en **Programas**. A continuación, pulse en **Activar o desactivar las características de Windows**.

Programas y características
Desinstalar un programa  |   Activar o desactivar las características de Windows  |
Ver actualizaciones instaladas  |  Ejecutar programas creados para versiones anteriores de Windows  |
Cómo instalar un programa

Es posible que el sistema solicite la contraseña de administrador para acceder a esta ventana.

Para activar o desactivar una característica, active o desactive la casilla situada junto a la característica. Luego, pulse sobre **Aceptar**.

Es posible que las características estén agrupadas en carpetas e, incluso, en subcarpetas. Para acceder a ellas, pulse sobre el signo "+" para desplegarlas.

Si una casilla está parcialmente activada o aparece atenuada, estará indicando que algunos elementos de las subcarpetas están activados y otros no.

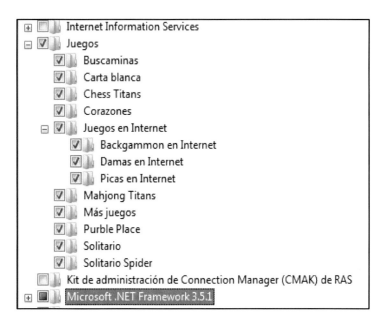

# Capítulo 7

# AGREGAR NUEVO HARDWARE

## 7.1 INTRODUCCIÓN

Se conoce como *hardware* a todas las partes físicas y tangibles de una computadora (es decir, el conjunto de componentes que integran un equipo).

Es muy habitual agregar *hardware* a un equipo por parte del usuario, ya sea para reemplazar componentes averiados o para ampliar las características del equipo (como podría ser instalar una tarjeta gráfica más potente o una tarjeta Wifi).

*Figura 7.1.Tarjeta de sonido interna*

Para que el nuevo *hardware* instalado funcione correctamente en el equipo, es necesario instalar un *software* especial propio de cada *hardware*, llamado **controladores** o ***drivers***.

Por tanto, un controlador sería un programa informático que permitirá al equipo trabajar de forma correcta con el nuevo *hardware* instalado.

Es posible que Windows 7 solicite la contraseña de administrador para realizar las tareas de agregar un nuevo *hardware* al equipo, aunque si lo que se conecta al equipo son unidades de almacenamiento USB, no será necesaria dicha validación.

# 7.2 AGREGANDO NUEVO HARDWARE AL EQUIPO

Lo primero que se debe tener en cuenta es qué tipo de *hardware* se va a agregar al equipo.

El *hardware* puede ser externo o interno, y se instalarán de manera distinta debido al sistema de conexión con el equipo.

En el caso de ser un *hardware* externo, la instalación se realizará de manera más sencilla, ya que en los últimos años se ha estandarizado mucho este tipo de conexiones.

En la mayoría de los casos, los dispositivos externos se conectarán al equipo con un tipo de puerto llamado USB.

*Figura 7.2.Conectores USB*

Entre los muchos dispositivos que utilizan este tipo de puerto se encuentran los discos duros portátiles, las cámaras de fotos, las impresoras, los escáneres, etc. y casi todos los dispositivos que salen al mercado actualmente.

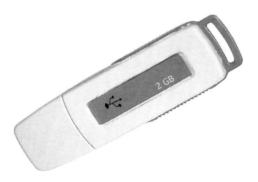

*Figura 7.3.Pen drive*

También los ratones y teclados han variado en los últimos años el sistema de conexión con el equipo y casi todos en la actualidad lo realizan a través de un puerto USB.

Una de las grandes ventajas de este sistema es que permite conectar el dispositivo con el equipo encendido, usarlo con normalidad y volver a desconectarlo, si se considera necesario, de manera sencilla y nada complicada.

Existen también otros dispositivos que aún conservan su puerto de conexión específico. Un ejemplo sería la mayoría de los monitores que llevan su propio puerto, el cual se muestra en la siguiente imagen.

*Figura 7.4.Conector del monitor a la tarjeta de vídeo*

En el caso de *hardware* interno, su instalación en el equipo requiere de la manipulación de los componentes internos del propio equipo, por lo que será necesario apagar el equipo y abrirlo para poder realizarlo.

*Figura 7.5. Vista del interior de un ordenador*

Instalar este tipo de *hardware* es más complicado que el externo y aunque no suele ser necesario un gran conocimiento para realizar este proceso, si es recomendable que sólo lo realice gente con algún conocimiento informático, con el propósito de evitar problemas y averías en el equipo.

Antes de realizar la instalación, es recomendable leer detenidamente todas las instrucciones facilitadas por el fabricante del dispositivo, ya que le guiará durante toda la instalación.

Un ejemplo de *hardware* interno son las tarjetas gráficas, las memorias RAM o las tarjetas de red.

Todo este *hardware* se conectará en el equipo a los buses de expansión que tiene el propio equipo. Si no se dispone de buses libres, no será posible instalarlo.

# 7.3 INSTALACIÓN DE LOS CONTROLADORES

Desde las últimas versiones, los sistemas operativos de Microsoft incorporan la tecnología **Plug and play**, que facilita la conexión de los dispositivos al equipo sin necesidad de complicadas configuraciones.

Con esta tecnología, el sistema será el encargado de detectar el dispositivo nuevo e instalar los controladores para su correcto funcionamiento.

Para que esta tecnología funcione correctamente, el dispositivo que se va a instalar en el equipo debe ser compatible con dicha tecnología. En la actualidad casi todos los fabricantes crean sus dispositivos compatibles.

La primera vez que el equipo detecte un nuevo dispositivo, ya sea al conectarlo por conexión USB o al reiniciar el equipo en el caso de dispositivos internos, Windows intentará instalar los controladores correctos para ese nuevo dispositivo.

Windows 7 incorpora una gran base de datos con los controladores de los principales fabricantes de *hardware*, por lo que, en la mayoría de los casos, el sistema será autosuficiente para la instación del nuevo *hardware* y mostrará un mensaje informando de que ya se puede utilizar el nuevo dispositivo en el equipo.

Es posible que Windows 7 no tenga los controladores del dispositivo o no sea capaz de realizar el proceso de manera correcta, mostrando la siguiente pantalla para informar de ello:

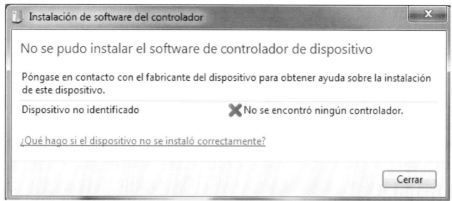

Para realizar el proceso de instalación del dispositivo correctamente, Windows recomendará realizar las siguientes tareas:

- El usuario deberá comprobar que el equipo tiene conectividad con Internet para buscar en línea el controlador para el dispositivo instalado.

Para buscar los controladores actualizados para los dispositivos, deberán estar activadas las **actualizaciones automáticas**. Además, se deberán activar también las **actualizaciones recomendadas**, ya que desde éstas es desde donde se actualizarán los controladores de los dispositivos. Si el equipo no tenía activadas las actualizaciones, mostrará una ventana distinta a la anterior, donde además de informar que no ha podido instalar el dispositivo, permitirá al usuario activar las actualizaciones:

Si pulsa en **Cambiar configuración**, mostrará la siguiente ventana:

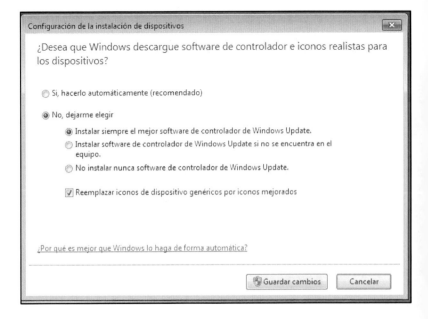

En ella se configurará si se descargan automáticamente los controladores o si el usuario elige en cada momento qué hacer.

- Si al conectar el dispositivo al equipo, no estaba conectado a Internet o no estaban activadas las actualizaciones automáticas, será necesario realizar una búsqueda manual de los controladores desde *Windows Update* (que no instala las actualizaciones opcionales automáticamente, pero sí avisará cuando encuentre alguna y permitirá su instalación).

- Si aun así Windows no consigue instalar ningún controlador para el dispositivo, será necesario utilizar los controladores incluidos por el fabricante, ya sea en un CD de instalación o descargándoselos desde la pagina web del fabricante.

# 7.4 EL ADMINISTRADOR DE DISPOSITIVOS

El administrador de dispositivos es una herramienta con la que el usuario podrá gestionar todos los dispositivos instalados en el equipo de manera sencilla e intuitiva gracias a su interfaz gráfica.

Desde esta herramienta se podrán realizar diversas tareas, como pueden ser la instalación de nuevos controladores de dispositivos, deshabilitar o habilitar dispositivos o cambiar las propiedades y los parámetros de dichos dispositivos, entre otras muchas.

Existen diversas rutas para acceder al administrador de dispositivos.

- Pulse en el menú **Inicio** y acceda al **Panel de control**.

Pulse en **Sistemas y seguridad** y, en el apartado **Sistema**, pulse en **Administrador de dispositivos.**

- Pulse en el menú **Inicio** y acceda al **Panel de control**.

  Pulse en **Hardware y sonido** y, en el apartado **Dispositivos e impresoras**, pulse en **Administrador de dispositivos.**

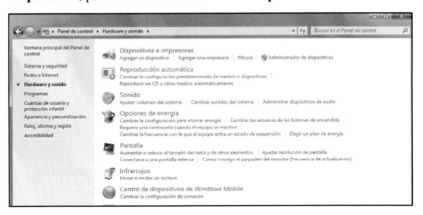

- Pulse en el menú **Inicio** y, en el cuadro de búsqueda, escriba **Administrador de dispositivos**. Pulse en la lista de resultados.

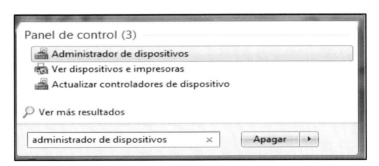

Una vez pulsado sobre el **Administrador de dispositivos**, mostrará una ventana donde se ven todos los dispositivos instalados en el equipo, agrupados por tipo de *hardware*.

Para poder ver todos los dispositivos, pulse sobre el signo "+" que se encuentra al comienzo de cada agrupación de dispositivos.

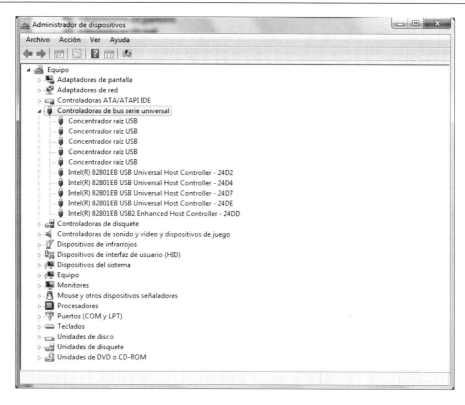

Si alguno de los dispositivos del equipo no está correctamente instalado, aparecerá con un signo de exclamación en amarillo a su izquierda:

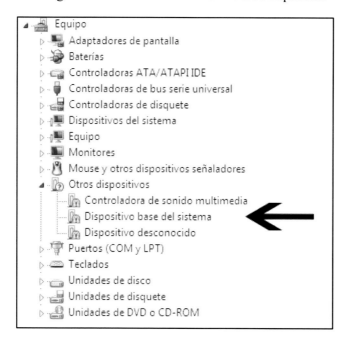

En la barra superior se encuentran una serie de iconos que permitirán al usuario interaccionar con los dispositivos del panel central:

 **Buscar cambio de hardware**. Al pulsar sobre este icono, el sistema iniciará un proceso de detección del nuevo *hardware* conectado al equipo

 **Actualizar software del controlador**. Al pulsar sobre este icono, el sistema mostrará una ventana donde se podrá elegir entre la búsqueda automatizada por parte del sistema de controladores para el dispositivo o la posibilidad de que el usuario los localice en un medio de almacenamiento de dichos controladores:

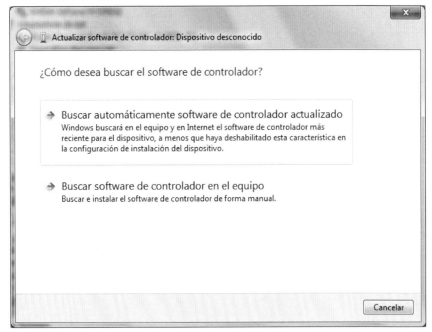

 **Desinstalar**. Esta opción, desinstalará el dispositivo del equipo y su controlador. Al reiniciar el equipo, el sistema volverá a detectarlo y volverá a instalarlo.

 **Deshabilitar**. Pulsando sobre esta opción se impedirá que un dispositivo funcione en el equipo.

**Propiedades**. Pulsando sobre esta opción, se accederá a las propiedades del dispositivo. Tendrá acceso a las siguientes pestañas:

- **General**. Desde esta pestaña, el sistema mostrará información general del dispositivo e indicará si funciona correctamente o si tiene errores.

- **Controlador.** Desde esta pestaña, se podrá consultar información detallada del controlador del dispositivo, actualizar el controlador, deshabilitarlo o desinstalarlo.

  También estará disponible la opción **Revertir al controlador anterior**. Esta opción permite al sistema volver a una instalación anterior de un controlador si se ha instalado una actualización de un controlador y da problemas al equipo.

- **Detalles**. Esta pestaña posee un desplegable, en el que se podrá encontrar información más extensa y técnica del controlador que en las pestañas anteriores.

# Capítulo 8

# LAS APLICACIONES INSTALADAS

## 8.1 INTRODUCCIÓN

Windows 7 incorpora varias utilidades preinstaladas con las que el usuario puede comenzar a trabajar con el equipo, si bien es cierto que será necesario instalar aplicaciones más potentes para poder trabajar de manera más eficiente.

Entre dichas aplicaciones preinstaladas se encuentran muchas de las habituales en anteriores versiones de Windows, aunque en Windows 7 se han mejorado tanto en su aspecto visual como en su funcionalidad.

Este tipo de aplicaciones son sencillas de utilizar y, entre ellas, hay calculadoras, procesadores de texto básicos o programas de dibujo y retoque fotográfico.

El acceso a estas aplicaciones se puede realizar de diversas maneras, pero la más habitual es a través del menú **Inicio**, tecleando en la casilla de búsqueda el nombre de la aplicación:

Otro método consiste en pulsar sobre el menú **Inicio**, **Todos los programas** y **Accesorios**, para acceder a la lista de las aplicaciones instaladas:

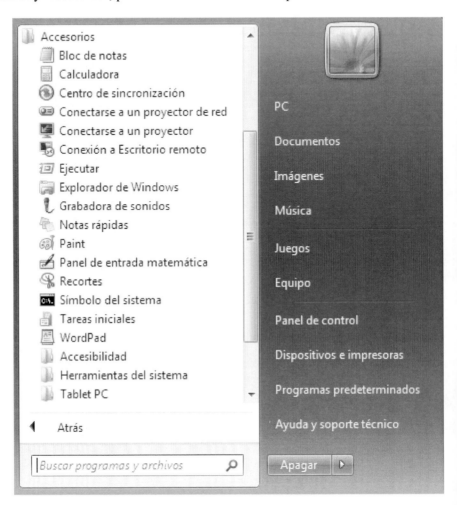

## 8.2 EL BLOC DE NOTAS

El **Bloc de notas** es un sencillo editor de texto, muy útil para trabajar con archivos de texto con los que no sea necesario ejecutar editores más complejos.

Una vez ejecutado el programa, se mostrará su ventana principal (es la que se muestra en la página siguiente y en ella se ha escrito un pequeño texto).

En la parte superior de la ventana se encuentran las opciones en las que se podrá configurar el texto insertado.

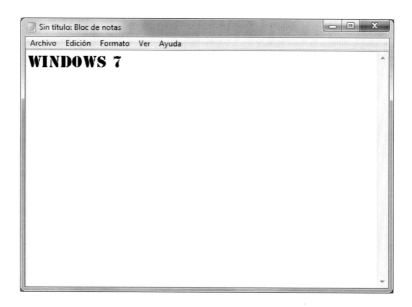

Desde el menú **Archivo** se podrá crear un nuevo documento, abrir un documento, guardar el trabajo actual o imprimir.

También en este menú, y desde la opción **Configurar página**, se podrán configurar las propiedades del documento (como el tamaño o la orientación), además de configurar el encabezado y el pie de pagina.

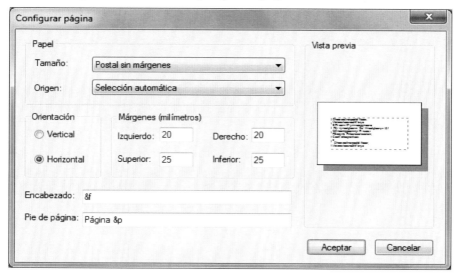

En el menú **Edición** se podrán realizar tareas: cortar y pegar texto, buscar y reemplazar texto en el documento o informar de la hora y fecha actual del sistema en el documento.

En el menú **Formato** se podrá configurar la fuente y el estilo de letra que se va a utilizar en el documento.

## 8.3 LA CALCULADORA

En esta versión de Windows, la **calculadora** ha sido rediseñada para convertirse en una herramienta mucho más potente y versátil que en versiones anteriores.

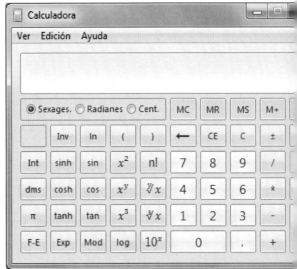

*Figura 8.1 Vista estándar*                      *Figura 8.2 Vista científica*

En esta nueva versión, además de los tipos de calculadora **Estándar** y **Científica**, se han añadido los tipos **Programador** y **Estadísticas**.

La calculadora **Estándar** sigue siendo la forma más cómoda de realizar las operaciones más comunes.

En la calculadora **Científica** ha modificado ligeramente su aspecto respecto a versiones anteriores y desaparecen opciones que han sido incluidas en las nuevas vistas.

La calculadora **Programador**, nueva en esta versión, recoge algunas de las opciones incluidas en versiones anteriores de la calculadora científica, además de numerosas opciones nuevas.

La calculadora para **Estadísticas**, novedad en esta versión de la calculadora, ofrece al usuario diversas opciones para el cálculo de estadísticas.

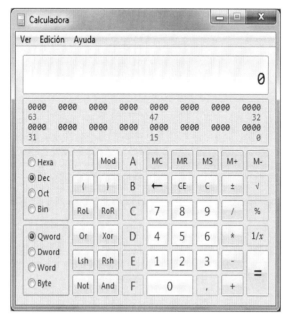

*Figura 8.3 Vista Programador*

*Figura 8.4 Vista Estadísticas*

Además de las novedades en los tipos de calculadora, se han añadido varias funciones específicas para facilitar al usuario el cálculo de dichas funciones.

Desde la opción **Ver** se podrá seleccionar la funcionalidad **Conversión de Unidades**:

Desplegando el catálogo de unidades se accederá a un número importante de unidades de medida que son las que se podrán convertir utilizando los desplegables inferiores.

Con la opción de **Cálculo de fecha**, el usuario podrá calcular la diferencia entre dos fechas o calcular una fecha a partir de otra dada. Esta opción puede ser interesante para el cálculo de fechas en vencimientos:

La ultima opción disponible, **Hojas de cálculo**, ofrece al usuario cuatro tipos de operaciones distintas:

- **Hipoteca**. Permite al usuario calcular el importe en plazos de una hipoteca, entre otros muchos datos:

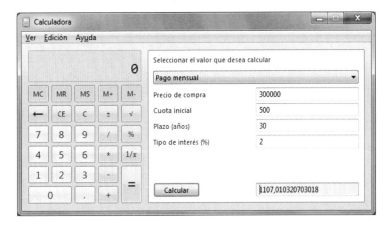

- **Alquiler de vehículos**. Permite al usuario realizar cálculos en la compra de vehículos en opción de *Leasing*:

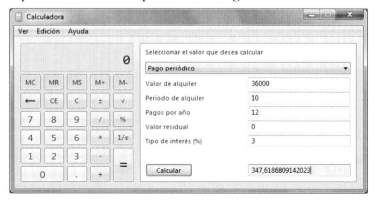

- **Consumo de combustible (mpg y l/100 Km)**. En estas dos opciones, se calculará el consumo de combustible en galones y en litros a los cien kilómetros:

# 8.4 GRABADORA DE SONIDOS

En Windows 7, la **grabadora de sonidos** ha simplificado su funcionamiento y su única utilidad será la de grabar sonidos.

Han vuelto a desaparecer, por tanto, las opciones de edición que existían en versiones anteriores a Windows Vista.

## 8.5 NOTAS RÁPIDAS

Las **notas rápidas** son la versión mejorada de las notas que ya poseía Windows Vista y consisten en simular los conocidos *post-it* en el escritorio del equipo.

En este sistema, se creará una nota independiente por cada apunte que se haga y que se podrá colocar en cualquier posición del escritorio, incluso sobre otros gadgets:

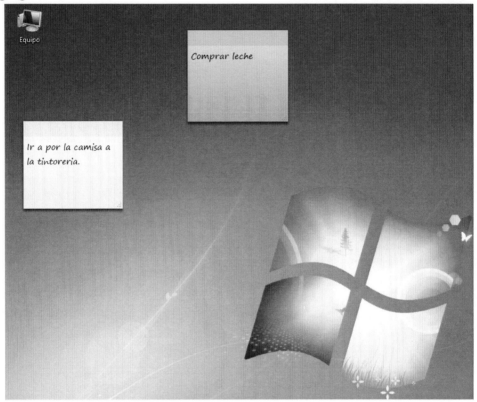

Estas notas son configurables individualmente en cuanto a su tamaño, forma y color.

En la parte superior de cada nota se encuentran dos iconos: uno con forma de "+" para crear una nota con las mismas características que la actual y otro con forma de "X" que se utiliza para eliminar esa nota.

Estas notas no se comportan de forma individual, por lo que si se pulsa sobre una nota con el ratón, todas las notas pasarán a primer plano.

## 8.6 PAINT

**Paint** es una aplicación que ya se encontraba en versiones anteriores de Windows, aunque en Windows 7 ha sido totalmente renovada, tanto en su aspecto visual como funcional, dotándola del sistema de menús que ya se utiliza en Office 2007.

*Paint* permite al usuario dibujar y editar imágenes sencillas de una manera cómoda. Esta aplicación no está concebida como un programa de tratamiento de imágenes digitales, por lo que las ediciones que se podrán realizar serán muy básicas, aunque han aumentado con respecto a versiones anteriores del programa.

La ventana principal de *Paint* se divide en dos partes. La parte superior donde se localiza la barra de herramientas de acceso rápido y la cinta con las distintas opciones disponibles, y una segunda parte de mayor tamaño, donde se encuentra el área de dibujo:

La cinta es donde se encuentran la mayoría de las utilidades para la edición o creación de nuevas imágenes. Algunas de ellas poseen en la parte inferior una flecha negra, pulsando sobre ella se accederá a nuevas opciones:

- En el primer apartado, **Portapapeles**, se podrá pegar una imagen, desde el portapapeles o desde otro archivo, en la nueva imagen. También será posible copiar al portapapeles una sección de la imagen de *Paint* o cortar secciones desde la imagen actual.

- En el apartado **Imagen**, con la utilidad **Seleccionar**, el usuario podrá seleccionar secciones de la imagen actual.

En este apartado, además, se encuentra la opción de recortar partes de la imagen con la utilidad **Recortar**.

La opción **Cambiar de tamaño y sesgar** ha sido mejorada en esta versión y permite al usuario de manera sencilla editar las propiedades de la imagen:

La última opción del apartado **Imagen**: **Girar o voltear**, permite realizar el giro o volteo de la imagen actual.

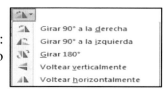

- En el apartado **Herramientas** se encuentran las siguientes opciones:

  - **Lápiz**. Dibujará una línea de forma libre, con el ancho y el color seleccionado.

  - **Relleno con color**. Rellenará la zona de lienzo seleccionada con el color primario si se pulsa con el botón izquierdo del ratón, o con el color secundario si se pulsa con el derecho.

  - **Texto**. Con esta opción el usuario podrá insertar texto en la imagen. Al pulsar sobre el icono, se deberá seleccionar la sección de la imagen donde se va a insertar el texto. Se podrán configurar las propiedades del texto en la nueva cinta de opciones que se abrirá en la parte superior.

  - **Borrador**. Esta opción borrará una parte de la imagen y la reemplazará por el color de fondo.

  - **Selector de color**. Esta opción permite al usuario seleccionar un color de la imagen actual de *Paint*.

  - **Lupa**. La lupa cambiará la ampliación de una zona de la imagen, permitiendo ver con mayor detalle en esa zona.

- En el apartado **Pinceles** el usuario podrá modificar el tipo de pincel que va a usar y elegir entre una gran cantidad de opciones como son: óleo, crayón, acuarela, etc.

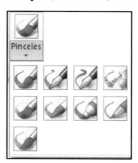

- En el apartado **Formas** se podrá seleccionar una forma predefinida para agregar a la imagen. Además, se podrá configurar el tipo de contorno que va a tener la nueva forma y el tipo de relleno:

- En el apartado **Tamaño** se configurará el ancho de línea que se utilizará en las distintas herramientas:

- En el apartado **Colores** se elegirá el color primario y el secundario, también se dispondrá de una paleta con los colores más usados y, por último, la opción para editar los colores a elección del usuario:

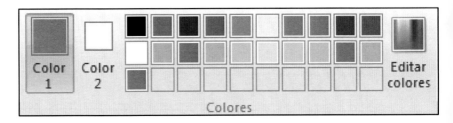

# 8.7 PANEL DE ENTRADA MATEMÁTICA

El **Panel de entrada matemática** es una aplicación que utiliza el reconocedor matemático integrado en Windows 7 que reconoce expresiones matemáticas escritas a mano para permitir al usuario crear documentos o presentaciones al permitir insertar las fórmulas en programas de cálculo o de procesamiento de datos:

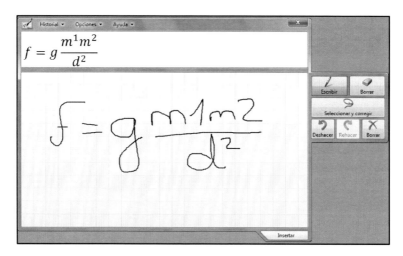

Para poder insertar las fórmulas, el panel de entrada matemática está preparado para usarse con pantallas táctiles, con ratón, con el lápiz de un *Tablet PC* o, incluso, con un digitalizador interno.

Pulse sobre **Escribir** e indique la fórmula sobre el área de escritura. La expresión matemática reconocida aparecerá en el área de vista previa.

Si la expresión que se ha introducido no es correcta, pulse sobre el icono **Borrar**, después, pulse sobre la parte de la fórmula incorrecta. De esta manera, dicha parte desaparecerá.

También, se dispone de los botones **Deshacer** y **Rehacer**, que se pueden utilizar en caso de equivocación al realizar modificaciones en las fórmulas.

Si la expresión no es reconocida correctamente por el programa pulse en **Seleccionar y corregir** y seleccione la parte de la fórmula no reconocida. El sistema mostrará una serie de alternativas a la expresión original para que seleccione la correcta:

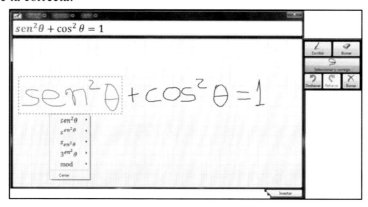

Cuando la fórmula esté correcta, se podrá pulsar sobre el icono **Insertar**, situado en la parte inferior, para almacenar la fórmula en la memoria.

De esta manera, se podrá tener acceso a esta fórmula desde la opción **Historial**, situada en la barra de tareas de la ventana del panel de entrada matemática.

## 8.8 RECORTES

Esta aplicación realizará capturas de pantalla completa o recortes de cualquier objeto de la pantalla.

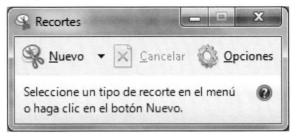

En la opción **Nuevo** se podrá configurar qué tipo de captura se va a realizar. Los tipos de captura posibles son:

- Recorte de forma libre.

- Recorte de forma rectangular.

- Recorte de ventana.

- Recorte de pantalla completa.

Una vez realizado el recorte, se abrirá una ventana nueva donde se podrán hacer anotaciones y realizar dibujos sobre la captura hecha.

Desde esta misma pantalla se podrá guardar el recorte o enviarlo mediante la opción **Enviar recorte**.

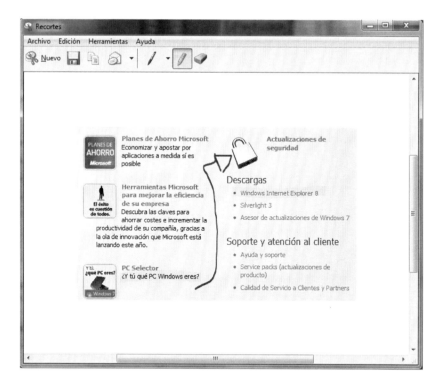

## 8.9 WORDPAD

WordPad es un procesador de texto enriquecido básico que, aunque no tiene toda la potencia de otros procesadores como Word, en la mayoría de los casos será suficiente para poder realizar las tareas habituales del usuario, ya que permite trabajar con gráficos y formatos complejos.

Al igual que ha ocurrido con otros programas como *Paint*, la interfaz ha sufrido grandes cambios respecto a versiones anteriores, junto con grandes mejoras en sus prestaciones, convirtiéndose en una aplicación muy potente, suficiente para la mayoría de los trabajos diarios de los usuarios.

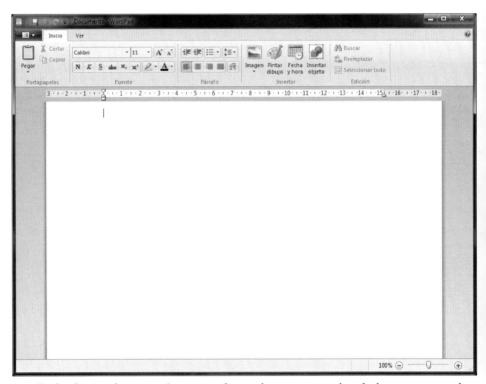

Todas las opciones están agrupadas en la parte superior de la ventana, en la cinta de opciones:

A continuación se explican las más importantes:

- En la parte izquierda de la cinta se encuentran las opciones de **Portapapeles**, incluidas las habituales de **cortar** y **copiar**, además de **pegado** y **pegado especial**.

- En el apartado **Fuente** se podrá configurar el tipo de letra (al igual que en Office, no sólo se muestra el nombre del tipo de letra, sino que se representa gráficamente) y otras propiedades como negrita, cursiva, subíndice, superíndice, color de texto y resaltado de texto.

- El apartado **Párrafo** se ha mejorado mucho y se han añadido algunas opciones más que en versiones anteriores.

- En el apartado **Insertar** se ha incluido la opción de agregar una amplia variedad de formatos de fecha.

  También permitirá insertar una imagen, seleccionándola desde el propio equipo, así como insertar un objeto compatible con otros programas como *Office* o *Corel*.

  La opción de **Pintar dibujo** abrirá directamente una ventana de *Paint* para que se realice directamente el dibujo que luego será insertado en el documento.

- El apartado **Edición** facilita al usuario la búsqueda y posible sustitución de palabras y frases dentro del documento.

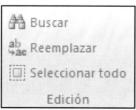

# 8.10 WINDOWS DVD MAKER

**Windows DVD Maker** permite al usuario crear DVD para que puedan ser reproducidos en cualquier reproductor DVD.

Para comenzar a crear el DVD será necesario ir añadiendo vídeos o imágenes que formarán el vídeo final.

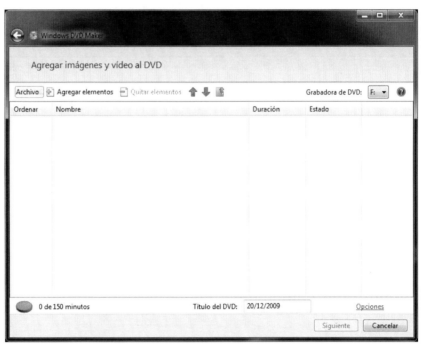

Para agregarlas, pulse sobre **Agregar elementos** y en el explorador que se mostrará, elija los elementos que se van a añadir al vídeo.

Se podrá modificar el orden de los elementos usando las flechas situadas en la barra de herramientas o arrastrando el elemento.

En la parte inferior se encuentra una casilla donde se indicará el nombre del DVD.

Una vez que se ha terminado de seleccionar los elementos del DVD, se pulsará en **Siguiente**, mostrándose la siguiente ventana:

En el panel que se muestra a la derecha se podrá seleccionar entre los tipos de estilos para los menús del DVD.

En la barra de tareas superior, se encuentran las siguientes opciones:

- **Archivo**. Permitirá guardar el proyecto actual.

- **Vista previa**. Mostrará una vista de cómo será el resultado final del proyecto.

- **Texto del menú**. El usuario podrá modificar los textos y fuentes de los menús del DVD.

- **Personalizar menú**. Ofrece al usuario la posibilidad de modificar distintos parámetros del menú del DVD, como el audio de fondo o el estilo de los botones de escena.

- **Presentación**. Ofrece al usuario la posibilidad de personalizar la presentación de las imágenes, agregar música de fondo al proyecto, configurar la transición entre imágenes, etc.

Una vez que se haya finalizado todo el proyecto, pulse en **Grabar** para realizar la copia en un DVD.

# 8.11 CENTRO DE ACCESIBILIDAD

El **centro de accesibilidad** es la aplicación desde la que se activan o desactivan una serie de pequeños programas que facilitan la accesibilidad al sistema.

Para acceder a esta aplicación pulse sobre **Panel de control**, luego sobre **Accesibilidad** y, finalmente, sobre **Centro de accesibilidad**. Se mostrará la siguiente pantalla:

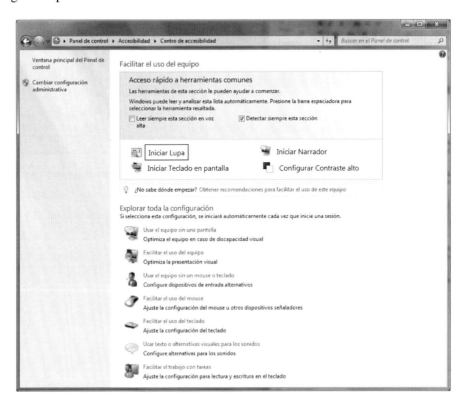

Windows 7 ofrece diversas utilidades para facilitar la accesibilidad al sistema. Entre las más importantes se encuentran:

- **Lupa**. Esta utilidad amplia una parte de la pantalla para facilitar la visualización de esa zona.

    Al activar la lupa el sistema mostrará la ventana desde la que se podrá configurar el comportamiento de la aplicación.

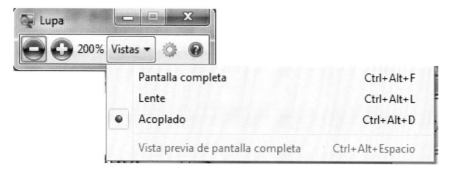

Se podrá ampliar o reducir el zoom de la pantalla, usando los botones "+" y "-".

La lupa tiene tres tipos de vistas:

- **Pantalla completa.** Con ella, la ampliación se producirá en toda la pantalla. Se puede mover por ella utilizando el ratón.

- **Lente**. Se abrirá una ventana en la que se realizará la ampliación de la imagen. Esta ventana seguirá el movimiento del ratón a lo largo de la pantalla.

- **Acoplado**. Con esta opción se abrirá una ventana que se podrá colocar en cualquier parte del escritorio arrastrándola con el ratón. La ampliación se realizará del lugar en el que se encuentre el puntero del ratón.

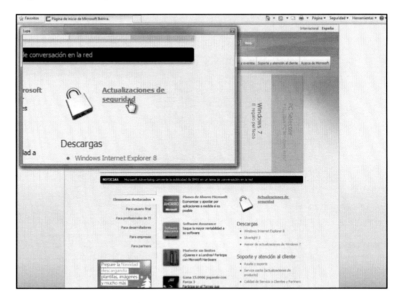

- **Narrador**. Esta utilidad leerá en voz alta el texto sobre el que se encuentre el puntero del ratón o los mensajes del sistema.

  Al iniciar el narrador, se mostrará la siguiente pantalla, en la que se podrá configurar según las necesidades del usuario.

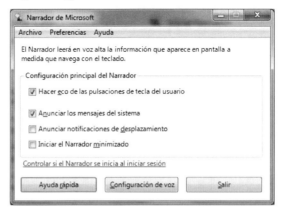

Es posible descargarse, desde la página web de Microsoft, nuevas voces para esta aplicación.

- **Teclado en pantalla**. Esta utilidad mostrará la imagen de un teclado en la pantalla. El usuario podrá usar el ratón para pulsar en las teclas de este teclado, obteniendo el mismo resultado que el obtenido con un teclado real.

  Está pensada para aquellos usuarios con dificultades para poder trabajar con un teclado convencional.

- **Configurar contraste alto**. Esta utilidad aumenta el contraste de los colores usados en el equipo con el fin de facilitar la lectura de los objetos y reducir la fatiga visual. Por ejemplo, el sistema cambiará los colores de la pantalla para que el texto sea blanco sobre fondo negro.

Estas son algunas de las principales ayudas para la accesibilidad, pero, tal como se muestra en la siguiente pantalla, existen bastantes opciones más para ayudar al usuario a trabajar en el equipo.

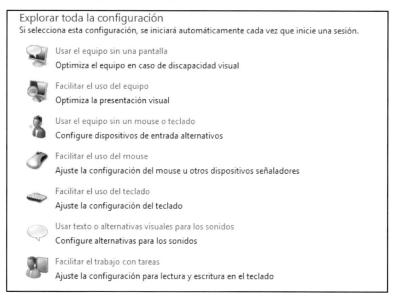

También se dispondrá de un asistente que guiará al usuario en la configuración correcta del sistema. Para acceder al asistente se pulsará sobre **Obtener recomendaciones para facilitar el uso de este equipo** que se encuentra en la ventana principal del **Centro de accesibilidad**.

 ¿No sabe dónde empezar? Obtener recomendaciones para facilitar el uso de este equipo

## 8.12 JUEGOS

Igual que en versiones anteriores, Windows 7 proporciona al usuario distintos y sencillos **juegos** ya preinstalados.

Será posible descargarse nuevos juegos desde la página web de Microsoft, al igual que descargar actualizaciones para los juegos ya instalados.

También en muchos juegos se podrá jugar a través de Internet con usuarios de todo el mundo, aumentando la diversión de jugar únicamente contra la máquina.

En esta versión se incluyen juegos ya clásicos como el Buscaminas, distintos juegos de cartas e, incluso, un sencillo juego de ajedrez.

# 8.13 WINDOWS DEFENDER

**Windows Defender** es una aplicación que incluye Windows 7 y cuyo cometido es localizar y eliminar los **programas espías** (también conocidos como **Spyware**) en el equipo. También permite localizar este tipo de programas antes de que se instalen en el equipo.

Los *Spyware* son aplicaciones programadas para recopilar información del equipo donde están instaladas y enviarla a terceras personas sin autorización del dueño de ésta.

Al abrir la aplicación, se mostrará la ventana de **Inicio**, donde el sistema mostrará un resumen del estado de *Windows Defender*.

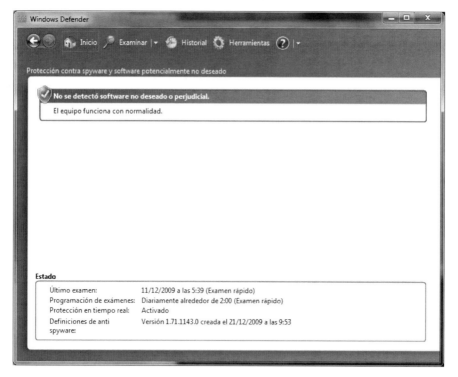

Al pulsar sobre la pestaña **Examinar**, la aplicación comenzará a realizar una búsqueda de las posibles aplicaciones potencialmente peligrosas para el equipo (*Spyware*).

Es posible elegir entre realizar un examen rápido, completo o personalizado. Para ello, se desplegará el catálogo de exámenes, pulsando sobre la flecha situada a la derecha de **Examinar**.

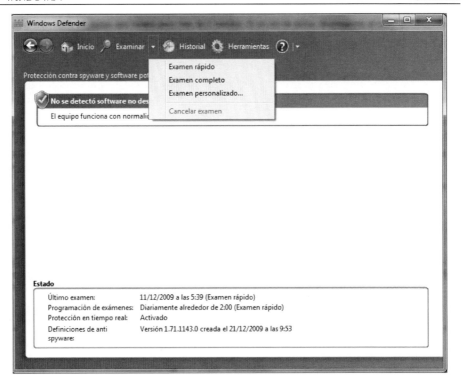

En la pestaña **Historial**, se mostrará un resumen de todas las alertas que se hayan encontrado en el equipo en exámenes anteriores y las medidas que se tomaron ante dichas amenazas.

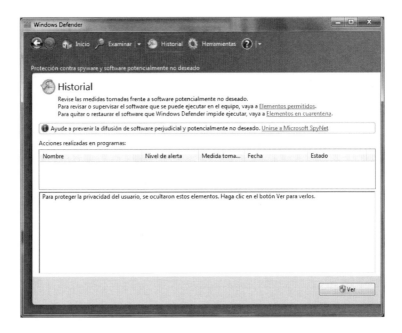

Por último, en la pestaña **Herramientas** se configurará el comportamiento de la aplicación.

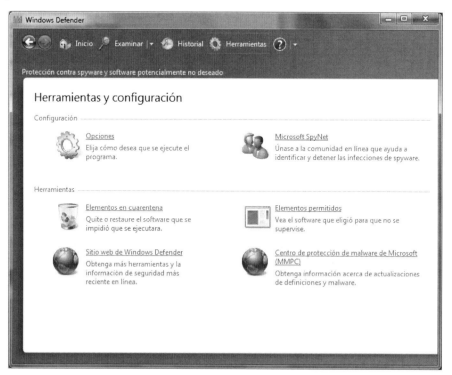

Se puede seleccionar entre:

- **Opciones**. Muestra un amplio catálogo de opciones de configuración entre las que se encuentran la periodicidad de los exámenes o las acciones predeterminadas a tomar frente a un posible elemento dañino.

- **Microsoft Spynet**. Al unirse a esta comunidad obtendrá información más detallada y actualizada de cómo actuar ante aplicaciones dañinas.

- **Elementos en cuarentena**. En esta ventana aparecerá todo el *software* considerado dañino por *Windows Defender* y que se evitó su ejecución. Es posible eliminar aplicaciones que, aunque se hayan detectado como dañinas, el usuario haya decidido que son de su confianza.

- **Elementos permitidos**. Aquí aparecerán todas las aplicaciones que se detectaron como dañinas pero que el usuario configuró como seguras.

También desde esta pantalla se podrá acceder a más herramientas para proteger el equipo y a la descarga de actualizaciones para las aplicaciones instaladas. Para ello, pulse en los dos iconos situados en la parte inferior de la pantalla.

## 8.14 VISUALIZADOR DE FOTOS DE WINDOWS

Esta aplicación permite al usuario ver las fotografías digitales que haya en el equipo. Además, permite imprimir las imágenes, pedir copias, adjuntar la imagen en un correo electrónico y grabar un CD o DVD con ellas.

Para visualizar la imagen, se ha de localizar en el equipo y pulsar dos veces sobre ella. Al realizarlo, se abrirá la ventana del visualizador, mostrando la imagen seleccionada.

En la parte superior (barra de herramientas), se encuentran las opciones para imprimir la imagen, mandarla en un correo electrónico o grabarla en soporte físico (CD o DVD).

También se encuentra la opción **Abrir**. Al pulsar sobre ella, se mostrará un catálogo con las aplicaciones instaladas en el equipo que sean compatibles con el tipo de imagen. Al pulsar sobre una de ellas, se abrirá la imagen actual en la nueva aplicación.

En la parte inferior, se encuentra el Panel de control sobre las imágenes:

- El icono con forma de lupa mostrará una barra de desplazamiento, gracias a la cual el usuario podrá aumentar o disminuir la ampliación de la imagen actual.

- El segundo icono, , mostrará la imagen en su tamaño real y el icono  ajustará el tamaño de la imagen a la ventana.

- Pulsando sobre estas flechas se avanza o retrocede en las imágenes disponibles en la carpeta acutal. El icono central mostrará las imágenes disponibles en formato **presentación**.

- Pulsando sobre estas flechas, la imagen rotará en el sentido de las agujas del reloj o al contrario.

- El último icono borrará la imagen actual del equipo.

# 8.15 REPRODUCTOR DE WINDOWS MEDIA

El **reproductor de Windows Media** facilita al usuario la reproducción de archivos multimedia digitales, la posibilidad de organizar estos archivos en colecciones o realizar copias de música o vídeo. También dispone de la posibilidad de acceder a la venta de música a través de tiendas en línea.

Para iniciar el reproductor se pulsará en el menú **Inicio**, seguidamente, se pulsará en **Todos los programas** y, después, en **Reproductor de Windows Media**. Mostrará la siguiente pantalla:

El usuario podrá trabajar con el reproductor de Windows Media en dos diferentes vistas:

- La **Biblioteca del reproductor**, que ofrece un mayor número de opciones al usuario para trabajar con los archivos multimedia.

- La **Reproducción en curso**, que es una vista más simplicada del programa.

Para alternar entre ambas vistas, se ha de pulsar sobre el icono situado en la parte inferior derecha de la Biblioteca del reproductor (      ).

Si está activada la vista de reproducción en curso, se pulsará en el icono situado en la parte superior derecha para activar la vista de Biblioteca del reproductor (      ).

La vista Reproducción en curso se muestra a continuación:

La vista Biblioteca del reproductor se divide en varios paneles, desde los que el usuario podrá gestionar todos los archivos.

En la parte derecha se encuentra el panel de navegación, desde el que se podrá localizar de forma sencilla qué tipo de archivo digital se está buscando. Por ejemplo, si se pulsa en **Música**, se desplegará un menú donde se podrá seleccionar que muestre la música por **Intérprete**, **Álbum** o **Género**.

En la parte central, se encuentra el panel de **Detalles**, donde se mostrará información detallada sobre los archivos digitales.

El reproductor de Windows permite crear listas de reproducción de manera muy sencilla. Bastará con pulsar sobre **Reproducir**, en la parte superior de la ventana, y arrastrar el archivo digital hasta la lista de reproducion para que éste forme parte de ella.

De la misma manera, se podrán añadir archivos a proyectos de copia a CD o DVD, simplemente se ha de pulsar en **Grabar** y arrastrar el archivo.

La aplicación también permite al usuario sincronizar un dispositivo portátil, como puede ser un MP3 o MP4. Para ello, será necesario conectar el dispositivo al equipo y arrastrar los archivos que se desean sincronizar.

La vista Reproducción en curso permitirá al usuario ver los vídeos o la música que se está reproduciendo.

En la pantalla, además de los controles para reproducir el archivo digital, se mostrará información adicional sobre la reproducción en curso.

Se puede controlar el reproductor aun cuando esté minimizado. Para ello, se dejará posicionado el ratón sobre el icono del reproductor en la barra de tareas. En ese momento, se desplegará la vista en miniatura, desde la que se tendrá acceso a las operaciones básicas del reproductor.

# Capítulo 9

# EL EXPLORADOR DE WINDOWS

## 9.1 EL EXPLORADOR

El **Explorador de Windows** sigue siendo una de las aplicaciones más importantes y más usadas a diario por los usuarios.

Esta aplicación permite al usuario administrar todos los archivos y documentos que tenga el equipo o cualquier otro dispositivo que haya conectado.

Se podrán realizar multitud de tareas con los ficheros, como copiar y borrar archivos, además de ver y moverlos en el equipo.

Existen multitud de maneras de acceder al explorador, pero la más habitual es pulsar sobre el menú **Inicio**, **Todos los programas**, **Accesorios** y pulsar sobre **Explorador de Windows**.

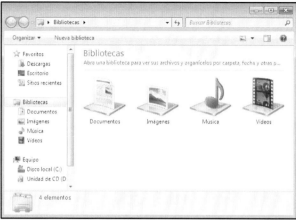

Debido a que esta aplicación se usará constantemente por parte del usuario, se recomienda que se cree un acceso directo y se ancle en la barra de herramientas, para facilitar al usuario el acceso rápido a ella.

La ventana del explorador, se divide en cinco paneles:

- En la parte superior se encuentra la barra de direcciones y el cuadro de búsqueda.

La barra de direcciones informará de en qué directorio se encuentra el usuario.

Según el usuario se vaya desplazando por los directorios, se irá indicando toda la ruta en la que se encuentra el usuario.

Para volver desde algún directorio al actual, bastará con pulsar sobre el nombre de la carpeta y se accederá directamente a ese directorio.

Al final de cada directorio, aparecerá una flecha que, si se pulsa sobre ella, mostrará un desplegable con las carpetas que haya dentro de ese directorio.

Si se pulsa sobre uno de estos directorios, se accederá directamente a su contenido:

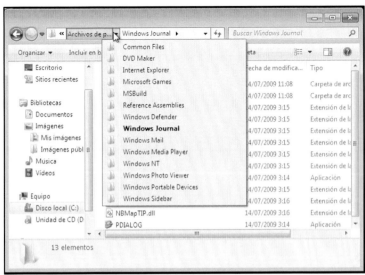

También es posible escribir directamente sobre la barra de direcciones la ruta a la que se desea acceder. Una vez haya finalizado de escribir la dirección, se pulsará sobre el icono con forma de flecha apuntando a la derecha, que aparecerá al final de la barra de direcciones.

En la parte final de la barra se encuentra el icono para actualizar el directorio, por si se han producido cambios recientes y no se han reflejado aún en el explorador.

El cuadro de búsqueda funciona automáticamente en cuanto se teclee algun carácter, de esta manera, se podrá realizar una búsqueda más exacta y progresiva.

* La **Barra de herramientas**, situada bajo la barra de direcciones, contiene las opciones más comunes y habituales que el usuario utilizará diariamente.

  Dichas opciones cambiarán dependiendo de qué tipo de archivo se haya seleccionado y permitirán unas acciones más determinadas y exclusivas para cada tipo de fichero, además de algunas comunes para todos los ficheros (como puede ser **Organizar**).

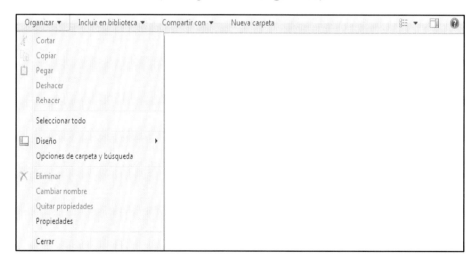

* El **Panel de navegación**, situado en la parte izquierda de la ventana, se divide en varios apartados, como son los favoritos o las bibliotecas que tenga el usuario del equipo.

En la parte inferior se tendrá acceso a todas las unidades disponibles en el equipo y por las que se podrá navegar. Para ello, se pulsará en el icono con forma de triángulo blanco situado delante de cada unidad o directorio para que se despliegue el contenido de esa unidad o directorio. En este panel no se mostrará ningún archivo.

Moverse por los árboles de directorios es muy sencillo desde esta ventana y el sistema de expandir las carpetas sin necesidad de acceder a ellas facilita el trabajo enormemente al usuario.

- El **Panel de archivos** se encuentra en la parte central de la ventana y ocupa la mayor parte de ésta.

  En este panel se mostrarán los archivos y carpetas que contengan la dirección seleccionada en la barra de direcciones.

  Si lo que se ha realizado es una búsqueda, solamente aparecerán aquellos elementos que coincidan con los parámetros de dicha búsqueda.

  La información que se muestra en este panel es configurable por el usuario y variará según sus necesidades.

  Para ello, una vez situado el usuario en el directorio deseado, se pulsará sobre el icono **Vistas** que se encuentra en la barra de herramientas.

  Al realizarlo, la vista del directorio cambiará. Si se vuelve a pulsar, se volverá a cambiar a otro tipo de vista de las disponibles.

  Es posible cambiar directamente el tipo de vista, sin necesidad de pulsar repetidamente sobre **Vistas**.

  Para ello, se pulsará sobre la flecha negra situada a la derecha del icono **Cambie la vista**, desplegándose así todo el catálogo de vistas disponible.

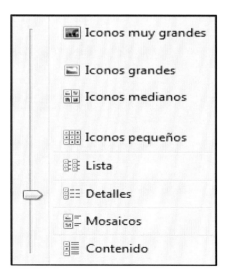

Para seleccionar una vista, arrastre la barra situada a la izquierda del listado hasta el tipo de vista deseado.

Los diferentes tipos de vista son:

- **Iconos muy grandes**. Esta vista está recomendada especialmente para las imágenes, ya que muestra un gran icono con la vista previa de las imágenes del directorio actual.

  La información mostrada es escasa, ya que sólo se ve el nombre del archivo o carpeta.

- **Iconos grandes**. En esta vista, las imágenes seguirán representadas por su vista previa, aunque de un tamaño menor a la anterior vista. Los demás archivos y carpetas, estarán representados por sus iconos correspondientes.

Al igual que en la vista anterior, la única información que se verá será el nombre del fichero o carpeta.

- **Iconos medianos**. Los archivos y carpetas siguen representados por sus iconos o por su vista previa, pero se disminuye el tamaño. Esta vista es utilizada cuando existe una gran cantidad de elementos en los directorios en los que se trabaja.

- **Iconos pequeños**. En esta vista ya no hay vista previa de los archivos de imagen y todos los archivos o carpetas se representan por sus iconos correspondientes.

- **Lista**. Aparecerán todos los iconos, en tamaño pequeño, uno debajo de otro. Sólo se mostrará el nombre del fichero o de la carpeta. Esta vista se utiliza cuando se trabaja con gran cantidad de ficheros.

- **Detalles**. En esta vista se muestran los iconos uno debajo de otro. Ademas, se incluye información detallada de cada elemento, a la derecha de éste, dispuesta en columnas con el tipo de información que se indica en su parte superior.

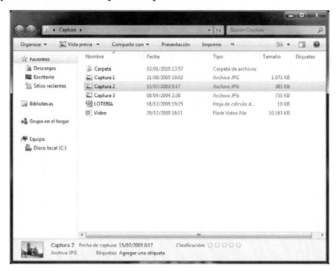

La información que se muestra en las columnas es configurable por el usuario. Para ello, se pulsará con el botón derecho del ratón en una zona libre de la barra de propiedades del fichero. Mostrará una ventana con las posibles características que se pueden ver. Bastará con activar o desactivar las características, pulsando sobre ellas, para que se muestren o no.

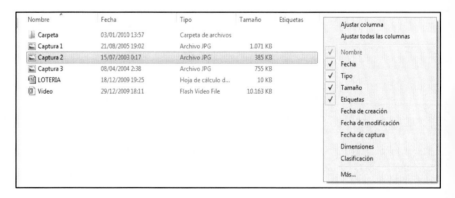

Una vez se haya indicado qué propiedades se van a mostrar, es posible ordenar los elementos atendiendo a dichas propiedades.

Para ello, bastará con pulsar en la propiedad elegida, para que la lista de elementos se ordene de forma ascendente o descendente atendiendo a dicha propiedad.

Por ejemplo, si se pulsa sobre **Tamaño**, los elementos se organizarán de mayor a menor tamaño o al contrario si se vuelve a pulsar sobre **Tamaño**.

Otra forma de organizar los elementos es pulsando sobre la flecha negra a la derecha de cada propiedad, para que se despliegue una ventana distinta de opciones de organización, siempre atendiendo al tipo de característica selecionada.

Por ejemplo, en el caso de elegir **Tamaño**, aparecerá la siguiente ventana:

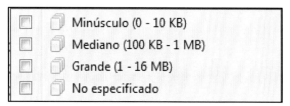

- **Mosaicos**. En esta vista, los archivos y carpetas aparecerán representados por su vista previa o por su icono correspondiente. Se mostrará el nombre del elemento, el tipo y, si es un archivo, aparecerá el tamaño que ocupa en KB.

- **Contenido**. Mostrará una vista previa e iconos de los elementos. Se verá el nombre del elemento y el tamaño que ocupa en KB. Además, mostrará información específica dependiendo del tipo de archivo con el que se trabaje (por ejemplo, el autor del documento o la fecha en la que se realizó una fotografía).

## 9.2 SELECCIONANDO ARCHIVOS Y CARPETAS

El Explorador de Windows será la aplicación que se utilizará habitualmente para trabajar con archivos y carpetas. Desde ella se podrán realizar diversas opciones como copiar, pegar o renombrar dichos elementos.

Para trabajar con archivos o carpetas será necesario seleccionar primero aquellos con los que se desea trabajar.

Para ello, se pulsará con el botón izquierdo del ratón sobre aquel archivo o carpeta que se desee seleccionar.

| Nombre | Fecha | Tipo | Tamaño | Etiquetas |
|---|---|---|---|---|
| Carpeta | 03/01/2010 13:57 | Carpeta de archivos | | |
| Captura 1 | 21/08/2005 19:02 | Archivo JPG | 1.071 KB | |
| Captura 2 | 15/07/2003 0:17 | Archivo JPG | 385 KB | |
| Captura 3 | 08/04/2004 2:38 | Archivo JPG | 755 KB | |
| Video | 29/12/2009 18:11 | Flash Video File | 10.163 KB | |
| LOTERIA | 18/12/2009 19:25 | Hoja de cálculo d... | 10 KB | |

Al realizar esta operación, el elemento seleccionado cambiará de color, para resaltar que está seleccionado.

Si se quiere seleccionar más de un elemento, se podrá realizar de dos maneras distintas:

- Si los elementos son consecutivos, pulse sobre el primer elemento a seleccionar y, manteniendo pulsada la tecla [**MAYÚS**], pulse sobre el último de los elementos a seleccionar.

Esta operación también se puede realizar utilizando únicamente el ratón. Para ello, pulse con el botón izquierdo del ratón sobre una zona libre del explorador, cerca del elemento que se quiera seleccionar, y arrástrelo hasta el último fichero que desee seleccionar. En el momento que se arrastre, aparecerá un recuadro azul que irá mostrando qué ficheros van a ser seleccionados.

| Nombre | Fecha | Tipo | Tamaño | Etiquetas |
|--------|-------|------|--------|-----------|
| Carpeta | 03/01/2010 13:57 | Carpeta de archivos | | |
| Captura 1 | 21/08/2005 19:02 | Archivo JPG | 1.071 KB | |
| Captura 2 | 15/07/2003 0:17 | Archivo JPG | 385 KB | |
| Captura 3 | 08/04/2004 2:38 | Archivo JPG | 755 KB | |
| Video | 29/12/2009 18:11 | Flash Video File | 10.163 KB | |
| LOTERIA | 18/12/2009 19:25 | Hoja de cálculo d... | 10 KB | |

- Si los elementos que se desean seleccionar no son consecutivos, seleccione el primero de los elementos y pulse la tecla [**CTRL**]. Sin dejar de pulsarla, vaya seleccionando con el ratón aquellos elementos que desee añadir a la selección. Una vez seleccionados todos los elementos, deje de pulsar la tecla [**CTRL**].

Ambos procedimientos se pueden combinar y realizar a la vez, aunque hay que prestar atención, ya que al soltar cualquiera de las dos teclas, [**CTRL**] o [**MAYÚS**], se podría perder la selección correcta de los elementos.

Para seleccionar todos los elementos de una carpeta, es posible realizarlo con alguno de los procedimientos anteriores o simplemente pulsando [**CTRL**] + [**E**].

# 9.3 CREAR ARCHIVOS Y CARPETAS

Para crear una carpeta en el equipo, desde el Explorador de Windows, pulse en una zona libre con el botón derecho del ratón. Se mostrará la siguiente ventana.

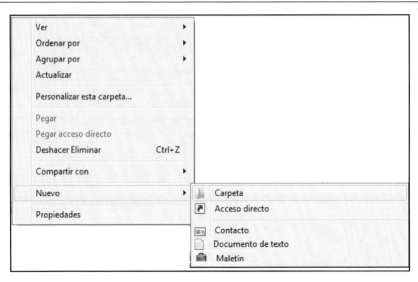

Pulse sobre **Nuevo** y **Carpeta**. De esta manera, se creará una carpeta en el directorio actual, con el nombre de **Nueva Carpeta**. Este nombre se puede cambiar justo en el momento de crear la carpeta o con posteridad, como ya se verá más adelante.

La creación de ficheros comparte procedimiento con los directorios en algunos casos, pero, generalmente, se realizará desde la propia aplicación que está utilizando el usuario. Normalmente, utilizará la opción de **Guardar** para generarlo.

En determinados casos, se podrá seleccionar, en la ventana que se ha visto anteriormente, crear un archivo. En el ejemplo, se seleccionará **Documento de texto** para crear un documento de texto con extensión *.TXT* (es decir, un texto sin formato).

## 9.4 ELIMINAR ELEMENTOS DEL EQUIPO

De la misma manera que se pueden crear elementos en el equipo (como ficheros, directorios, accesos directos, etc.), se podrán eliminar cuando el usuario lo crea necesario.

Para eliminar un elemento se pueden seguir diversos procedimientos, entre los más comunes se encuentran:

- Pulsar con el botón derecho del ratón sobre el elemento que se desee y elegir **Eliminar** de entre las opciones ofrecidas.

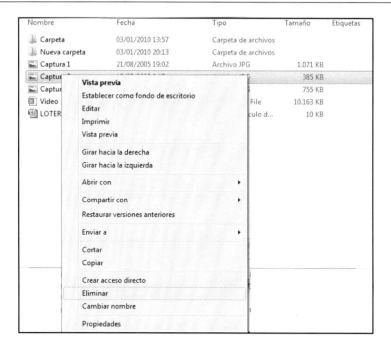

- Seleccionar el elemento o elementos a eliminar y pulsar la tecla [**SUPR**].

- Por último, seleccionar los elementos a eliminar y arrastrarlos hasta la papelera de reciclaje.

En cualquiera de los tres procedimientos anteriores, el sistema mostrará un mensaje, preguntando si se está seguro de la eliminación de dicho elemento.

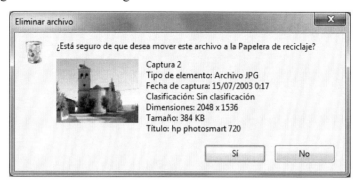

Al validar, los elementos serán enviados a la papelera de reciclaje.

Si lo que se desea es eliminar definitivamente los elementos seleccionados sin enviarlos a la Papelera de reciclaje, se mantendrá pulsada la tecla [**MAYÚS**] mientras se realiza uno de los procedimientos anteriormente descritos.

## 9.5 CAMBIAR EL NOMBRE DE UN ELEMENTO

Para cambiar el nombre de un elemento, primeramente se seleccionará el elemento que se quiere renombrar, seguidamente se mostrará su menú contextual y se pulsará sobre **Cambiar nombre**. Seguidamente, se mostrará el explorador con el cursor sobre el nombre del elemento. Teclee el nuevo nombre y pulse la tecla [**INTRO**] para validar.

Otro método es, una vez seleccionado el elemento a renombrar, pulsar nuevamente con el botón izquierdo del ratón para que el sistema permita renombrarlo.

| Nombre | Fecha | Tipo | Tamaño | Etiquetas |
|--------|-------|------|--------|-----------|
| Carpeta | 03/01/2010 13:57 | Carpeta de archivos | | |
| Nueva carpeta | 03/01/2010 20:13 | Carpeta de archivos | | |
| Captura 1 | 21/08/2005 19:02 | Archivo JPG | 1.071 KB | |
| Captura 2 | 15/07/2003 0:17 | Archivo JPG | 385 KB | |
| Nuevo nombre | 08/04/2004 2:38 | Archivo JPG | 755 KB | |
| Video | 29/12/2009 18:11 | Flash Video File | 10.163 KB | |
| LOTERIA | 18/12/2009 19:25 | Hoja de cálculo d... | 10 KB | |

## 9.6 COPIAR Y MOVER ELEMENTOS

Al copiar un elemento del equipo, lo que se está realizando es una duplicación de dicho elemento.

Para realizarlo, se seleccionará él o los elementos a copiar, se mostrará su menú contextual y se pulsará sobre **Copiar**.

| Nombre | Fecha | Tipo | Tamaño | Etiquetas |
|--------|-------|------|--------|-----------|
| Carpeta | 03/01/2010 13:57 | Carpeta de archivos | | |
| Nueva carpeta | 03/01/2010 20:13 | Carpeta de archivos | | |
| Captura 1 | 21/08/2005 19:02 | Archivo JPG | 1.071 KB | |
| Captur | | | 385 KB | |
| Captu | | | 755 KB | |
| Video | | File | 10.163 KB | |
| LOTER | | culo d... | 10 KB | |

Vista previa

Establecer como fondo de escritorio

Editar

Imprimir

Vista previa

Girar hacia la derecha

Girar hacia la izquierda

Abrir con ▶

Compartir con ▶

Restaurar versiones anteriores

Enviar a ▶

Cortar

Copiar

Crear acceso directo

Eliminar

Cambiar nombre

Propiedades

Una vez realizado, se desplazará a la carpeta destino donde se quiere copiar el elemento y, mostrando su menú contextual, se pulsará sobre **Pegar**.

Si el destino de la copia es la misma carpeta donde se encuentra el original, el sistema renombrará automáticamente el nuevo elemento, insertando al final del nombre la palabra **copia** (si el proceso se realizase más de una vez, se añadiría además números).

| Nombre | Fecha | Tipo | Tamaño | Etiquetas |
|---|---|---|---|---|
| Carpeta | 03/01/2010 13:57 | Carpeta de archivos | | |
| Nueva carpeta | 03/01/2010 20:13 | Carpeta de archivos | | |
| Captura 1 | 21/08/2005 19:02 | Archivo JPG | 1.071 KB | |
| Captura 2 | 15/07/2003 0:17 | Archivo JPG | 385 KB | |
| Nuevo nombre | 08/04/2004 2:38 | Archivo JPG | 755 KB | |
| Video | 29/12/2009 18:11 | Flash Video File | 10.163 KB | |
| LOTERIA | 18/12/2009 19:25 | Hoja de cálculo d... | 10 KB | |
| LOTERIA - copia | 18/12/2009 19:25 | Hoja de cálculo d... | 10 KB | |
| LOTERIA - copia (2) | 18/12/2009 19:25 | Hoja de cálculo d... | 10 KB | |
| LOTERIA - copia (3) | 18/12/2009 19:25 | Hoja de cálculo d... | 10 KB | |

Esta misma operación se puede realizar sin necesidad de utilizar el menú contextual. Bastará con seleccionar el elemento a copiar y pulsar la combinación de teclas [**CTRL**] + [**C**] para copiar el archivo. Una vez se haya situado en la carpeta destino, se pulsará la combinación [**CTRL**] + [**V**] para pegar el elemento.

Al mover un elemento se realizan dos operaciones. Primero se realiza la copia del elemento y luego se produce la eliminación de ese elemento en la ubicación original. Este proceso de eliminación es transparente al usuario.

Igual que en proceso de copia, se seleccionarán los elementos a mover, seguidamente se mostrará su menú contextual y se pulsará sobre **Cortar**.

Una vez realizado, se desplazará a la carpeta destino donde se quiere copiar el elemento y, mostrando su menú contextual, se pulsará sobre **Pegar**.

Si en el proceso, en la ubicación destino, existe algún elemento con el mismo nombre, el sistema mostrará la siguiente ventana:

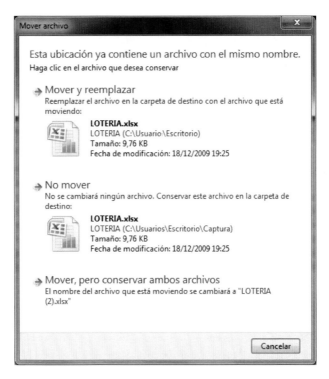

En esta pantalla, se podrá seleccionar una de las tres siguientes opciones:

- **Mover y reemplazar**. Reemplazará el archivo en la carpeta de destino con el archivo que se está moviendo.

- **No mover**. No se realizará el proceso de mover el archivo y todo se quedará como estaba.

- **Mover, pero conservar ambas archivos**. Se renombrará automáticamente el nombre del archivo que se está moviendo, tal como se explicó anteriormente.

Si existiera más de un caso en el momento de mover, el sistema mostrará en la parte inferior de la ventana, una ventana con la que se podrá automatizar para todos los casos, la opción seleccionada:

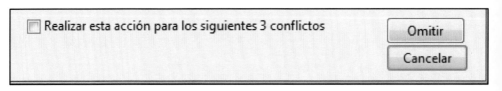

Un último método para copiar o mover elementos consiste en seleccionar y arrastrar dichos elementos entre las carpetas origen y destino.

Si se realiza entre carpetas de la misma unidad, automáticamente el elemento se **moverá**, salvo que se pulse la tecla [**CTRL**] antes de dejar de pulsar el ratón, en cuyo caso se realizará una **copia**.

Por el contrario, si la carpeta destino está en otra unidad, se realizará una **copia**.

# 9.7 LAS PROPIEDADES

Los ficheros y carpetas con los que se trabaja en el equipo tienen propiedades y características propias para cada uno.

Algunas de estas propiedades se pueden modificar y otras, como el tamaño, no son modificables por el usuario.

Para visualizar las propiedades de una carpeta o de un fichero primero deberá seleccionarlo. Una vez realizado, muestre su menú contextual y seleccione **Propiedades**. Verá una ventana, con cuatro pestañas, en las que se podrán ver y configurar muchas de las propiedades del fichero o carpeta:

> **General**. Esta pestaña se divide en varios grupos en los que se mostrará información sobre el fichero.

En el primero de ellos aparecerá el nombre del elemento, que puede ser modificado por el usuario escribiendo en el recuadro.

Además, se indica el tipo de archivo y con qué aplicación se puede trabajar con ese archivo.

Más abajo se informa de la ubicación del archivo, del tamaño y de la fecha de creación, modificación y último acceso a dicho archivo.

En la parte inferior, aparecerán dos casillas con las que se puede activar el modo **Sólo lectura** (por lo que si está activada no será posible eliminarlo) y la propiedad **Oculto** (por la que el fichero o carpeta no será visible).

Si se activa la propiedad de **Oculto**, el fichero o carpeta no será visible para el usuario. Si es necesario tener acceso a ese fichero, se puede configurar el sistema para que los archivos con la propiedad de oculto, sean visibles. Para ello, desde el Explorador de Windows, pulse en **Organizar** y seleccione **Opciones de Carpeta y de búsqueda**. En la pestaña **Ver**, active la casilla **Archivos y carpetas ocultos** y **Mostrar archivos, carpetas y unidades ocultos**.

En la parte inferior aparecerá un botón por el que se accederá a una nueva ventana, donde se podrán configurar las propiedades de compresión, cifrado e indizado del archivo

**Detalles**. Esta pestaña sólo aparecerá si es un fichero y no una carpeta, y mostrará  información más detallada sobre el fichero. En caso de ser una fotografía digital, aparecerá información sobre el fabricante de la cámara, la resolución, características técnicas de la foto, etc.

Las propiedades que se muestran en esta ventana variarán dependiendo del archivo que se esté consultando.

Si el usuario no desea que se muestre cierta información, en la parte inferior de la ventana hay un enlace, **Quitar propiedades e información personal**, que dará acceso a una ventana donde se podrá seleccionar qué información no desea que se muestre en las propiedades del fichero.

Figura 1. Pestaña **Detalles**

Figura 2. Quitar propiedades

# 9.8 ORDENAR Y AGRUPAR

Es posible ordenar o agrupar las carpetas y ficheros de un directorio.

Para ordenar, pulse con el botón derecho del ratón en una zona libre del Explorador de Windows para obtener el menú contextual. Seguidamente, pulse en **Ordenar por**:

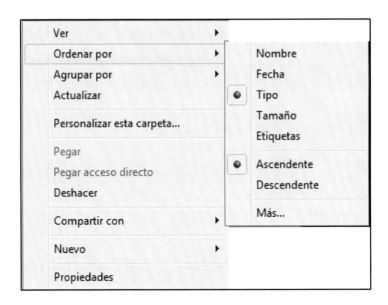

En el nuevo menú que se desplegará, se podrá seleccionar la característica por la que se van a organizar los ficheros y carpetas (Nombre, Fecha, Tipo, Tamaño y Etiquetas) y si se realizará de forma ascendente o descendente.

Además de estas características, se podrán seleccionar otras pulsando sobre el botón **Más**.

Si lo que se quiere realizar es una agrupación de elementos, pulse con el botón derecho del ratón en una zona libre del Explorador de Windows para obtener el menú contextual. Seguidamente, pulse en **Agrupar por**:

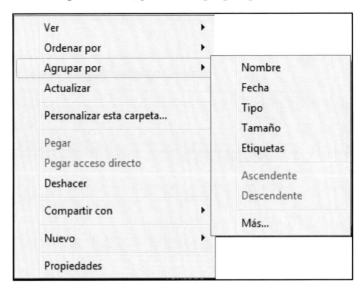

En el nuevo menú que se desplegará, se podrá seleccionar la característica por la que se van a agrupar los ficheros y carpetas (Nombre, Fecha, Tipo, Tamaño y Etiquetas).

Además de estas características, se podrán seleccionar otras pulsando sobre el botón **Más**.

# 9.9 OPCIONES DE CARPETA

Es posible configurar ciertos parámetros del sistema, en cuanto al funcionamiento de las ventanas y el comportamiento del ratón sobre ellas.

Para acceder a estas características, desde el Explorador de Windows, pulse en **Organizar** y en **Opciones de Carpeta y de búsqueda**.

Se mostrará la siguiente ventana:

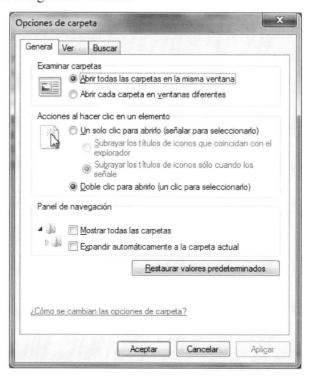

En la pestaña **General**, en el apartado **Examinar carpetas**, se podrá configurar el modo de comportamiento al abrir una ventana, ya sea abriéndola en la misma ventana o en otra nueva.

En el apartado **Acciones al hacer clic en un elemento**, se podrá configurar si es necesario pulsar dos veces con el botón del ratón o una para poder abrir una carpeta o fichero.

También es posible copiar las propiedades, a nivel de comportamiento y aspecto, de la ventana actual a todas las del sistema.

Para ello, desde el Explorador de Windows, pulse en **Organizar** y en **Opciones de Carpeta y de búsqueda**.

En la pestaña **Ver**, en el apartado **Vistas de carpeta**, pulse en **Aplicar a las carpetas**.

Si se desea volver a la configuración por defecto del sistema, pulse en **Restablecer carpetas**.

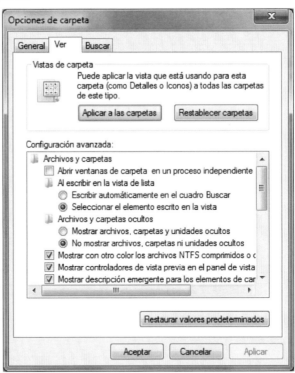

# Capítulo 10

# LA BÚSQUEDA

## 10.1 INTRODUCCIÓN

El sistema de búsqueda en Windows 7 es heredado de Windows Vista, con el que comparte multitud de similitudes.

Permite al usuario localizar ficheros en un equipo de manera sencilla y cómoda.

Existen diversas maneras de realizar una búsqueda, ya sea desde el menú **Inicio** o desde el mismo Explorador de Windows.

A diferencia de versiones anteriores, este sistema de búsqueda ha sido depurado y los tiempos de búsqueda han sido drásticamente reducidos.

Además, el comienzo de la búsqueda se realizará desde el punto desde el que se encuentra el usuario, por lo que facilitará el poder encontrar aquello que se busque en un menor tiempo.

No sólo se podrán buscar ficheros en el equipo, sino que la búsqueda se podrá extender a contactos en libretas de direcciones, páginas web, equipos en red, etc.

## 10.2 REALIZAR LA BÚSQUEDA

Hay diversas maneras de realizar la búsqueda en el equipo:

La primera se realiza pulsando sobre el menú **Inicio** y tecleando en la casilla de búsqueda lo que se está buscando.

Esta búsqueda es efectiva tanto con ficheros como con programas, por lo que si lo que se busca es un programa, se tendría que teclear el nombre del programa. En la siguiente figura, se realiza la búsqueda de la **Calculadora**:

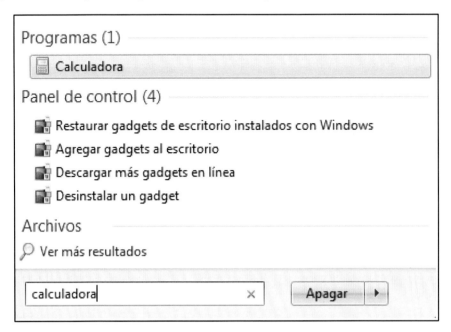

Otra forma de realizar la búsqueda es desde el Explorador de Windows.

Una vez que se haya abierto el Explorador, habrá que prestar atención a la barra de direcciones, ya que mostrará la ubicación en la que se encuentra el usuario y será sólo en esa ubicación y en sus subdirectorios donde se realizará la búsqueda.

Una vez situado en la ubicación correcta, en la parte derecha de la barra de direcciones, se encuentra la casilla de búsqueda.

En ella se indicará el nombre completo, o parte del nombre, de aquello que se esté buscando.

El sistema comenzará la búsqueda con la información que se le ha facilitado, empezando siempre desde la ubicación actual del usuario.

En la siguiente captura se ha realizado una búsqueda, usando "notepad", como datos introducidos:

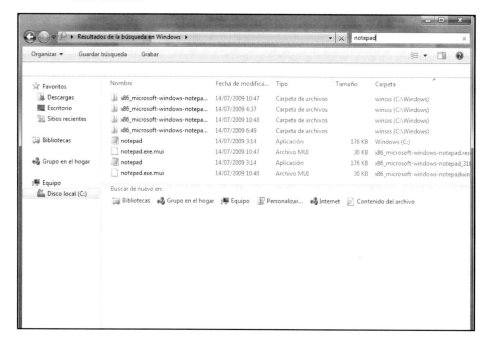

Si los resultados de la búsqueda no son completos, se podrá repetir la búsqueda, ampliándola, usando los botones que aparecen en la parte inferior de la ventana.

Se podrá repetir la búsqueda en **Bibliotecas**, en **Grupo en el hogar**, ampliando la búsqueda en todo el **Equipo**, buscarlo en **Internet** o en **Personalizar** la búsqueda.

Al rellenar la casilla de búsqueda, el sistema ofrecerá más posibilidades para discrimirnar la búsqueda:

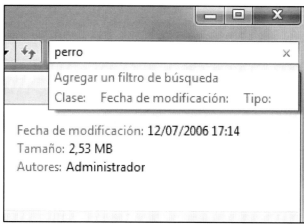

Por ejemplo, en la captura anterior se realizó la búsqueda de "perro". Si lo que se está realizando es la búsqueda de un archivo gráfico, se deberá pulsar sobre **Clase** y seleccionar la clase del archivo que se busca:

Y, luego, se tecleará el texto de aquello que se desee buscar:

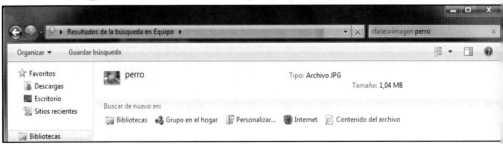

Una vez se haya finalizado una búsqueda, el sistema ofrecerá al usuario la posibilidad de grabar dicha búsqueda.

No se graban los resultados de la búsqueda, sino la propia búsqueda, por lo que se podrá repetir la veces que sea necesaria sin volver a introducir todos los datos.

Para ello, una vez finalizada, pulse en **Guardar búsqueda**, situado debajo de la barra de direcciones.

En la ventana que le muestra, solicitará el nombre de la búsqueda y la ubicación de donde se quiere guardar la búsqueda.

Otros datos que se pueden modificar son el autor y las etiquetas, rellenando las casillas correspondientes en la parte inferior de la ventana:

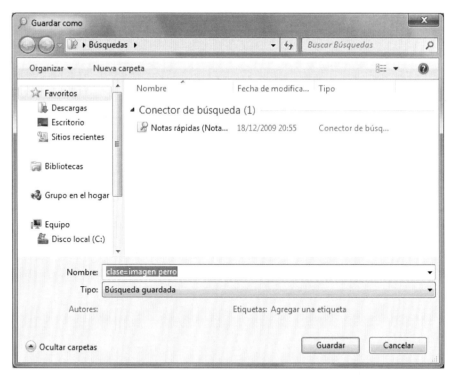

Las búsquedas se realizan por índices creados automáticamente por el sistema, como, por ejemplo, al editar bibliotecas, pero es posible que haya partes del equipo que no lo estén y el sistema mostrará un mensaje informando de ello.

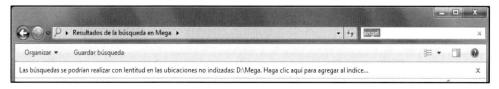

En ese caso, bastará con pulsar sobre el aviso y volver a pulsar sobre **Agregar al índice**.

En el menú contextual que aparecerá, también está la opción de evitar que estos mensajes vuelvan a aparecer pulsado sobre **No volver a mostrar este mensaje**. Verá la ventana siguiente:

Agregar al índice...

Modificar las ubicaciones del índice...

No volver a mostrar este mensaje

Pulse en **Modificar las ubicaciones del índice** y podrá configurar la indización del equipo

Es posible configurar cómo se comporta el sistema en las búsquedas que se realicen.

Para ello, se pulsará sobre **Organizar** (situada en la barra de herramientas del Explorador de Windows) y, después, en **Opciones de búsqueda y carpetas**.

En la nueva ventana que mostrará, se seleccionará la pestaña **Buscar**, mostrándose la siguiente ventana:

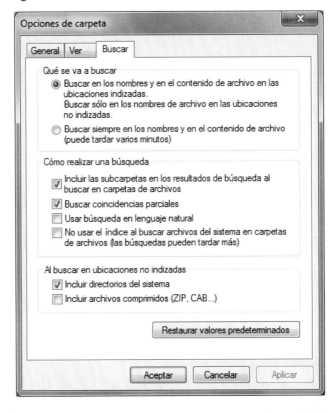

En esta ventana, se podrá configurar el comportamiento de las búsquedas, configurando el sistema y activando o desactivando las distintas opciones mostradas. Entre dichas opciones se encuentran: permitir la búsqueda en el contenido de los archivos, incluir los archivos comprimidos o incluir las subcarpetas en la búsqueda.

# Capítulo 11

# LAS CUENTAS DE USUARIO Y LA PROTECCIÓN INFANTIL

## 11.1 INTRODUCCIÓN

En numerosas ocasiones, un mismo equipo será utilizado por varios usuarios diferentes, por lo que será necesario configurar el acceso de estos usuarios al sistema.

Este acceso se realiza a través de las **cuentas de usuario**, que determinan los archivos y carpetas a las que tendrá acceso un usuario, los privilegios que tiene para realizar cambios en el equipo o las distintas preferencias personales, como pueden ser el fondo de pantalla o el salvapantallas.

Cada usuario que acceda al equipo lo hará con un nombre de usuario y con una contraseña, evitando que alguien pueda acceder a información personal del usuario.

Actualmente, en Windows 7, existen tres tipos de cuenta de usuario:

**Usuario estándar**. Es el usuario habitual del equipo.

**Invitado**. Es un usuario temporal del equipo.

**Administrador**. Es un usuario con control total sobre el equipo.

Windows 7 siempre tendrá una cuenta de usuario de tipo administrador, la que se configurará durante el proceso de instalación del sistema operativo. En este proceso se solicita al usuario un nombre y una contraseña para dicha cuenta.

Por motivos de seguridad, se recomienda que una vez terminado el proceso de instalación del sistema operativo, se configure una cuenta de usuario estándar para realizar el trabajo diario.

El uso de una contraseña para acceder al equipo con una cuenta de usuario, no es obligatorio, incluso una cuenta de usuario administrador. Aun así, se recomienda que todas las cuentas siempre tengan una contraseña segura para evitar problemas de seguridad.

Es posible que el equipo sea utilizado por un niño y sea necesario configurar el sistema para que este usuario no tenga acceso a determinadas aplicaciones o se limite el uso del equipo.

Para este tipo de usuarios, Windows 7 incluye el **control parental** con el que es posible configurar la cuenta de usuario con las especificaciones indicadas por el usuario administrador.

Para poder configurar las cuentas de usuario y el control parental, pulse el menú **Inicio**, seleccione **Panel de control** y pulse en **Cuentas de usuario y protección infantil**, mostrándose la siguiente ventana:

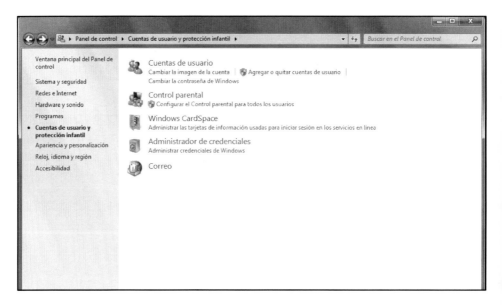

## 11.2 LA CUENTA DE USUARIO ESTANDAR

El usuario estándar es el usuario básico en Windows 7. Este usuario podrá trabajar con el equipo con total normalidad y podrá ejecutar la mayoría de las aplicaciones instaladas en el equipo.

El usuario estándar podrá, de igual manera, cambiar las opciones de configuración que afecten a su cuenta de usuario.

En cambio, tendrá prohibido la instalación o desintalación de *software* o *hardware* del equipo, la eliminación de archivos necesarios para el correcto funcionamiento del equipo y el acceso a cualquier tipo de configuración que afecte a la seguridad del equipo o a otras cuentas de usuario distintas a la suya.

El usuario estándar dispondrá de una carpeta personal, dentro de la carpeta Usuarios, con el nombre de dicho usuario. En esta carpeta es donde el usuario podrá trabajar con plenos privilegios sobre los archivos y carpetas que contenga.

Es posible que para realizar cierto tipo de acciones o para acceder a determinadas ventanas, el sistema solicite al usuario una contraseña de administrador. Este tipo de acceso, será fácilmente localizable al estar representado por el icono de seguridad de Windows.

## 11.3 LA CUENTA DE USUARIO INVITADO

La cuenta de usuario invitado se utiliza para aquellos usuarios que accedan de manera temporal y extraordinaria al equipo, es decir, que no tengan usuario estándar para acceder.

Este tipo de usuario no es recomendable tenerlo activado en el equipo, pues crea muchos problemas a nivel de seguridad, por lo que, por defecto, Windows 7 lo tiene desactivado.

Este usuario no tendrá permisos para acceder a la instalación de *software* o *hardware*, ni tampoco podrá configurar ni crear una contraseña para la cuenta, por lo que este usuario podrá acceder al equipo sin ninguna contraseña, bajando el nivel de seguridad del equipo.

## 11.4 LA CUENTA DE USUARIO ADMINISTRADOR

La cuenta de usuario administrador es la cuenta de usuario con más privilegios del sistema.

Con esta cuenta se tiene acceso a la instalación o desinstalación de todo tipo de *hardware* y *software*, además de acceso a la configuración de seguridad del equipo.

El usuario administrador tiene acceso total a las carpetas del equipo, ya sean del sistema o de otros usuarios estándar, y tendrá también acceso a la configuración de las propias cuentas de usuario estándar e invitado.

En todos los equipos debe existir al menos una cuenta de usuario administrador que podrá, si lo considera oportuno, crear más cuentas con los privilegios de administrador.

En Windows 7, tal como ocurría en Windows Vista, cada vez que se realice una acción que requiera permisos de administrador, el sistema solicitará la contraseña de administrador.

Por ello, el usuario administrador se comportará como un usuario estándar, hasta el momento que realice una tarea reservada a administradores. La detección de esta tarea la realiza el **UAC** (**Control de cuentas de usuario**) que, al detectar que se va a realizar la tarea, presentará una ventana en negro requiriendo la validación del usuario administador.

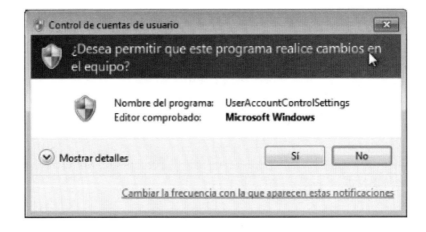

# 11.5 CREACIÓN DE UNA NUEVA CUENTA DE USUARIO

Para crear una nueva cuenta de usuario, pulse sobre el menú **Inicio**, **Panel de control** y, seguidamente, en **Cuentas de usuario y protección infantil**. En la nueva ventana que mostrará, pulse en **Agregar o quitar cuentas de usuario**. Para acceder a esta ventana, será necesario un usuario con perfil de administrador.

En la ventana que se accede, **Administrar cuentas**, se muestran todas las cuentas de usuario que tiene actualmente el equipo, indicando a qué tipo de cuenta pertenece.

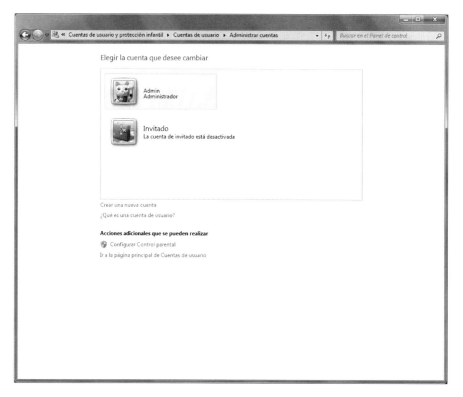

En la parte inferior de la ventana, pulse en **Crear una nueva cuenta**, mostrándo la siguiente ventana:

En esta ventana sólo se podrá configurar el nombre de la cuenta y el tipo de cuenta, seleccionando entre Usuario estándar o Administrador.

Los directorios propios de cada cuenta se crearán de forma automática cuando el usuario realice el primer inicio de sesión en el sistema.

Una vez indicado el nombre y el tipo de cuenta, pulse en **Crear cuenta** para finalizar el proceso de creación de la cuenta.

Si lo que se requiere es activar la cuenta de invitado, desde la ventana **Administrar cuentas**, pulse sobre **Invitado**, mostrando la siguiente ventana:

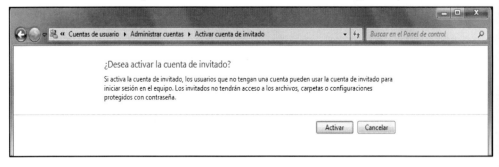

En esta ventana, pulse sobre el botón **Activar**, para que la cuenta de invitado esté operativa.

En caso de estar ya activada la cuenta de invitado, el sistema mostrará la siguiente ventana, en la que será posible desactivar dicha cuenta o cambiar la imagen.

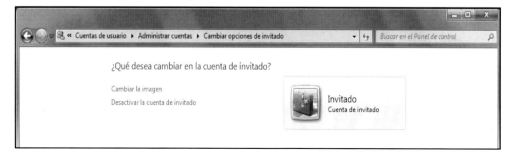

## 11.6 EDICIÓN DE UNA CUENTA DE USUARIO

Es posible editar ciertos aspectos de la cuenta de usuario propia, como puede ser la contraseña o la imagen de usuario, o si se dispone de un usuario administrador, es posible modificar todos los usuarios del equipo.

Para ello, pulse sobre el menú **Inicio**, **Panel de control** y, seguidamente, en **Cuentas de usuario y protección infantil**. En la ventana que aparecerá, pulse en **Cuentas de usuario**, mostrando una ventana parecida a la siguiente:

En esta ventana, y pulsando sobre los enlaces que se muestran, se podrán realizar las siguientes acciones:

- **Crear una contraseña para la cuenta**. Al crear una cuenta nueva, tal como se ha explicado en el epígrafe anterior, no se solicita ninguna contraseña.

  Por este motivo, será necesario acceder a esta ventana para indicar al sistema la contraseña de esa cuenta de usuario.

- **Cambiar la contraseña**. Con esta opción se podrá modificar la contraseña de una cuenta de usuario.

- **Quitar contraseña.** Esta opción permite eliminar la contraseña para iniciar una sesión en el equipo. Se recomienda siempre tener contraseñas para las distintas cuentas de usuario.

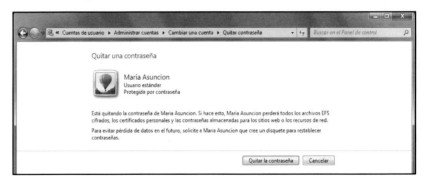

- **Cambiar imagen**. Con esta opción se podrá modificar la imagen de la cuenta de usuario, seleccionando una nueva entre el catálogo de Windows 7 o entre las imágenes archivadas en el equipo. Para ello, pulse en **Buscar más imágenes**.

- **Cambiar el nombre de la cuenta**. Esta opción sólo está disponible con permisos de usuario administrador, permite modificar el nombre de la cuenta de usuario.

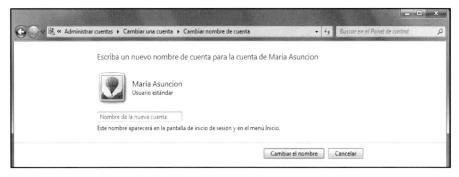

- **Cambiar el tipo de cuenta**. Esta opción sólo está disponible con permisos de usuario administrador, permite modificar el tipo de cuenta de usuario (estándar o administrador).

- **Administrar otras cuentas**. Esta opción, sólo disponible con permisos de usuario administrador, permite configurar todas las cuentas de usuario del equipo.

Al pulsar sobre el enlace, mostrará una ventana en la que aparecerán todas las cuentas del equipo. Pulse sobre aquella que desee configurar.

Las opciones que muestra el sistema son idénticas a las explicadas anteriormente, incluyendo el **Control parental** (se explicará más adelante) y la posibilidad de **Eliminar la cuenta**.

Al pulsar sobre **Eliminar la cuenta**, el sistema mostrará la siguiente ventana, en la que dará la posibilidad de eliminar completamente la cuenta junto con todos los datos del usuario o eliminar la cuenta pero realizando una copia automática del contenido de los principales directorios del usuario en una carpeta con el mismo nombre del usuario en el escritorio.

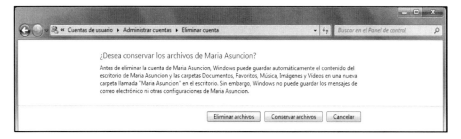

- **Cambiar configuración de Control de cuentas de usuario**. Con esta opción, se configurará el Control de cuentas de usuario (**UAC**), seleccionando entre los distintos niveles disponibles.

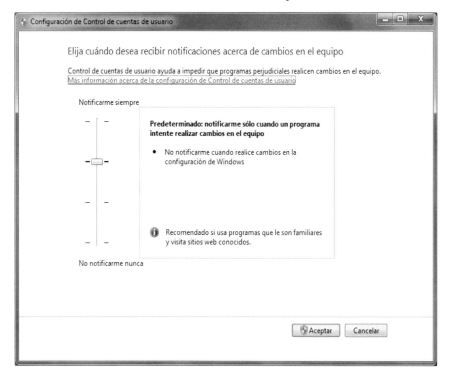

Windows 7 ofrece al usuario la posibilidad de crear un disco para restablecer la contraseña. Si el usuario ha olvidado la contraseña de su cuenta de usuario y, por tanto, no puede acceder al equipo, podrá crear una nueva contraseña utilizando este disco.

Sólo será necesario crear una vez este disco, independientemente de las veces que el usuario haya cambiado la contraseña.

Para ello, en la ventana de **Cuentas de usuario**, en el panel de la izquierda, pulse sobre **Crear un disco para restablecer contraseña**.

## 11.7 ACCESO AL EQUIPO Y CAMBIO DE USUARIO

Al arrancar el equipo, Windows 7 mostrará una ventana con todos los usuarios del equipo.

Bastará con pulsar sobre el usuario deseado e indicar su contraseña para iniciar una sesión en el equipo.

En aquellos equipos con un único usuario, y que dicho usuario no tenga contraseña, el equipo iniciará automáticamente la sesión, sin necesidad de seleccionar ninguna cuenta de usuario.

Una vez se haya iniciado una sesión con una cuenta de usuario, si se pulsa en el menú **Inicio**, en la parte inferior del panel derecho el usuario podrá encontrar una serie de opciones sobre la sesión activa.

Bastará con pulsar sobre la flecha situada al lado de la opción **Apagar** para que se muestren:

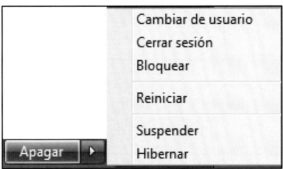

Con la opción de **Cambiar de usuario**, Windows 7 permite iniciar una nueva sesión a otro usuario en el equipo, sin necesidad de que los programas que se ejecuten en ese momento se detengan.

Al pulsar en **Cerrar sesión**, se cerrará la sesión activa del equipo. El sistema volverá a la pantalla de inicio de sesión donde se podrá seleccionar otra cuenta de usuario para iniciar una nueva.

La opción **Bloquear** mostrará la pantalla de introducción de contraseña de usuario, sin que ningún programa termine su ejecución. Sólo el usuario que ha bloqueado un equipo podrá desbloquearlo para continuar trabajando.

Con la combinación de teclas [**CTRL**] + [**ALT**] + [**SUPR**] se accederá a las mismas opciones que se han detallado anteriormente.

## 11.8 EL CONTROL PARENTAL

El control parental permite a los padres administrar la forma en la que los niños pueden acceder al equipo o a determinadas aplicaciones.

Este control incluye desde horarios del uso del equipo hasta el bloqueo de aplicaciones que los padres consideren inapropiadas para los niños.

El control parental sólo se puede aplicar sobre una cuenta de usuario estándar, por lo que será necesario crear una antes de comenzar a aplicar el control parental.

De igual manera, sólo un usuario con permisos de administrador puede realizar la configuración del control parental de una cuenta estándar.

Además de todos los medios que ofrece Windows 7 para realizar este control, es posible instalar otros servicios de proveedores independientes, tal como se explicará más adelante.

Para activar el control parental, pulse en el menú **Inicio**, **Panel de control**, **Cuentas de usuario y protección infantil** y, seguidamente, en **Control parental**.

Se verá una pantalla en la que se muestran todos los usuarios del equipo.

Al pulsar sobre la cuenta en la que se va a activar o modificar el control parental, se mostrará la siguiente ventana:

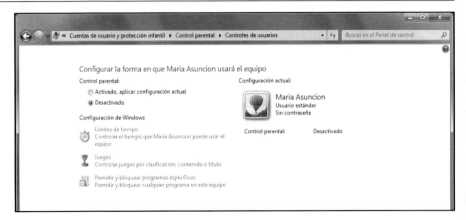

Para activar el control parental, se pulsará sobre **Activado, aplicar configuración actual**, momento en el que se activarán todas las opciones situadas en la parte inferior de la pantalla.

Dichas opciones son las siguientes:

- **Límites de tiempo**. Es posible establecer los límites horarios en los que el niño puede usar el equipo.

  Para ello, se pueden configurar distintas franjas de horarios según el día de la semana, tal como se muestra en la siguiente ventana:

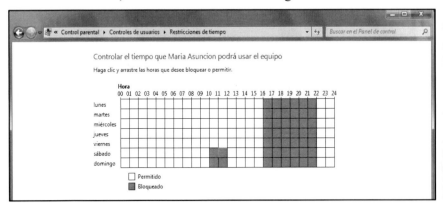

Para configurar las horas permitidas o denegadas para usar el equipo, pulse sobre las celdas de las horas seleccionadas y cambiarán automáticamente de permitido a bloqueado, respectivamente.

Si se desea marcar o desmarcar varias celdas, pulse sobre una celda y arrastre hasta abarcar el rango de horas deseado.

Si se intenta iniciar una sesión fuera del límite de horario permitido, el equipo no dejará que se inicie la sesión y mostrará una mensaje informando de dicha situación.

Si se inicia una sesión con restricción de horario de uso, en el área de notificación aparecerá un icono que informa del tiempo restante, antes del bloqueo de sesión.

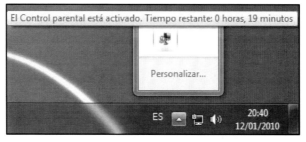

Si la sesión ya está iniciada, en el momento que se sobrepase el límite horario, se mostrará un mensaje informando de que en un minuto se cerrará la sesión. Transcurrido ese tiempo, la sesión se cerrará automáticamente.

- **Juegos**. Con esta opción, el usuario podrá configurar si se tiene acceso a los juegos, elegir una clasificación por edades o bloquear juegos específicos o sin clasificar.

En la ventana principal, se podrá configurar si el usuario puede o no acceder a cualquier juego.

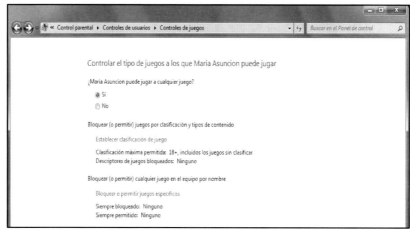

En caso afirmativo, se podrán configurar los parámetros situados en la parte inferior de la ventana.

Al pulsar sobre **Establecer clasificación de juego**, el sistema permitirá bloquear los juegos según su clasificación y contenido.

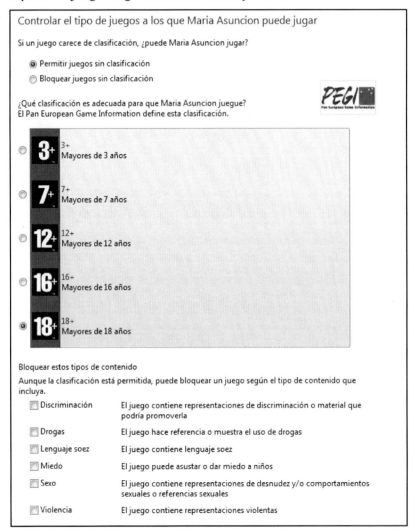

No todos los juegos del mercado están clasificados, por lo que el sistema no podrá bloquearlos. Por este motivo, en la parte superior de la ventana, se configurará si el sistema permite la ejecución de aquellos juegos sin clasificación o no.

En la parte central de la ventana, se seleccionará el mínimo de edad recomendada que deberá tener un juego para que el usuario tenga acceso al mismo.

El sistema de clasificación puede ser configurado por el usuario (en este caso *PEGI*). Para ello, desde la ventana principal del **Control parental**, pulse en **Sistemas de clasificación de juegos**, seleccionando aquel que se crea conveniente de la lista disponible, tal como se muestra en la siguiente ventana:

En la parte inferior de la ventana de la restricción de juegos, se seleccionará qué contenidos son aptos para el usuario y cuáles no.

Si un juego incluye algún contenido bloqueado en este apartado, no se podrá ejecutar, aun cuando esté en la clasificación permitida por edad.

En la ventana principal **Controles de juego**, al pulsar sobre **Bloquear o permitir juegos específicos**, se mostrará una ventana con todos los juegos instalados en el equipo.

Cada juego tendrá indicada su clasificación por edad y el estado actual del juego, mostrando si se puede jugar o no.

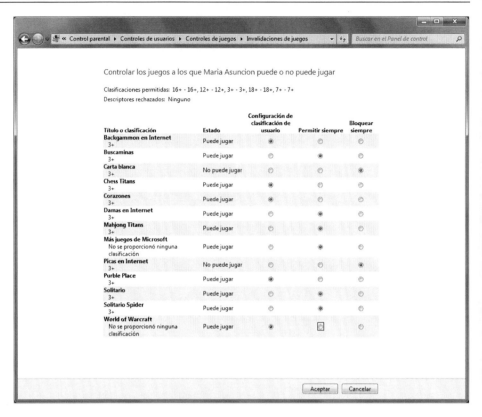

Por cada juego, se seleccionará el acceso por parte del usuario.

- **Configuración de clasificación de usuario**. Aplicará la configuración según los criterios anteriormente configurados.

- **Permitir siempre**. El juego siempre estará disponible.

- **Bloquear siempre**. Se impedirá la ejecución del juego siempre.

- **Permitir y bloquear programas específicos**. Desde esta opción, el usuario puede configurar qué programas específicos tendrán la ejecución restringida y cuáles la tendrán permitida.

La primera opción ofrece al usuario la posibilidad de ejecutar todos los programas o, de lo contrario, ofrecerá un listado completo de todas las aplicaciones instaladas en el equipo, tal como se muestra en la siguiente imagen:

Para permitir que un usuario ejecute una determinada aplicación se marcará en este listado. Aquellas que no estén marcadas, no podrán ser ejecutadas.

Si se quiere añadir una aplicación que no está en el listado ofrecido por el sistema, se pulsará en **Examinar** y se buscará en el propio equipo.

Una vez seleccionadas las aplicaciones, pulse en **Aceptar**.

Es posible instalar controladores adicionales a los que ofrece Windows 7, como filtrados de páginas web o informes de actividades del equipo.

Este tipo de controladores pueden ser instalados en el equipo por medio de un proveedor de servicios independiente. En la página web de Microsoft está disponible de forma gratuita *Family Safety Filter*, complementando todas las características ofrecidas por Windows 7.

Una vez instalados, desde la ventana de **Control parental**, pulse en **Controles adicionales** y seleccione el proveedor para los controles que desea agregar en el cuadro **Seleccionar un proveedor**. Seguidamente, seleccione la cuenta de usuario a la que desea agregar los controles adicionales.

# Capítulo 12

# LA IMPRESIÓN

## 12.1 INTRODUCCIÓN

La impresión es uno de los procesos que más se utilizará al trabajar con un equipo y, por el cual, se reproducen textos e imágenes, utilizando tinta sobre papel.

Para realizar este proceso se utilizará uno de los dispositivos más usados, la impresora.

Antes de comenzar a explicar con más detalle la impresión y todo lo que con ella está relacionado, conviene distingir entre los distintos elementos que pueden intervenir en ella.

- **Impresora**. Es la máquina en la que se va a producir físicamente la impresión de un trabajo.

  Puede dar soporte a una o varias colas de impresión. Es importante distinguir entre impresora e impresora lógica que es equivalente a la cola de impresión.

- **Cola de impresión**. Es un archivo en el que se van a guardar los trabajos que se manden imprimir hasta que la impresora pueda darles salida.

  Puede dar soporte a una o varias impresoras (es lo que se hace al agregar una impresora).

  De manera predeterminada, la carpeta donde se guardan los archivos de cola de impresión se encuentra en \Windows\system32\ spool\PRINTERS.

- **Servidor de impresión.** Es un ordenador (servidor o estación de trabajo) en el que está instalada y compartida la impresora y es el que se encarga de solicitar a la cola de impresión que le envíe los trabajos cuando ésta esté disponible. Puede dar soporte a varias impresoras y a varias colas de impresión.

  Utilizar un servidor de impresión proporciona las siguientes ventajas:

  - El servidor de impresión administra la configuración del controlador de impresión.

  - En todos los equipos que estén conectados a una impresora únicamente aparecerá una cola de impresión, lo que permite a los usuarios ver la posición de su trabajo de impresión respecto a los demás trabajos en espera.

  - Los mensajes de error aparecen en todos los equipos, por lo que todos los usuarios conocen el verdadero estado de la impresora.

  - Parte del proceso de impresión se transfiere del equipo cliente al servidor de impresión por lo que aumenta la capacidad de trabajo de la estación.

  - Se puede establecer un registro único para aquellos administradores que deseen auditar los sucesos de la impresora.

- **Controlador de impresora.** Es un *software* que utilizan los programas para comunicarse con las impresoras, convirtiendo la información enviada desde el equipo a comandos que pueda entender cada impresora.

  En general, los controladores de impresora están formados por tres tipos de archivos:

- **Archivo de configuración** o interfaz de impresora: muestra los cuadros de diálogo *Propiedades* y *Preferencias* cuando se configura una impresora (tiene la extensión *DLL*).

- **Archivo de datos**: proporciona información acerca de las capacidades de una impresora específica incluida su capacidad de resolución, si puede imprimir en ambas caras de la página y el tamaño de papel que puede aceptar (puede tener la extensión *DLL*, *PCD*, *GPD* o *PPD*).

- **Archivo de controlador de gráficos de impresora**: convierte los comandos de *interfaz de controlador de dispositivo* (*DDI*) en comandos que pueda entender la impresora. Cada controlador convierte un lenguaje de impresora diferente (tiene la extensión *DLL*).

- **Procesador de impresión.** Indica a la cola de impresión que modifique un trabajo en función del tipo de datos del documento.

  Envía los trabajos de impresión de la cola a la impresora (junto con el controlador de impresora).

  El procesador de impresión de Windows admite cinco tipos de datos:

  - **NT EMF (metarchivo mejorado)**. Con este tipo de datos, el documento impreso se convierte a un formato de metarchivo mucho más portátil que los archivos **RAW** que, normalmente, pueden imprimirse en cualquier impresora. El tamaño de los archivos **EMF** suele ser menor que el de los archivos **RAW** que contienen el mismo trabajo de impresión. Referente al rendimiento, sólo la primera parte del trabajo de impresión se altera o se procesa en el equipo cliente y la mayor parte del efecto lo experimenta el equipo servidor de impresión, lo que también permite que la aplicación del equipo de cliente devuelva el control al usuario con más rapidez. Es el tipo de datos predeterminado para la mayoría de los programas basados en Windows (hay varias versiones).

  - **RAW**. Indica a la cola de impresión que no altere de ningún modo el trabajo antes de la impresión. Con este tipo de datos, todo el proceso de preparación del trabajo de impresión se realiza en el equipo cliente. Es el tipo de datos predeterminado para clientes que no utilizan programas basados en Windows.

- **RAW [FF appended]**. Actúa igual que el tipo *RAW* pero incluye un carácter de avance de página. Es útil para las impresoras *PCL*, ya que omiten la última página del documento si no hay un avance final de página.

- **RAW [FF auto]**. Actúa igual que el tipo *RAW* pero, además, busca un carácter de avance de página al final del trabajo y, si no lo encuentra, lo añade.

- **TEXT**. Interpreta todo el trabajo como texto *ANSI* y agrega las especificaciones de impresión mediante la configuración predeterminada de fábrica del dispositivo de impresión. Es útil cuando el trabajo de impresión se ha realizado en texto sencillo y el dispositivo de impresión no es capaz de interpretarlo.

- **Página de separación**. Una página de separación (*banner*) indica el usuario que envió el documento a la impresora y la fecha y hora de la impresión. Se puede utilizar una de las páginas de separación que incorpora Windows 7 o crear una página personalizada.

  Las páginas de separación que incorpora Windows 7 se encuentran en la carpeta *\Windows\system32* y son las siguientes:

  - **PCL.SEP**. Cambia la impresora al modo *PCL* e imprime una página de separación antes de cada documento.

  - **PSCRIPT.SEP**. Cambia la impresora al modo *PostScript* pero no imprime ninguna página de separación antes de cada documento.

  - **SYSPRINT.SEP**. Cambia la impresora al modo *PostScript* e imprime una página de separación antes de cada documento (existe una versión en japonés que es **SYSPRTJ.SEP**).

- **Fuentes de impresora**. Las fuentes de impresora permiten mostrar el texto en distinto formato y tamaño. Pueden ser de tres tipos:

  - **Fuentes internas**. Se utilizan principalmente en impresoras láser, matriciales y de inyección de tinta. Se cargan previamente en la memoria de la impresora (*ROM*).

  - **Fuentes de cartucho**. Son fuentes añadidas que están almacenadas en un cartucho o en una tarjeta que se conecta a la impresora.

- **Fuentes descargables**. Son juegos de caracteres enviados desde el equipo a la memoria de una impresora cuando se necesitan para imprimir (también se pueden llamar **fuentes transferibles**). Se usan principalmente en impresoras láser y otras impresoras de páginas, aunque también en algunas impresoras matriciales.

# 12.2 CÓMO AGREGAR UNA IMPRESORA LOCAL

La instalación de un impresora local *plug&play* que Windows 7 detecte, seguirá los pasos que se detallaron en el epígrafe donde se agregaba nuevo *hardware*, ya que una impresora se considera como otro tipo de *hardware*.

En este epígrafe se explica cómo instalar una impresora que el sistema no detecte o que sea necesaria una instalación manual.

Este proceso puede hacerlo un usuario que tenga el permiso de **Administrador**.

Una vez que se haya conectado la impresora al puerto correspondiente del equipo, siga los pasos siguientes:

1. Pulse sobre el menú **Inicio**, **Panel de control** y, después, pulse en **Hardware y sonido**.

2. Pulse en **Agregar una impresora**, en el apartado **Dispositivos e impresoras**, y entrará en el asistente, mostrando la siguiente ventana:

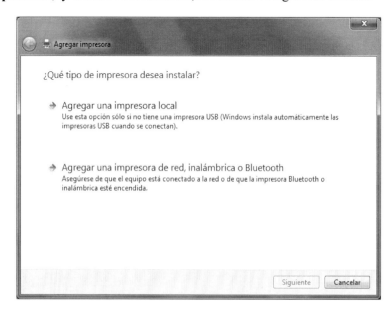

3.  En esta ventana se mostrarán dos opciones que deberá elegir:

    - **Agregar una impresora local**. Si pulsa en esta opción, estará indicando que la impresora está conectada al equipo donde está agregando la impresora (desde aquí también es posible agregar una impresora TCP/IP que se encuentre en la red).

    - **Agregar una impresora de red, inalámbrica o Bluetooth**. Si pulsa en esta opción, estará indicando que la impresora está instalada en otro equipo o en la red de forma independiente.

4.  Como la impresora está situada en el mismo equipo, se pulsará en **Agregar una impresora local** y verá la pantalla siguiente:

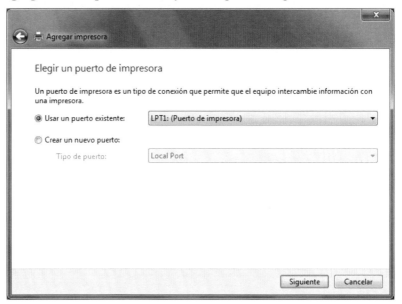

5.  En ella ha de indicar, en **Usar un puerto existente**, el puerto local donde está conectada la impresora (si pulsa en el triángulo que hay a la derecha del apartado, podrá seleccionar uno).

    En caso de necesitar añadir otro puerto, active la casilla **Crear un nuevo puerto** y seleccione uno de los disponibles:

    - Si selecciona **Local Port**, cuando pulse en **Siguiente**, deberá indicar el nombre del puerto.

    - Si selecciona **Standard TCP/IP Port**, cuando pulse en **Siguiente**, deberá indicar el nombre del puerto o su dirección IP.

6.  En el ejemplo, se indicará que la impresora se encuentra en **LPT1**, se pulsará en **Siguiente** y mostrará la pantalla:

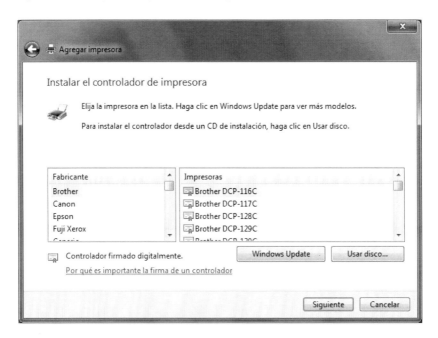

7.  Ahora, deberá escoger la impresora que está conectada a dicho puerto para que cargue sus controladores.

Para ello, deberá seleccionar (en la parte izquierda) el nombre del **Fabricante** de la impresora y, a continuación (en la parte derecha), el nombre de dicha impresora. Si no apareciese en la lista y dispusiera de los controladores de dicha impresora, marque en **Usar disco** e inserte en la unidad correspondiente el *software* proporcionado por la casa para su instalación.

Si pulsa en Windows Update, la lista de impresoras disponibles se actualizará desde Internet. Este proceso puede durar varios minutos.

8.  Cuando haya finalizado, pulse en **Siguiente** y le pedirá que indique el nombre que quiere que aparezca para la impresora (en caso de que se hubiera instalado la impresora anteriormente y se hubiera borrado, mostrará previamente otra pantalla en la que indicará que ya hay instalado un controlador para dicha impresora y le pedirá que especifique si desea conservar dicho controlador o reemplazarlo).

Cuando lo haya indicado, pulse en **Siguiente** y procederá a instalarla.

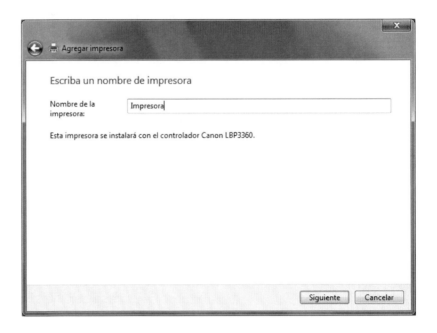

9.  En la nueva pantalla deberá indicar si la impresora va a estar compartida o no. Como en el ejemplo sí lo va a estar, se activará la casilla **Compartir esta impresora**… y se escribirá o aceptará el nombre que va a tener dicho recurso compartido (también se puede añadir su ubicación y un comentario).

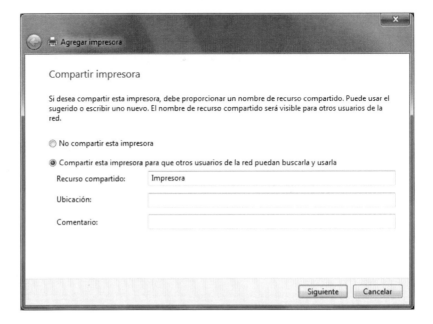

10. Cuando lo haya hecho, pulse en **Siguiente** y mostrará una nueva pantalla donde deberá pulsar en **Imprimir página de prueba** (si desea imprimirla) o en **Finalizar** (si no desea hacerlo). También podrá configurar si la impresora se establece como predeterminada (si es la primera impresora que se instala, no se realizará esta validación).

Al cabo de un momento le aparecerá un nuevo icono con el nombre de la impresora y empezará a imprimirse la página de prueba (si así lo ha indicado).

11. Cuando haya finalizado, cierre la utilidad.

## 12.3 CÓMO AGREGAR UNA IMPRESORA DE RED

Para agregar una impresora de red, inalámbrica o Bluetooth, siga los pasos siguientes:

1. Pulse sobre el menú **Inicio**, **Panel de control** y, después, pulse en **Hardware y sonido**.

2. Pulse en **Agregar una impresora**, en el apartado **Dispositivos e impresoras**, y entrará en el asistente, mostrando la siguiente ventana:

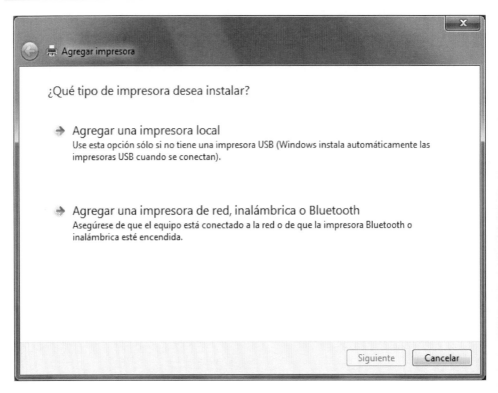

3.  En esta pantalla deberá elegir entre:

    • **Agregar una impresora local**. Si pulsa en esta opción, estará indicando que la impresora está conectada al equipo donde está agregando la impresora (desde aquí también es posible agregar una impresora TCP/IP que se encuentre en la red).

    • **Agregar una impresora de red, inalámbrica o Bluetooth**. Si pulsa en esta opción, estará indicando que la impresora está instalada en otro equipo o en la red de forma independiente.

4.  Como la impresora está situada en el mismo equipo, se pulsará en **Agregar una impresora de red, inalámbrica o Bluetooth** y verá la pantalla siguiente:

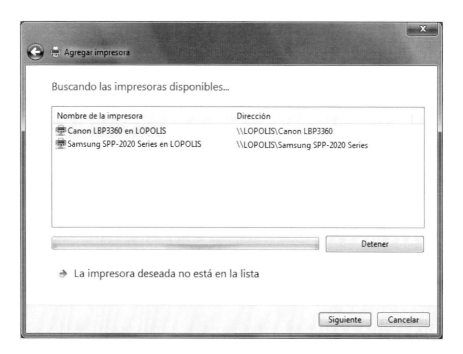

5.  En ella le muestra las impresoras que ha encontrado para que
    seleccione la que desee. Si no hubiera encontrado ninguna, pulse en **La
    impresora deseada no está en la lista** y verá la pantalla siguiente:

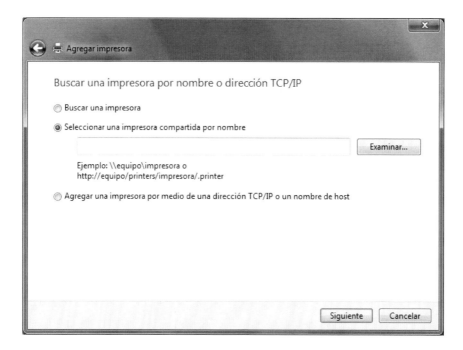

6.  En ella podrá seleccionar entre:

   • **Buscar una impresora.** Pulsando en **Siguiente**, se abrirá un explorador para que localice la impresora.

   • **Seleccionar una impresora compartida por nombre.** Esta opción le permite indicar el nombre (si lo sabe) o buscarla (si pulsa en **Examinar**).

   • **Agregar una impresora por medio de una dirección TCP/IP…** Esta opción le permite indicar la dirección IP de una impresora.

7.  En el ejemplo, se activará la casilla **Agregar una impresora por medio de una dirección TCP/IP…** y verá la pantalla siguiente:

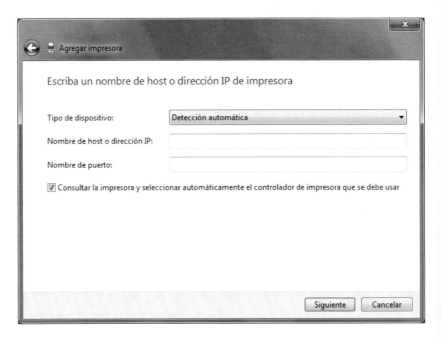

En ella deberá indicar el tipo de dispositivo que es (si pulsa en el triángulo que hay a la derecha del apartado, podrá seleccionarlo), el nombre del equipo o su dirección IP, o el nombre del puerto. También podrá indicar si desea seleccionar automáticamente los controladores de la impresora.

8.  En el ejemplo se indicará:

   • **Tipo de dispositivo**: Dispositivo TCP/IP.
   • **Nombre de host o dirección IP**: 192.168.0.20.

- **Nombre de puerto**: 192.168.0.20.
- **Consultar la impresora**… No se activará la casilla.

9.  Se pulsará en **Siguiente** y verá la pantalla:

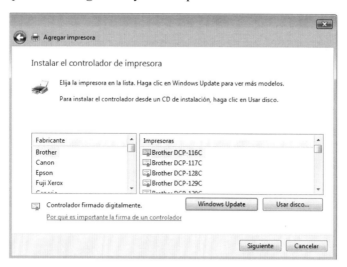

10. Ahora, deberá escoger la impresora que está conectada a dicho puerto para que cargue sus controladores. Para ello, deberá seleccionar (en la parte izquierda) el nombre del **Fabricante** de la impresora y, a continuación (en la parte derecha), el nombre de dicha impresora. Si no apareciese en la lista y dispusiera de los controladores de dicha impresora, marque en **Usar disco** e inserte en la unidad correspondiente el *software* proporcionado por la casa para su instalación.

11. Cuando haya finalizado, pulse en **Siguiente** y le pedirá que indique el nombre que quiere que aparezca para la impresora (en caso de que se hubiera instalado ya la impresora anteriormente y se hubiera borrado, le mostrará previamente otra pantalla en la que indicará que ya hay instalado un controlador para dicha impresora y le pide que especifique si desea conservar dicho controlador o reemplazarlo). Indíquelo y active la casilla de si desea o no que dicha impresora la utilicen los programas como predeterminada (si es la primera impresora que se instala en el equipo no le aparecerá esta última opción). Cuando lo haya indicado, pulse en **Siguiente** y procederá a instalarla.

12. En la nueva pantalla, deberá indicar si la impresora va a estar compartida o no. Como en el ejemplo sí lo va a estar, active la casilla **Compartir esta impresora**… y escriba o acepte el nombre que va a

tener dicho recurso compartido (también puede añadir su ubicación y un comentario).

13. Cuando lo haya hecho, pulse en **Siguiente** y le mostrará una nueva pantalla donde deberá pulsar en **Imprimir página de prueba** (si desea imprimirla) o en **Finalizar** (si no desea hacerlo). Al cabo de un momento, ya estará instalada la impresora y empezará a imprimirse la página de prueba (si así lo ha indicado).

14. Cuando haya finalizado, cierre la utilidad

## 12.4 CÓMO CONFIGURAR LAS PROPIEDADES DE LA IMPRESORA

Para configurar las propiedades de la impresora, sitúese en ella desde **Impresoras** del **Panel de control**, muestre su menú contextual, seleccione **Propiedades** y verá una pantalla parecida a la siguiente (el número de fichas y su denominación dependerá del modelo de impresora):

## 12.4.1 Propiedades generales de la impresora

Se encuentra en la ficha **General**. En ella se puede indicar la localización en que se encuentra (**Ubicación**), escribir una breve descripción sobre la impresora (**Comentario**), ver información diversa sobre sus características (**Características**), mandar imprimir una página de prueba (**Imprimir página de prueba**) o cambiar las preferencias personales de presentación y otras opciones (**Preferencias de impresión**). Estas últimas opciones dependen de la impresora y pueden ser: orientación del papel, imprimir en ambas caras, orden de las páginas, páginas por hoja, etc. (se describirán en el apartado *Propiedades avanzadas de la impresora*).

## 12.4.2 Propiedades de Compartir impresora

Si pulsa en la ficha **Compartir**, verá la pantalla siguiente:

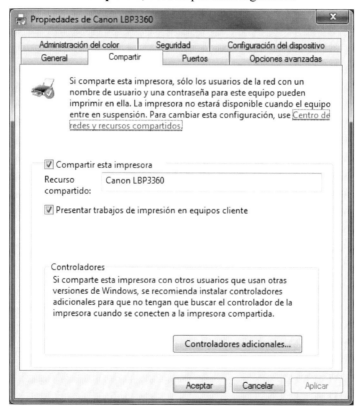

En ella puede modificar si la impresora está compartida (**Compartir esta impresora**), el nombre que mostrará (**Recurso compartido**), dónde procesar los trabajos de impresión (**Procesar trabajos de impresión en equipos cliente**). También puede instalar otros controladores adicionales para la impresora (así, podrá ser usada por otros usuarios que los necesiten y que utilicen otras versiones de Windows). Para ello, pulse en **Controladores adicionales**, active las casillas correspondientes a los entornos que desee y pulse en **Aceptar**.

## 12.4.3 Propiedades de los puertos de impresora

Si pulsa en la ficha **Puertos**, verá la pantalla siguiente:

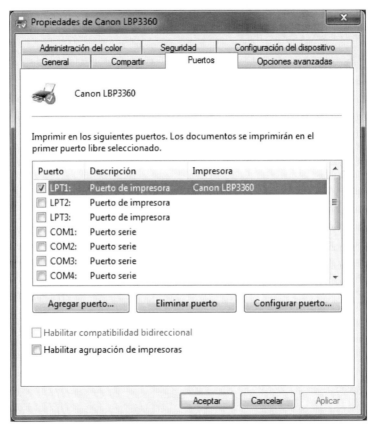

En ella se muestran los puertos locales en donde pueden estar conectadas las impresoras y se indica las que hay conectadas en cada uno de ellos. Se pueden realizar las siguientes tareas:

- Si desea añadir otro, pulse en **Agregar puerto**, seleccione el tipo de puerto disponible y pulse en **Puerto nuevo**. En función del tipo de puerto elegido, deberá actuar de la manera siguiente:

    - Si ha seleccionado **Local Port**, deberá indicar el nombre de puerto local que desee, pulsar en **Aceptar** y, después, en **Cerrar**.

- Si ha seleccionado **Standard TCP/IP Port**, entrará en el asistente para que indique la dirección IP que va a darle (siga los pasos indicados hasta su finalización).

- Si desea añadir un nuevo monitor de puerto, marque en **Nuevo tipo de puerto** y siga los pasos indicados.

- Si desea configurar un puerto, sitúese sobre el puerto deseado, marque en **Configurar puerto** e indique las características que desee.

- Si desea eliminar alguno de ellos, selecciónelo y pulse en **Eliminar puerto** (le pedirá confirmación del borrado).

- Al activar la casilla **Habilitar compatibilidad bidireccional**, podrá utilizar esta característica de impresión, que consiste en que un monitor de lenguaje supervisa la comunicación entre el equipo y la impresora y, después, transfiere el trabajo de impresión al monitor de puerto que controla la entrada y salida a la impresora. Para poder utilizar la compatibilidad bidireccional, la impresora debe admitirla.

- Si desea que una cola de impresión preste servicio a dos o más impresoras, active la casilla **Agrupación de impresoras**.

## 12.4.4 Propiedades avanzadas de la impresora

Si pulsa en la ficha **Opciones avanzadas**, verá la pantalla siguiente:

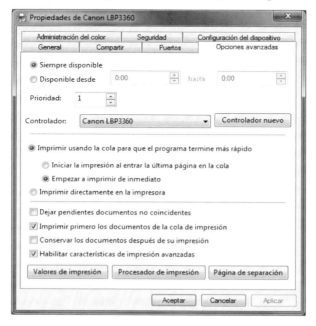

En ella se encuentran las siguientes opciones:

- **Siempre disponible**. Si activa esta casilla, estará indicando que la impresora va a estar disponible las 24 horas del día.

- **Disponible desde**. Si activa esta casilla, deberá indicar desde qué hora hasta qué hora estará disponible.

- **Prioridad**. Indica la prioridad predeterminada de esta impresora. Los documentos con mayor prioridad (99) se imprimirán antes que los de menor prioridad (1).

- **Controlador**. Indica el controlador de impresora que se está utilizando. Si pulsa en el triángulo que hay a la derecha del apartado, podrá seleccionar otro. En caso de que desee añadir uno nuevo, pulse en **Controlador nuevo** y entrará en el **Asistente para agregar controladores de impresora**. Siga los pasos para seleccionar uno nuevo.

- **Imprimir usando la cola para que el programa termine más rápido**. Si activa esta casilla, los trabajos se enviarán a la cola de impresión en lugar de enviarse directamente a la impresora. Cuando ésta esté libre, empezará a imprimir el trabajo.

- **Iniciar la impresión al entrar la última página en la cola**. Si activa esta casilla, no empezará la impresión de un trabajo hasta que todo él esté almacenado en la cola de impresión, de esta manera, no se bloqueará la impresora si el ordenador que está preparando el trabajo es más lento que la impresión.

- **Empezar directamente en la impresora**. Al activar esta casilla, se empezará a imprimir nada más llegar la primera página a la cola de impresión (si la impresora está disponible).

- **Imprimir directamente en la impresora**. Al activar esta casilla, se mandará directamente el trabajo a la impresora. Utilice esta opción sólo cuando no pueda imprimir utilizando la cola de impresión.

- **Dejar pendientes documentos no coincidentes**. Cuando esté activada esta casilla, la cola de impresión comprobará si el trabajo que tiene almacenado coincide con el documento antes de ser enviado. Si no coinciden, el documento quedará retenido pero se imprimirán los siguientes trabajos.

- **Imprimir primero los documentos de la cola de impresión**. Al activar esta casilla, se enviarán primero los documentos que estén completos en la cola de impresión, incluso si dichos documentos tienen menor prioridad que los otros.

- **Conservar los documentos después de su impresión**. Con esta casilla activada, los documentos no se borrarán de la cola de impresión una vez que hayan sido enviados, así, podrá volver a imprimirlos sin necesidad de hacerlo desde la aplicación.

- **Habilitar características de impresión avanzadas**. Al activar esta casilla, se utiliza la cola de impresión por metarchivos (*EMF*) y se habilitarán opciones como: **Orden de páginas**, **Impresión en folleto**, **Páginas por hoja**, etc., si el modelo de impresora lo permite.

- Si pulsa en **Valores de impresión**, verá una pantalla parecida a la siguiente (estará en función del modelo de impresora):

En ella se pueden indicar los valores por defecto que tendrán todas las impresiones que se hagan en esta impresora. Estos valores se pueden modificar para una impresión determinada desde **Preferencias de impresión** de la ficha **General**.

Cuando haya finalizado, pulse en **Aceptar** hasta volver a la pantalla de **Propiedades** de la impresora.

- Si pulsa en **Procesador de impresión**, verá una pantalla en donde puede indicar el tipo de datos predeterminado que utilizará el procesador de impresión.

Cuando haya finalizado, pulse en **Aceptar** para volver a la pantalla de **Propiedades** de la impresora.

- Si pulsa en **Página de separación**, verá una pantalla en donde puede indicar la página de separación que se utilizará al comienzo de cada documento (si pulsa en **Examinar**, podrá seleccionarla).

Cuando haya finalizado, pulse en **Aceptar** para volver a la pantalla de **Propiedades** de la impresora.

## 12.4.5 Propiedades de Administración del color de la impresora

Si pulsa en la ficha **Administración del color**, verá una pantalla desde donde podrá ajustar la configuración del color de la impresora.

## 12.4.6 Propiedades de Seguridad de la impresora

Si pulsa en la ficha **Seguridad**, verá la pantalla siguiente:

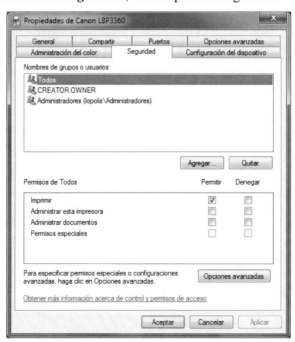

En ella se encuentran los nombres de los usuarios, grupos e identidades especiales que tienen permisos sobre el objeto y, debajo, los permisos estándar que posee cada uno de ellos.

Hay tres tipos de permisos estándar de impresora: **Imprimir**, **Administrar esta impresora** y **Administrar documentos**. De manera predeterminada, todos los usuarios tienen concedido el permiso **Imprimir** como miembros del grupo **Todos**. Además, se encuentra **Permisos especiales**, que señala si se han indicado más permisos que los permisos estándar (son los que se obtienen al pulsar en **Opciones avanzadas** y se describirán posteriormente).

En la tabla siguiente se enumeran las posibles tareas que se pueden realizar con cada uno de los distintos tipos de permiso:

| Tareas | Imprimir | Administrar documentos | Administrar esta impresora |
|---|---|---|---|
| Imprimir documentos | X | X | X |
| Pausar, reanudar, reiniciar y cancelar el documento del usuario | X | X | X |
| Conectar con una impresora | X | X | X |
| Controlar la configuración de los trabajos de impresión de todos los documentos | | X | X |
| Pausar, reiniciar y eliminar todos los documentos | | X | X |
| Compartir una impresora | | | X |
| Cambiar las propiedades de la impresora | | | X |
| Eliminar impresoras | | | X |
| Cambiar los permisos de impresora | | | X |

Para trabajar con los permisos estándar sobre las impresoras, siga los pasos siguientes:

- Si desea modificar los permisos de alguno de ellos, sitúese sobre él y verá que, en la parte inferior, se muestran los permisos que tiene establecidos. Para ello, active la casilla correspondiente al permiso deseado en la columna **Permitir** (se le concede el permiso) o **Denegar** (se le deniega el permiso).

- Si desea añadir otros usuarios o grupos a la lista de nombres, pulse en **Agregar**, en **Avanzadas** y en **Buscar ahora**. Se le abrirá una ventana con todos los posibles usuarios, grupos e identidades especiales a los que puede otorgar o denegar permisos.

Si selecciona elementos de la lista y pulsa en **Aceptar** dos veces, se añadirán a los grupos o usuarios que tienen permisos sobre la impresora. Una vez que estén en la lista, indique los permisos que desea conceder o denegar a cada uno de los usuarios que ha añadido.

- Si desea quitar algún usuario o grupo, sitúese sobre él, pulse en **Quitar** (no pedirá ninguna confirmación) y verá como se elimina de la lista.

Para trabajar con los permisos especiales sobre las impresoras, siga los pasos siguientes:

- Pulse en **Opciones avanzadas** y verá una pantalla parecida a la siguiente:

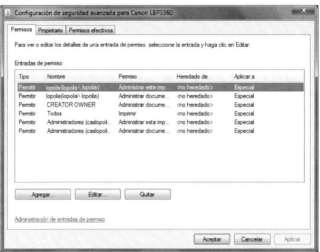

En ella se encuentran los nombres de los usuarios, grupos e identidades especiales que tienen permisos especiales sobre la impresora junto con una descripción de los permisos y dónde se aplican.

- Si desea modificar los permisos de alguno de ellos, sitúese sobre él, pulse en **Editar** y verá una pantalla parecida a la siguiente:

Fíjese en que muestra los permisos especiales que tiene establecidos el usuario o grupo seleccionado.

- Puede modificar los permisos que desee. Para ello, active la casilla correspondiente al permiso deseado en la columna **Permitir** (se le concede el permiso) o **Denegar** (se le deniega el permiso).

  Indique en el apartado **Aplicar a** el ámbito de los permisos que está indicando (puede modificarlo si pulsa en el triángulo que hay a la derecha del apartado).

  Cuando haya finalizado, pulse en **Aceptar** y volverá a la pantalla *Configuración de seguridad avanzada de la impresora*.

- Si desea añadir otros usuarios o grupos a la lista de nombres, pulse en **Agregar**, en **Avanzadas** y en **Buscar ahora**. Se le abrirá una ventana con todos los posibles usuarios, grupos e identidades especiales a los que puede otorgar o denegar permisos.

  Si selecciona elementos de la lista y pulsa en **Aceptar** dos veces, pasará a la pantalla en donde deberá indicar los permisos y ámbito de aplicación deseado. Cuando haya finalizado, pulse en **Aceptar** y verá que se añade a la lista de permisos de *Configuración de seguridad avanzada de la impresora*.

- Si desea quitar algún usuario o grupo, sitúese sobre él, pulse en **Quitar** (no pedirá ninguna confirmación) y verá como se elimina de la lista.

- Cuando haya finalizado, pulse en **Aceptar** para volver a la pantalla de *Propiedades de la impresora*.

## 12.4.7 Propiedades de Configuración de dispositivo

Si pulsa en la ficha **Configuración de dispositivo**, verá una pantalla en la que se encuentran las posibles opciones que hay disponibles para modificar su configuración.

Cuando haya acabado de hacer las modificaciones necesarias, pulse en **Cerrar** y saldrá de la pantalla de *Propiedades*.

## 12.5 ESTABLECER PREFERENCIAS DE IMPRESIÓN POR UN USUARIO

Aunque las aplicaciones imprimen con unos valores predeterminados establecidos en la impresora por el administrador o los operadores con permisos suficientes, los usuarios pueden modificarlos si lo desean para sus documentos (deberán disponer del permiso **Imprimir**). Para ello, siga los pasos siguientes:

- Seleccione **Dispositivos e Impresoras** del menú de **Inicio.**

- Pulse dos veces el botón izquierdo del ratón sobre la impresora que desee, abra el menú **Impresora**, seleccione **Preferencias de impresión** y verá la pantalla correspondiente (es la misma que se muestra en **Valores de impresión** del apartado *Propiedades avanzadas de la impresora*).

- Cuando haya acabado de hacer las modificaciones que considere convenientes, pulse en **Aceptar** y volverá a la pantalla de la cola de impresión.

Tenga en cuenta que las modificaciones se aplican a todos los documentos que se impriman en la impresora por dicho usuario. Si desea realizar una modificación para un documento, deberá hacerlo desde **Configurar página** o **Configurar impresión** del programa que se esté utilizando.


## 12.6 ADMINISTRANDO DOCUMENTOS DE LA COLA DE IMPRESIÓN

Cuando los usuarios imprimen sus trabajos, si la impresora se encuentra ocupada, se almacenarán en la cola de impresión en espera de que puedan ser enviados a la impresora.

Dichos documentos pueden ser administrados por los propios dueños de los trabajos y por los usuarios que tengan permiso de **Administrar documentos**, tanto desde el servidor de impresión como desde cualquier equipo de la red que tenga instalada dicha impresora.

Para poder administrar unos documentos enviados a una impresora y que se encuentran a la espera de imprimirse, siga los pasos siguientes:

- Seleccione **Ver dispositivos e Impresoras** del **Panel de control**.

- Pulse dos veces el botón izquierdo del ratón sobre la impresora que se quiere administrar y verá una pantalla parecida a la siguiente:

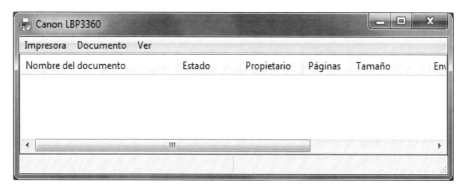

En dicha pantalla se muestra la siguiente información de los documentos que se van a imprimir: **Nombre del documento**, **Estado** en que se encuentra el documento, **Propietario**, **Páginas** que tiene, **Tamaño** que ocupa, la fecha y la hora en que fue **enviado** y el **Puerto** por donde se imprimirá.

- Se pueden realizar las siguientes operaciones:

  - **Parar temporalmente la impresión** de todos los documentos. Si abre el menú **Impresora** y selecciona **Pausar la impresión** (estando esta opción sin marcar), dejarán de imprimirse todos los documentos.

  - **Reiniciar la impresión**. Si abre el menú **Impresora** y selecciona **Pausar la impresión** (estando esta opción marcada), volverán a imprimirse los documentos.

  - **Parar la impresión de un documento**. Si elige un documento, abre el menú **Documento** y selecciona **Pausa**, éste dejará de imprimirse.

  - **Reanudar la impresión de un documento**. Si elige un documento, abre el menú **Documento** y selecciona **Reanudar**, éste volverá a imprimirse desde la página en que hizo la pausa. Si hay otro documento imprimiéndose, se acabará de imprimir antes de reanudar la impresión.

  - **Reiniciar la impresión de un documento**. Si elige un documento, abre el menú **Documento** y selecciona **Reiniciar**, éste volverá a imprimirse desde la primera página. Si hay otro documento que se esté imprimiendo, se acabará de imprimir antes de reiniciar la impresión.

- **Cancelar un documento**. Si elige un documento o varios, abre el menú **Documento** y selecciona **Cancelar**, los documentos seleccionados se eliminarán de la cola de impresión.

- **Cancelar todos los documentos**. Si abre el menú **Impresora** y selecciona **Cancelar todos los documentos**, se eliminarán todos los documentos de la cola de impresión.

- **Ver y modificar las propiedades de un documento**. Si elige un documento, pulsa el botón derecho del ratón para ver su menú contextual y elige **Propiedades**, verá una pantalla parecida a la siguiente referida al documento que se encuentra en la cola de impresión:

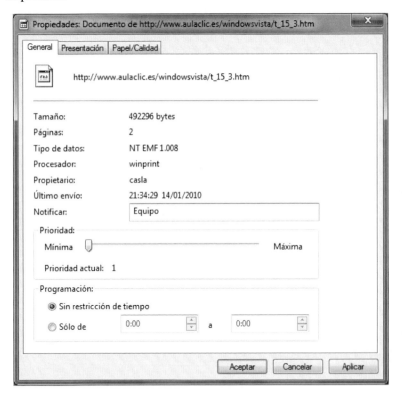

En ella podrá indicar a qué usuario se enviará una notificación cuando se imprima el trabajo, la prioridad que se desea dar (a mayor prioridad, antes se imprimirá) y el momento en que se imprimirá (sin restricción de tiempo o en un intervalo de tiempo que deberá especificar).

El resto de fichas son las mismas que las de **Valores predeterminados de impresión** del apartado *Propiedades avanzadas de la impresora* y no se pueden modificar.

Cuando haya terminado, pulse en **Aceptar** y volverá a la pantalla de la cola de impresión.

# Capítulo 13

# EL ALMACENAMIENTO DE LOS DATOS

## 13.1 INTRODUCCIÓN

Toda la información con la que un usuario trabaja a diario, como el propio sistema operativo Windows 7, está almacenada en un dispositivo denominado disco duro (*Hard Disk Drive*).

Este dispositivo tiene la propiedad de conservar la información que posee, aun cuando no tenga energía eléctrica.

Dada la importancia del disco duro, a lo largo de los últimos años, ha experimentado grandes avances tanto a nivel de capacidad de almacenaje, llegando a niveles casi inimaginables hace unos pocos años, como a velocidad de acceso a los datos.

En este capítulo, se explicará brevemente el sistema de almacenamiento de un equipo y las distintas características que posee.

## 13.2 LA ORGANIZACIÓN DE LOS DISCOS DUROS

La unidad básica de almacenamiento de la información es el disco duro y su capacidad está en constante incremento.

Los ordenadores y los discos se comunican entre sí mediante un bus que permite controlar el dispositivo y transmitir datos de lectura o escritura.

Las principales tecnologías existentes son:

- **IDE** (**Integrated Device Electronics**, también llamada **P-ATA, Parallel Advanced Technology Attachment**). La conexión se realiza mediante un cable de datos paralelos y un cable de alimentación. Es la tecnología que más se ha utilizado en la conexión al ordenador de discos duros y dispositivos ópticos.

- **SATA** (**Serial ATA**) es una nueva tecnología en la que la comunicación con el dispositivo de almacenamiento se realiza en serie, en lugar de en paralelo como se hacía en P-ATA. La razón de utilizar transmisión serie es porque, al tener menos hilos, produce menores interferencias que si se utilizase un sistema paralelo, lo que permite aumentar las frecuencias de funcionamiento y por tanto la velocidad de transferencia (SATA-150 proporciona 1,5Gb/s y SATA-II 3Gb/s. En un futuro SATA-III podrá llegar a 6Gb/s).

- **SCSI** (**Small Computer Systems Interface**). Esta tecnología (o tecnologías, puesto que existen multitud de variantes de ella) ofrece, en efecto, una tasa de transferencia de datos muy alta entre el ordenador y el dispositivo SCSI (un disco duro, por ejemplo). Pero, aunque esto sea una cualidad muy apreciable, no es lo más importante, ya que la principal virtud de SCSI es que dicha velocidad se mantiene casi constante en todo momento sin que el microprocesador realice apenas trabajo.

|  | SCSI 1 | SCSI 2 | | | SCSI 3 | | | | | | | SCSI FCP |
|---|---|---|---|---|---|---|---|---|---|---|---|---|
|  |  | Fast | Wide | Fast Wide | Ultra | U-Wide | U-2 | U-2 Wide | Fire wire | U-3 | U-3 Wide |  |
| Bits | 8 | 8 | 16 | 16 | 8 | 16 | 8 | 16 | 1 | 8 | 16 | 4Gb/s |
| MHz | 5 | 10 | 5 | 10 | 20 | 20 | 40 | 40 | 1GHz | 80 | 80 | - |
| Mb/s | 5 | 10 | 10 | 20 | 20 | 40 | 40 | 80 | 400 | 80 | 160 | 10 |
| Dispositivos | 8 | 8 | 16 | 16 | 8 | 16 | 8 | 16 | 63 | 8 | 16 | km |

## 13.2.1 Discos con MBR

Los discos con **MBR (Master Boot Record)** tienen una tabla que indica el lugar del disco donde se encuentran las particiones. Dicha tabla se almacena en el primer sector del disco dentro del MBR. Si este sector se estropea o se mueve a un lugar distinto del disco, los datos serán inaccesibles. En los discos con MBR se pueden crear hasta tres particiones primarias y una partición extendida que contiene unidades lógicas.

## 13.2.2 Discos con GPT

Los discos con **GPT (Tabla de Particiones GUID)** se empezaron a utilizar con Windows Server 2003 SP1 y están recomendadas para discos con un tamaño superior a 2 TB o para equipos basados en *Itanium*.

Pueden crear hasta un número ilimitado de particiones primarias y, como no existe la limitación a cuatro particiones, no es necesario crear particiones extendidas ni unidades lógicas.

Estos discos contienen una partición de sistema con **Interfaz de Firmware Extensible (EFI)** y los archivos necesarios para iniciar el equipo.

## 13.2.3 Particiones

En un disco básico, la partición hace que un disco duro, o una parte de él, pueda ser utilizado como medio de almacenamiento (a pesar de no ser ortodoxo, también se les puede denominar volúmenes).

Constituyen la manera en que se divide el disco físico, de forma que cada una de las particiones funciona como si fuera una unidad separada.

Las particiones pueden ser de dos tipos:

- **Particiones primarias**. Son reconocidas por la BIOS del ordenador como capaces de iniciar el sistema operativo desde ellas. Para ello, disponen de un sector de arranque (**BOOT SECTOR**), que es el que se encarga de cargar el sistema operativo, y una de las particiones primarias debe estar declarada como activa.

- **Particiones secundarias o extendidas**. Se forman en las áreas del disco duro que no tienen particiones primarias y que están contiguas.

  Las particiones extendidas deben estar configuradas en unidades lógicas para poderse utilizar para almacenar información.

Con un programa de inicialización adecuado se puede seleccionar entre diferentes sistemas operativos para iniciar el que se desee. Cada uno de ellos deberá estar en su propia partición y el programa de inicialización pondrá la partición seleccionada como activa.

## 13.2.4 Unidades lógicas

Las particiones secundarias se pueden dividir en una o varias unidades lógicas (puede haber un número ilimitado de unidades lógicas en un disco), que son partes más pequeñas de la partición.

Las particiones deben estar formateadas para establecer letras de unidades que van desde la **C:** en adelante.

La partición primaria corresponde a la unidad **C:**.

## 13.2.5 Volúmenes

En un disco dinámico, un volumen es una parte de un disco físico que funciona igual que una unidad separada. Es equivalente a las particiones primarias de versiones anteriores.

## 13.2.6 Espacio libre de almacenamiento

Con este término se designa el espacio del disco duro que no pertenece a ninguna partición o volumen y puede utilizarse para crearlos.

## 13.2.7 Sistemas de archivos

Es posible escoger entre tres sistemas de archivos distintos para un disco duro que se utilice con Windows 7 (a excepción del disco en donde se encuentra el sistema que ha de ser NTFS obligatoriamente):

- **FAT (File Allocation System)**. Se puede acceder a este sistema de archivos desde *MS-DOS* y todas las versiones de Windows. Permite trabajar con particiones menores de 2 GB y no soporta dominios.

- **FAT32**. Se puede acceder a este sistema de archivos desde *Windows 95 OSR2, Windows 98, Windows 2000, Windows XP, Windows Vista, Windows 7, Windows Server 2003* y *Windows Server 2008*. Permite trabajar con particiones mayores de 2 GB, el tamaño máximo de un archivo es de 4 GB, los volúmenes pueden llegar hasta 2 TB (en *Windows 2000* sólo hasta 32 GB) y no soporta dominios.

- **NTFS (NT File System)**. Es el sistema desarrollado para Windows NT 4 que permite nombres de archivo de hasta 256 caracteres, ordenación de directorios, atributos de acceso a archivos, reparto de unidades en varios discos duros, reflexión de discos duros y registro de actividades. Se han incluido mejoras que permiten utilizar el Directorio Activo, dominios, cuotas en disco para cada usuario, cifrado y compresión de archivos, almacenamiento remoto, una herramienta de desfragmentación y utilización de enlaces de archivos similares a los realizados en *UNIX*. Sus volúmenes pueden llegar hasta 16 TB menos 64 KB y el tamaño máximo de un archivo sólo está limitado por el tamaño del volumen.

## 13.2.8 Discos básicos y dinámicos

Windows 7 soporta dos tipos de discos: **básicos** y **dinámicos**. Aunque ambos pueden existir en un mismo sistema, un mismo volumen formado por uno o más discos físicos debe utilizar únicamente uno de ellos.

Un **disco básico** es un disco físico que contiene particiones primarias (son aquellas que son reconocidas por la **BIOS** del ordenador como capaces de iniciar el sistema operativo desde ella ya que dispone de un sector de arranque), particiones extendidas o dispositivos lógicos (las particiones y las unidades lógicas de los discos básicos se conocen como **volúmenes básicos**). *Windows XP Professional,*

*Windows Server 2003, Windows Vista, Windows 7* y *Windows Server 2008* no soportan los **volúmenes básicos multidisco** (como son los conjuntos de volúmenes, conjuntos de espejos, conjuntos de bandas sin paridad o conjuntos de bandas con paridad). Es necesario hacer una copia de seguridad y eliminar estos volúmenes o convertirlos en discos dinámicos antes de instalar Windows 7.

Un **disco dinámico** es un disco físico que contiene volúmenes dinámicos creados por Windows 7 (un volumen dinámico es una parte de un disco físico que funciona igual que una unidad separada. Es equivalente a las particiones primarias de versiones anteriores. No pueden contener particiones o discos lógicos). Puede contener volúmenes distribuidos, volúmenes seccionados, volúmenes reflejados y volúmenes *RAID 5*.

Un **conjunto de volúmenes** puede existir en los *discos básicos* (aunque no en Windows 7) y es la unión de una o más áreas de espacio disponibles (que pueden estar en uno o varios discos duros) que, a su vez, puede dividirse en particiones y unidades lógicas (no es reconocido por *MS-DOS* y sólo funciona con *NTFS*). Habrá una letra de unidad que representará al conjunto de volúmenes. Cuando se amplían, los datos previamente existentes no se ven afectados. Sin embargo, no es posible reducirlos, sino que deberá eliminar el conjunto completo (con la pérdida de los datos). El equivalente en los discos dinámicos es un **volumen distribuido**.

Un **conjunto de espejos** puede existir en los *discos básicos* (aunque no en Windows 7) e indica dos particiones de dos discos duros distintos que se configuran para que una sea idéntica a la otra. La partición espejo no aparece en la *Administración de discos* y sólo sirve para reflejar los datos de la otra partición (que entrará en funcionamiento cuando la primera partición falle). Este método hace que el nivel de seguridad sea alto (aunque no se evitan los virus ya que estarían grabados en ambas particiones). Se corresponde con **RAID 1**. El equivalente en los discos dinámicos es un **volumen reflejado**.

Un **conjunto de bandas** puede existir en los *discos básicos* (aunque no en Windows Server 7) y es la unión de dos o más áreas de espacio disponibles (que pueden estar en dos o más discos duros) que, a su vez, se dividirán en bandas. En cada disco duro se creará una partición y todas ellas tendrán aproximadamente el mismo tamaño (no es reconocido por *MS-DOS* y sólo funciona con *NTFS*). Habrá una letra de unidad que representará al conjunto de bandas. Pueden ser de dos tipos:

- **Sin paridad**. Un conjunto de bandas sin paridad dividirá cada uno de los discos duros en partes pequeñas llamadas bandas (así, si tiene cuatro discos duros y cada uno tiene diez bandas, diremos que hay diez filas de cuatro bandas cada una).

  Cuando guarde un archivo no lo hará como se describió en el conjunto de volúmenes, sino que lo distribuirá en las bandas de todos los discos duros (ocupando la primera fila de bandas disponible de cada disco duro antes de pasar a la segunda).

  De esa manera, el acceso será más rápido ya que se elimina parte del tiempo que tarda el cabezal en buscar los sectores y las pistas donde se encuentra el archivo, pero tiene el inconveniente de que si se estropea un disco duro se pierde toda la información del conjunto de bandas.

  Ofrece mayor velocidad en el almacenamiento de los datos ya que los datos se copian al mismo tiempo en los diferentes discos, pero el nivel de seguridad es menor ya que si falla una banda, se perderán todos los datos. Se corresponde con **RAID 0**. El equivalente en los discos dinámicos es un **volumen seccionado**.

- **Con paridad**. Un conjunto de bandas con paridad utilizará una banda de cada fila del disco duro para guardar información de paridad de todas las bandas de esa fila (así, si tiene cinco discos duros y cada uno tiene diez bandas, diremos que hay diez filas de cinco bandas cada una y en cada fila hay una banda denominada de paridad).

  La información se guarda igual que en el conjunto de bandas sin paridad pero guardando, en la banda de paridad de cada fila, información que permitirá recuperar los datos de cualquier banda de dicha fila si dejara de funcionar. Cuando falla una banda se pueden recuperar los datos defectuosos que contenía aunque pierde velocidad de almacenamiento.

  Otro inconveniente que tiene es la disminución del espacio libre para guardar información en un porcentaje igual al número de discos duros que forman parte del conjunto de bandas con paridad (así, si hay cinco discos duros se perderá un 20% y si hay cuatro discos duros se perderá un 25%) y, también, que necesita mayor cantidad de memoria RAM para no ver disminuido el rendimiento del equipo (aproximadamente, un 25% más de memoria).

Se corresponde con **RAID 5**. El equivalente en los discos dinámicos es **volumen RAID 5**.

## 13.3 CONVERTIR UN VOLUMEN A NTFS

Si dispone de un volumen *FAT* o *FAT32* y desea convertirlo a *NTFS*, siga los pasos siguientes:

- Seleccione **Símbolo del sistema** que se encuentra en el panel izquierdo del menú **Inicio**.

- Escriba **CONVERT <letra unidad> /fs:ntfs** y pulse [**INTRO**].

- Comenzará a chequear el disco. Cuando finalice, si no ha habido errores, comenzará la conversión y, al cabo de un momento, la operación se habrá completado.

- En **Administración de discos**, si no refleja el cambio del sistema de archivos en dicho disco, seleccione **Actualizar** del menú **Acción** y verá cómo se cambia el sistema de archivos de la partición que acaba de convertir.

## 13.4 LA UTILIDAD ADMINISTRACIÓN DE DISCOS

Para ver información sobre el o los discos duros del servidor haga uso de la utilidad **Administración de discos**.

Para acceder a ella, pulse con el botón derecho del ratón sobre **Equipo** en el escritorio y pulse en **Administrar**.

También se podrá acceder pulsando en menú **Inicio**, **Panel de control**, **Sistema y seguridad** y, por último, en **Herramientas administrativas**. Verá una pantalla parecida a la siguiente:

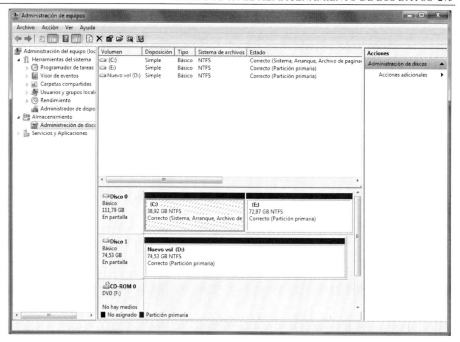

La pantalla anterior muestra que hay dos discos: el disco 0 con un tamaño de 111,79 GB y el disco 1 con un tamaño de 74,53 GB, y el *CD-ROM* 0 (con un icono distinto).

El disco 0 tiene una partición primaria que utiliza el sistema de archivos *NTFS* (es la que utiliza el sistema, es la partición activa y en ella se encuentra el archivo de paginación), cuenta con un tamaño de 38,92 GB y está representada por la letra *C:* Además, dispone de una partición primaria de 72,87 GB asignada a la letra *E:*.

El disco 1 tiene una partición primaria que utiliza el sistema de archivos *NTFS* y está representada por la letra *D:* (con un tamaño de 74.53 GB).

## 13.4.1 Información sobre una partición

Si desea obtener información sobre una partición, siga los pasos siguientes:

Desde **Administración de discos**, sitúese sobre la partición deseada, pulse el botón derecho del ratón (en el ejemplo, sobre la unidad *C:*) para que muestre su menú contextual, elija **Propiedades** y verá una pantalla parecida a la siguiente:

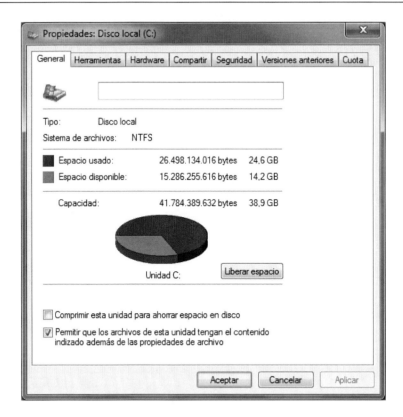

Muestra determinada información sobre la partición (espacio usado, espacio disponible y capacidad).

- Si no dispone de nombre, puede indicárselo en el apartado **Etiqueta**, que es el apartado que tiene un icono de disco en la parte superior y que permite escribir el nombre que desee darle.

- En la parte inferior derecha se encuentra **Liberar espacio**, que permite eliminar archivos temporales y otras opciones. Le llevará a otra pantalla en la que deberá seleccionar los archivos a eliminar. Cuando lo haya hecho, pulse en **Aceptar** y confirme la operación.

- En la parte inferior se encuentra la casilla **Comprimir esta unidad para ahorrar espacio en disco**. Actívela si desea que se comprima este volumen y pulse en **Aceptar**. Le mostrará otra pantalla para que indique si desea aplicar los cambios a dicha unidad solamente o, también, a todas sus subcarpetas y archivos. Indique lo que desee y pulse en **Aceptar**.

- También se encuentra activada la casilla **Permitir que los archivos de esta unidad tengan el contenido indizado además de propiedades de archivo,** que hará que el *Servicio de búsqueda de Windows* cree un índice de los tipos de datos de archivos.

Cuando haya finalizado, pulse en **Aceptar** para volver a la utilidad.

## 13.4.2 Información sobre el disco duro

Para ver información sobre los volúmenes disponibles en un disco duro, siga los pasos siguientes:

Desde **Administración de discos**, sitúese sobre el disco duro que desee, muestre su menú contextual, elija **Propiedades**, pulse en la ficha **Volúmenes** y verá una pantalla parecida a la siguiente:

En ella se muestran los volúmenes que hay en el disco duro seleccionado junto con su nombre y capacidad. Además, indica el número de disco, su tipo, estilo de partición, capacidad, el espacio sin asignar y el espacio reservado.

## 13.4.3 Información sobre el controlador

Para ver información sobre el controlador de disco duro, siga los pasos siguientes:

Desde **Administración de discos**, sitúese sobre el disco duro que desee, muestre su menú contextual, elija **Propiedades**, pulse en la ficha **Controlador** y verá información del controlador que podrá ampliar si pulsa en **Detalles del controlador**.

Además, actualizará el controlador del dispositivo si pulsa en **Actualizar controlador**; volverá a una versión anterior del controlador del dispositivo si pulsa en **Revertir al controlador anterior**; lo deshabilitará si pulsa en **Deshabilitar** o lo desinstalará si pulsa en **Desinstalar** (esta dos últimas operaciones podrían provocar que dejara de funcionar el disco duro).

Cuando haya acabado, pulse en **Aceptar** y volverá a la pantalla principal de la utilidad.

## 13.4.4 Cómo inicializar un disco

Para inicializar un disco que aparece como *Desconocido* y *No inicializado*, siga los pasos siguientes:

1. Desde **Administración de discos**, seleccione el disco que no esté inicializado, muestre su menú contextual, seleccione **Inicializar disco** y verá la pantalla siguiente (también puede ocurrir que muestre directamente la pantalla sin necesidad de que el usuario haga nada):

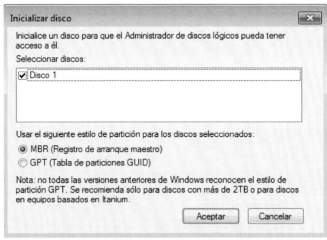

2. Seleccione el disco que desea inicializar, indique el estilo de partición que desea utilizar (*MBR* o *GPT*), pulse en **Aceptar** y se inicializará para su utilización con Windows.

## 13.4.5 Cómo cambiar el estilo de partición de un disco

Para cambiar el estilo de partición de un disco (para poder hacerlo deberá tener todo el espacio del disco sin asignar), desde **Administración de discos**, seleccione el disco al que quiere cambiar su estilo de partición, muestre su menú contextual, seleccione **Convertir en disco GPT** (si es un disco *MBR*) o **Convertir en disco MBR** (si es un disco *GPT*).

# 13.5 TRABAJANDO CON DISCOS BÁSICOS

## 13.5.1 Cómo crear una partición

Para crear una partición (tenga en cuenta que todas las particiones que cree serán primarias hasta que llegue a un total de tres. Desde ese momento, automáticamente las particiones serán extendidas y con unidad lógica), siga los pasos siguientes:

1. Desde **Administración de discos**, seleccione el espacio no asignado que desee, muestre su menú contextual, seleccione **Nuevo volumen simple** y entrará en el asistente.

2. Pulse en **Siguiente** y verá la pantalla:

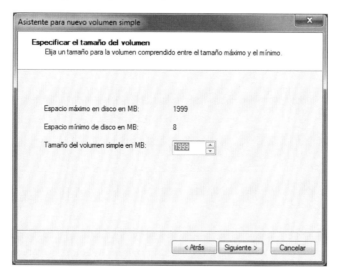

En ella se encuentra el espacio máximo y mínimo que puede dar a la partición que está creando. Indique el tamaño que desea darle y pulse en **Siguiente** y verá una nueva pantalla.

3. Asigne una letra de unidad a la partición que está creando (también podría indicar que monte la unidad en una carpeta *NTFS* vacía de otra partición o no asignar ninguna letra a la unidad), pulse en **Siguiente** y verá la pantalla:

4. Indique si desea formatear o no la partición. Para formatearla deberá indicar el sistema de archivos a utilizar (*NTFS*), el tamaño de la unidad de asignación, la etiqueta de volumen, si desea realizar un formato rápido y si desea habilitar la compresión de archivos y carpetas en la partición que está creando. Cuando lo haya indicado, pulse en **Siguiente**.

5. Le mostrará una pantalla con el resumen de la configuración seleccionada. Cuando la haya leído, pulse en **Finalizar**.

6. Al cabo de un momento, le mostrará la pantalla de **Administración de discos** con la partición nueva y procederá a su formateo (si así se había indicado).

En cualquier momento puede volver a formatear la partición si selecciona **Formatear** de su menú contextual, pero tenga en cuenta que todos los datos se perderán cada vez que lo haga.

En cualquier momento puede cambiar la letra asignada a la partición si selecciona **Cambiar la letra y rutas de acceso de unidad** de su menú contextual, pero puede ocasionar que ya no se ejecuten los programas que residan en ella.

En cualquier momento puede activar la partición para que arranque el sistema desde ella si selecciona **Marcar la partición como activa** de su menú contextual.

## 13.5.2 Cómo borrar una partición

Para borrar una partición, siga los pasos siguientes:

1. Desde **Administración de discos**, seleccione la partición que desea borrar, muestre su menú contextual y seleccione **Eliminar volumen** (si es el espacio libre de una partición extendida, deberá seleccionar **Eliminar partición**).

2. Le mostrará una pantalla de confirmación del borrado de la partición. Pulse en **Sí**.

3. Al cabo de un momento, le mostrará la pantalla de **Administración de discos** sin la partición.

## 13.5.3 Cómo aumentar el tamaño de una partición

No se puede aumentar el tamaño de una partición formateada con un sistema de archivos que no sea *NTFS*.

Para aumentar el tamaño de una partición, siga los pasos siguientes:

1. Desde **Administración de discos**, seleccione la partición que desea aumentar, muestre su menú contextual, seleccione **Extender volumen** y entrará en el asistente.

2. Pulse en **Siguiente** y verá una pantalla parecida a la siguiente:

3. En ella se muestran los discos que tienen espacio sin asignar para poder extender la partición (tenga en cuenta que si selecciona espacio

sin asignar de otro disco o espacio sin asignar que no sea contiguo a aquel en donde se encuentra la partición que quiere extender, el disco se convertirá a dinámico automáticamente y no podrá revertir el proceso).

En el apartado **Seleccione la cantidad de espacio**, indique el tamaño que desea añadir al que tiene actualmente la partición.

4.  Cuando lo haya indicado (en el ejemplo, se aumentará 1999 MB el tamaño de la partición del disco 1), pulse en **Siguiente** y verá la pantalla de finalización del asistente con un resumen de las selecciones que ha realizado.

5.  Cuando lo desee, pulse en **Finalizar** y se aumentará el tamaño de la partición.

## 13.5.4 Cómo disminuir el tamaño de una partición

No se puede reducir el tamaño de una partición formateada con un sistema de archivos que no sea *NTFS*.

Para disminuir el tamaño de una partición, siga los pasos siguientes:

1.  Desde **Administración de discos**, seleccione la partición que desea disminuir, muestre su menú contextual, seleccione **Reducir volumen** y verá una pantalla parecida a la siguiente:

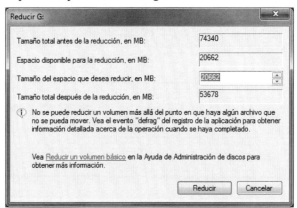

2.  En el apartado **Tamaño del espacio que desea reducir**, indique el tamaño que desea quitar del que tiene actualmente la partición.

3. Cuando lo haya indicado (en el ejemplo, se disminuirá 500 MB el tamaño de la partición), pulse en **Reducir** y se reducirá el tamaño de la partición.

# 13.6 CONVERTIR UN DISCO BÁSICO A DINÁMICO

Es posible convertir los discos básicos a dinámicos pero, para que se realice correctamente el proceso, hay que tener en cuenta las siguientes condiciones:

- Cualquier disco que se convierta deberá disponer, al menos, de 1 MB de espacio libre al final del disco (la utilidad **Administración de discos** reserva automáticamente este espacio libre al crear particiones o volúmenes en el disco, pero es posible que los discos que tengan particiones o volúmenes creados por otros sistemas operativos no dispongan de este espacio).

- Para convertir los discos básicos, se deberán, previamente, cerrar todos los programas que se estén ejecutando en ellos.

- Los dispositivos de medios extraíbles no se pueden convertir a dinámicos, ya que estos dispositivos únicamente pueden contener particiones primarias.

- No se pueden convertir a dinámicos los discos que utilicen una interfaz *USB* o *Firewire* (*IEEE 1394*).

- Una vez que se haya convertido un disco básico a dinámico, no se podrán volver a convertir los volúmenes dinámicos en particiones. En su lugar, deberá moverse o realizar una copia de seguridad de los datos, eliminar todos los volúmenes dinámicos del disco y, después, convertir el disco.

- Una vez convertidos, los discos dinámicos no pueden contener particiones ni unidades lógicas y no se puede tener acceso a los mismos desde *MS-DOS* o desde otro sistema operativo Windows anterior a *Windows 2000*.

- Si se convierte un disco con varias particiones que contengan sistemas operativos diferentes, además de Windows 7, no se podrá iniciar el equipo desde dichos sistemas operativos después de la conversión.

- Una vez que se haya convertido un disco básico a dinámico, todas las particiones existentes en el disco básico se convertirán a volúmenes simples.

- Se puede convertir un disco básico que contenga particiones del sistema o activas a disco dinámico. Una vez convertido el disco (después de reiniciar el equipo), las particiones activas se convierten en volúmenes simples de sistema o de inicio y la partición de inicio se convierte en un volumen de inicio simple.

- Si una partición del disco que se está convirtiendo se encuentra en uso, ocurrirá un suceso conocido por *forzar desmontaje* (significa que se desconectarán automáticamente todos los programas que estén utilizando el volumen). Si no se puede forzar el desmontaje de la partición, por ejemplo, si hay un archivo de paginación activo, no se completará la conversión hasta que se reinicie el equipo.

## 13.6.1 Cómo realizar la conversión

Para realizar la conversión de un disco básico a dinámico, siga los pasos siguientes:

1.  Desde **Administración de discos**, seleccione el disco que desea actualizar, muestre su menú contextual, seleccione **Convertir en disco dinámico** y verá la pantalla siguiente:

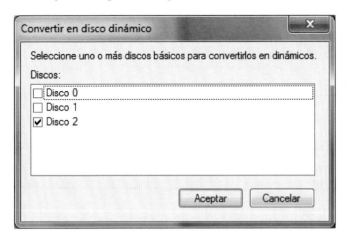

2.  En ella se muestran los discos que se pueden actualizar a dinámico. Seleccione el disco o los discos que desea actualizar, pulse en **Aceptar** y le mostrará la pantalla siguiente:

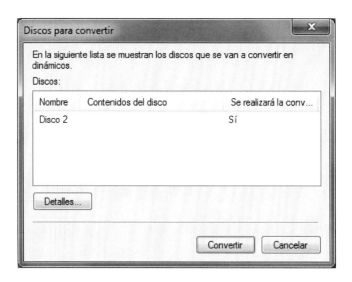

3.  En ella se encuentra el disco o los discos que se van actualizar y el contenido del disco.

    Si pulsa en **Detalles**, le mostrará los volúmenes que contiene.

4.  Cuando esté preparado, pulse en **Convertir** y le mostrará una pantalla de aviso, la cual le indica que no podrán iniciar otros sistemas operativos distintos desde ningún volumen de los discos que está convirtiendo. Pulse en **Sí** para comenzar la conversión.

    Si hay una partición en uso, le mostrará un mensaje, que le indicará que los sistemas de archivos se desmontarán. Pulse en **Sí** para continuar con la operación y le mostrará un aviso de que se reiniciará el equipo para completar el proceso si ha convertido la partición activa. Pulse en **Aceptar** para reiniciarlo.

5.  Cuando haya finalizado el proceso y entre en la **Administración de discos**, le mostrará que el disco se ha convertido a dinámico.

## 13.7 CONVERTIR UN DISCO DINÁMICO A BÁSICO

Es posible volver a convertir un disco dinámico a básico pero, para que se realice correctamente el proceso, hay que tener en cuenta las siguientes condiciones:

* Antes de hacer la conversión, es necesario mover o realizar una copia de seguridad de los datos.

- Para poder realizar la conversión, el disco no debe contener datos.

- No es posible volver a cambiar los volúmenes dinámicos en particiones.

- Primero se deben eliminar todos los volúmenes del disco dinámico y, después, se realizará la conversión.

- Una vez que se haya cambiado el disco dinámico a básico, únicamente se podrán, en ese disco, crear particiones y unidades lógicas.

## 13.7.1 Cómo realizar la conversión

Para realizar la conversión de un disco dinámico a básico (recuerde que previamente deberá realizar la copia de seguridad de todos los datos), siga los pasos siguientes:

1. Desde **Administración de discos**, seleccione el disco que desea convertir.

2. Sitúese en uno de los volúmenes que tenga dicho disco, muestre su menú contextual, seleccione **Eliminar volumen** y confirme que desea eliminarlo.

3. Repita el proceso con todos y cada uno de los volúmenes que haya en dicho disco.

4. Cuando ya no quede ningún volumen en dicho disco automáticamente se convertirá en disco básico. En caso de no haber sido así, sitúese sobre la zona correspondiente al disco, pulse el botón derecho del ratón para que muestre su menú contextual, seleccione **Convertir en disco básico** y realizará la conversión.

5. Una vez realizada la conversión, deberá crear las particiones que desee.

# Capítulo 14

# LAS HERRAMIENTAS DEL SISTEMA

Windows 7 incorpora una serie de aplicaciones cuyo cometido es optimizar el rendimiento del equipo.

Entre estas herramientas se encuentran desfragmentadores de disco, monitores de recursos del equipo o analizadores de discos.

## 14.1 EL DESFRAGMENTADOR DE DISCO

Cuando se trabaja con archivos que se están ampliando continuamente, como los de las bases de datos, es muy fácil que estos archivos se fragmenten en varios segmentos que harán que el trabajo con ellos sea más lento.

Por tanto, es conveniente realizar de forma periódica una desfragmentación de la partición o del volumen.

Para acceder a esta herramienta, pulse en el menú **Inicio**, **Todos los programas**, **Accesorios**, **Herramientas del sistema** y, finalmente, en **Desfragmentador de disco**.

Otra manera de acceder, es pulsando con el botón derecho del ratón sobre una unidad de disco. En el menú contextual que aparecerá, pulse sobre **Propiedades** y, después, en la pestaña **Herramientas**.

En ambos casos se mostrará la siguiente ventana:

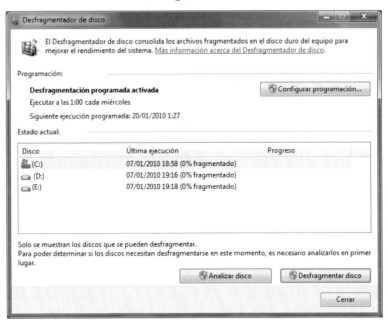

Si se pulsa sobre **Analizar disco**, la herramienta realizará un análisis del disco seleccionado e informará de la necesidad de realizar una desfragmentación o no. Si supera el 10%, se recomienda realizar la desfragmentación de disco.

Una vez realizado el análisis, si se pulsa en **Desfragmentar disco**, el sistema realizará el proceso de desfragmentación del disco seleccionado.

Es posible automatizar el proceso de desfragmentación. Para ello, pulse en **Configurar programación** y verá la siguiente ventana:

En ella, se selecionará la periocidad con la que el sistema realizará el proceso de desfragmentación de disco, y a qué disco o discos lo va a realizar.

# 14.2 LA COMPROBACIÓN DE ERRORES

Cuando un equipo se cierra de manera inadecuada, como cuando se ha realizado un apagado incorrecto o un fallo en la energía del equipo, es posible que los discos se dañen y se pueda perder la información.

Esta herramienta localiza estos fallos e intenta solventarlos sin pérdida de la información por parte del usuario (aunque en muchos casos pueda solventar este tipo de problemas, en numerosas ocasiones será necesario utilizar otro *software* para realizar recuperación más satisfactoria de los datos perdidos).

Esta comprobación se podrá realizar en cualquier tipo de almacenamiento, exceptuando aquellos que sean de sólo lectura.

Windows 7 lanzará automáticamente el proceso de comprobación de errores en el disco donde se encuentre instalado después de un apagado erróneo del equipo, como pudiera ser una pérdida de energía.

Para acceder a la herramienta, pulse con el botón derecho del ratón sobre una unidad de disco. En el menú contextual que aparecerá, pulse sobre **Propiedades**.

En la nueva ventana que aparecerá, pulse en la pestaña **Herramientas** y, seguidamente, en **Comprobar ahora**, mostrando la siguiente pantalla:

Es esta ventana se podrá configurar la aplicación para que repare automáticamente los errores encontrados durante la comprobación y que intente recuperar aquellos sectores del disco defectuosos.

Al finalizar el análisis, la aplicación mostrará una ventana con el resultado del análisis:

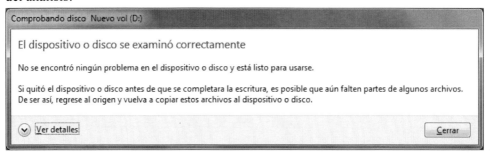

Si se pulsa en **Ver detalles**, se accederá a un resumen del análisis mucho más extenso.

# 14.3 LA INFORMACIÓN DEL SISTEMA

Con esta aplicación se tiene acceso a un amplio catálogo de información del equipo, desde aplicaciones instaladas a modelo de *hardware* instalado.

Para acceder a esta herramienta, pulse en el menú **Inicio**, **Todos los programas**, **Accesorios**, **Herramientas del sistema** y, finalmente, en **Información del sistema**, mostrando la siguiente ventana:

El usuario tendrá acceso a los diferentes niveles de información desplegando los menús situados en la parte izquierda de la ventana.

Éstos se dividen en tres grandes partes:

- **Recursos de hardware**. En donde se podrá consultar todo aquello relacionado con *hardware* del equipo.

- **Componentes**. Muestra información relacionada con los componentes instalados en el equipo.

- **Entorno de software**. Se podrán consultar las tareas que se están ejecutando en ese mismo momento, los programas que se ejecutan al inicio de la sesión, los trabajos de impresión, etc.

## 14.4 EL LIBERADOR DE ESPACIO EN DISCO

Esta aplicación le permite liberar espacio del disco de la información que no se usa y que, por tanto, se puede eliminar.

Para acceder a esta herramienta, pulse en el menú **Inicio**, **Todos los programas**, **Accesorios**, **Herramientas del sistema** y, finalmente, en **Liberador de espacio en disco**, mostrando la siguiente ventana:

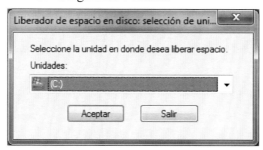

En ella se seleccionará la unidad a analizar. Una vez seleccionada pulse **Aceptar** para que el sistema comience el proceso.

Al finalizar el análisis, la aplicación mostrará una venta donde se podrá seleccionar qué tipo de archivos van a ser eliminados.

Para ello, se marcarán las casillas de verificación de las diferentes opciones.

En la parte inferior se mostrará información sobre el tipo de archivos que se van a borrar y, según el tipo de archivo, aparecerán opciones como **Ver**

**archivos** o **Ver páginas**, donde se abrirá un explorador en el que se verán los archivos seleccionados para borrar.

Para eliminar los archivos, pulse en **Aceptar.**

## 14.5 EL PROGRAMADOR DE TAREAS

Esta aplicación permite al usuario programar la ejecución automatizada de una acción, a una determinada hora o cuando se produzca un determinado evento.

Para acceder a esta herramienta, pulse en el menú **Inicio, Todos los programas, Accesorios, Herramientas del sistema** y, finalmente, en **Programador de tareas**. Verá la siguiente ventana:

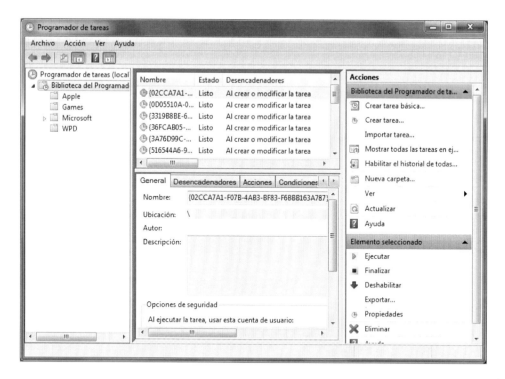

Existen dos conceptos implicados en la programación de una tarea y que se deben conocer antes de realizar la configuración:

- **Desencadenadores**. Son un conjunto de criterios que, si se cumplen, se iniciará la ejecución de la tarea.

   Pueden usarse desencadenadores basados en tiempo (se iniciarán las tareas basándose en una programación u hora concreta) o basados en eventos (se iniciarán las tareas como respuesta a ciertos eventos del sistema, como el inicio del sistema por parte del usuario).

- **Acciones**. La acción de una tarea es el trabajo que se realiza cuando se ejecuta la tarea. Una tarea puede estar formada por una única acción o por un máximo de 32 acciones.

La ventana principal de la aplicación se divide en tres apartados:

- En la parte izquierda se encuentra la **Biblioteca del programador**, donde se tendrá acceso a todas las tareas que se han ido creando en el equipo.

- En la parte central se tendrá acceso a información detallada de cada tarea.

  Si se pulsa sobre una determinada tarea, se podrán consultar los desencadenadores de la tarea o las acciones que se llevarán a cabo, pulsando en las distintas pestañas:

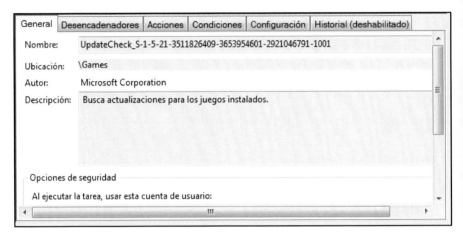

- En la parte de la derecha, se encuentra el módulo de **Acciones**, desde el que se podrá crear nuevas tareas o incluso ejecutar la tarea actualmente seleccionada o eliminarla.

Para crear una tarea, pulse en **Crear tarea básica** o **Crear tarea**, dependiendo del nivel de complejidad que necesite el usuario (en el ejemplo, se creará una tarea básica) y verá la siguiente ventana:

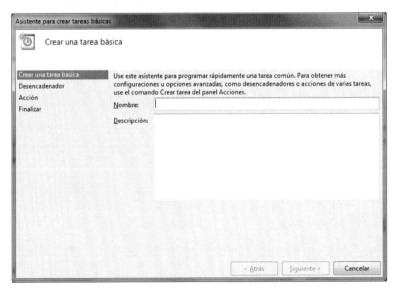

En ella se configurará el nombre de la tarea y la descripción. Seguidamente, pulse en **Siguiente** y mostrará la siguiente ventana:

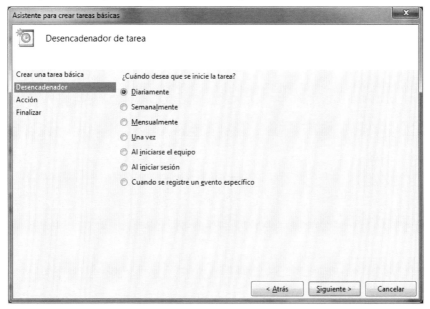

En la ventana se configurará el desencadenador de la tarea (en el ejemplo será **Al iniciar sesión**). Pulse en **Siguiente** para continuar, y verá la siguiente ventana:

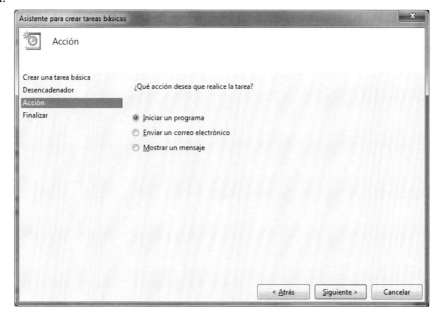

En esta ventana se configurará la acción a realizar (en el ejemplo, se indicará **Mostrar un mensaje**). Pulse en **Siguiente** para continuar y verá la siguiente ventana:

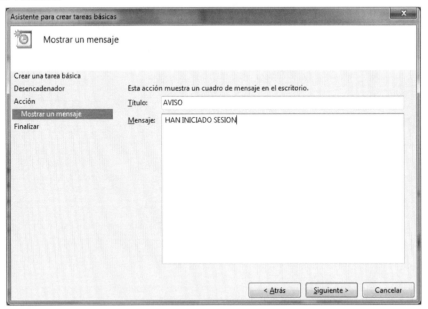

En esta pantalla se indicará el aviso que mostrará cuando se realice la acción.

Cuando lo haya indicado, pulse en **Siguiente** y verá una ventana resumen con las características de la nueva tarea creada. Pulse en **Finalizar** para salir del asistente.

## 14.6 EL ADMINISTRADOR DE TAREAS

El Administrador de tareas proporciona información acerca de los programas, procesos y servicios que se están ejecutando en el equipo. También, muestra medidas de rendimiento del equipo, así como otra información. Para ejecutar la utilidad siga los pasos siguientes:

- Pulse las teclas **[CTRL]+[ALT]+[SUPR]** e **Iniciar el Administrador de tareas**.

- Otro procedimiento sería pulsar con el botón derecho sobre la barra de tareas y seleccionar **Iniciar el administrador de tareas** del menú contextual.

En ambos casos, verá una pantalla parecida a la siguiente:

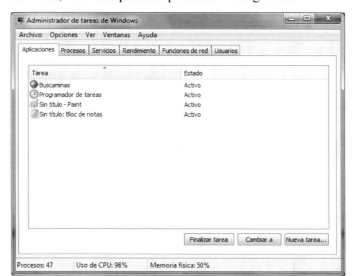

- En ella se muestra información acerca de las tareas que se están ejecutando en el equipo. Si desea finalizar una tarea, selecciónela y pulse en **Finalizar tarea**.

- Si pulsa en la pestaña **Procesos**, verá una pantalla en la que se muestra información acerca de los procesos que se están ejecutando en el equipo (del usuario que ha iniciado sesión o de todos los usuarios). Si desea finalizar un proceso, selecciónelo y pulse en **Finalizar proceso.**

- Si pulsa en la pestaña **Servicios**, verá una pantalla parecida a la siguiente:

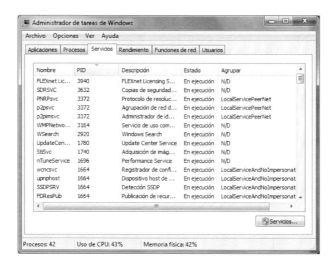

En ella se muestra información acerca de los servicios que se están ejecutando en el equipo. Si pulsa en **Servicios**, podrá detener o iniciar el que desee.

- Si pulsa en la pestaña **Rendimiento**, verá una pantalla parecida a la siguiente:

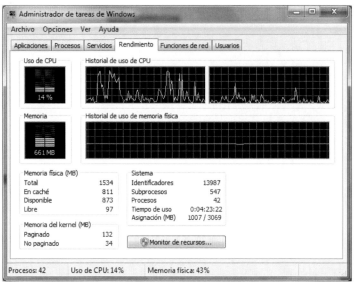

En ella se muestra información actualizada sobre el rendimiento del equipo:

- Gráficos de utilización de la CPU y la memoria.

- Número total de identificadores, subprocesos y procesos que se están ejecutando en el equipo.

- Número total, en MB, de memoria física y del kernel.

- Si pulsa en **Monitor de recursos**, verá más información sobre **CPU**, **Disco**, **Red** y **Memoria**. Si pulsa en cualquiera de los cuatro gráficos, en la parte inferior se mostrará información detallada sobre dichos datos.

- Si pulsa en la pestaña **Funciones de red**, verá una pantalla parecida a la siguiente:

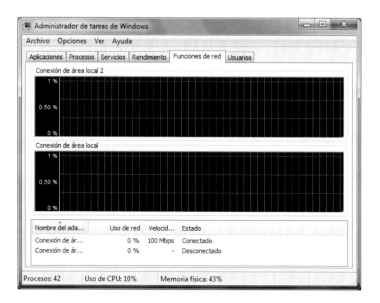

En ella se muestra información gráfica sobre el rendimiento de las redes que están funcionando en el equipo (sólo se muestra si hay instalada, al menos, una tarjeta de red).

• Si pulsa en la ficha **Usuarios**, verá una pantalla en la que se muestra información sobre los usuarios que están conectados al equipo, el estado de la sesión, el nombre del equipo en el que están conectados y el nombre de la sesión. Si selecciona un usuario, podrá desconectarlo del servidor, cerrar su sesión o enviarle un mensaje.

Cuando haya finalizado, cierre la utilidad.

# 14.7 EL FIREWALL DE WINDOWS

Un **cortafuegos** (o *firewall* en inglés) es un elemento de *hardware* o *software* utilizado en una red de computadoras para controlar las comunicaciones con el exterior, permitiéndolas o bloqueándolas según las políticas de red que se hayan definido.

El *firewall* puede definirse como un filtro que controla todas las comunicaciones que pasan de una red a otra y en función de su naturaleza permite o deniega su paso. Para permitir o denegar una comunicación, el *firewall* examina el tipo de servicio al que corresponde, como pueden ser HTTP, SMTP o FTP, analizando también si el tráfico es entrante o saliente.

Cuando se instala el *firewall* se configura con una serie de reglas que debe cumplir todo el tráfico que pasa a través de él. Por ejemplo, si se instala un *firewall* en una empresa y se establece una regla que bloquee el protocolo FTP de salida, los usuarios de esa red no podrán establecer sesiones FTP con el exterior.

El Firewall de Windows es bastante bueno y muy configurable, aunque en este libro únicamente se va a desarrollar la configuración básica.

Para trabajar con el Firewall de Windows, siga los pasos siguientes:

- Seleccione **Firewall de Windows** del **Panel de control** (en el apartado **Sistema y seguridad**) y verá la pantalla siguiente:

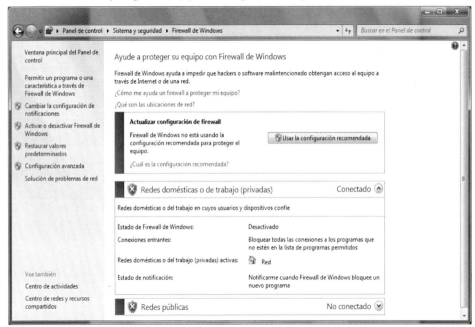

- Pulse en **Activar o desactivar Firewall de Windows** y verá la pantalla siguiente:

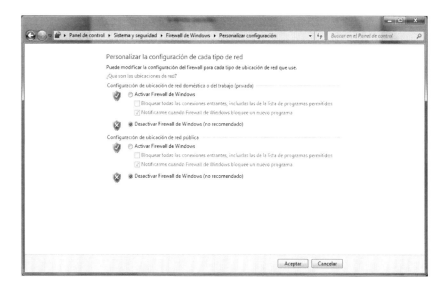

En esta ventana se podrá activar el Firewall de Windows o desactivarlo. Si se activa, se podrá configurar para que bloquee todas las conexiones entrantes, incluso las de las listas de programas permitidos y para que notifique al usuario cuando el Firewall bloquee un nuevo programa.

Este procedimiento se realizará tanto para las redes domésticas como para las redes públicas. Cuando lo haya realizado, pulse en **Aceptar**.

- Para configurar la lista de programas permitidos, en la ventana principal, pulse en **Permitir un programa o una característica a través de Firewall de Windows** y verá la siguiente ventana:

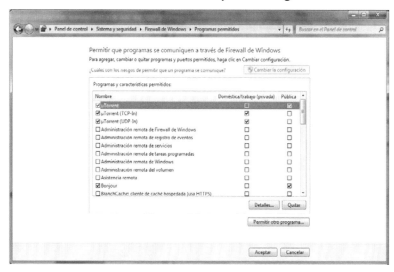

En esta ventana se configurará marcando o desmarcando los programas con autorización del Firewall de Windows a comunicarse y en qué tipo de red pueden realizarlo.

Si el programa que se necesita configurar no aparece en el listado, pulse en **Permitir otro programa** para localizarlo.

Cuando haya terminado, pulse en **Aceptar** y cierre todas las ventanas.

# 14.8 EL VISOR DE EVENTOS

El **Visor de eventos** es la herramienta que permite examinar y administrar los eventos ocurridos en el equipo.

Un **evento** es un acontecimiento significativo del sistema o de una aplicación que requiere una notificación al usuario.

Los registros de eventos que se muestran en un controlador principal de dominio son:

- **Vistas personalizadas**. Una vez creado un filtro que muestre sólo los registros que interesen, se puede guardar con un nombre para utilizarlo después. Ese filtro guardado es una vista personalizada (en un apartado posterior, se indica cómo crearlas).

- **Registros de Windows**.

  - **Aplicación**. Muestra los eventos generados por las aplicaciones o los programas.

  - **Seguridad**. Muestra los eventos que se producen al hacer un seguimiento de los cambios en el sistema de seguridad o al detectar cualquier fallo.

  - **Instalación**. Muestra los eventos relacionados con la instalación del sistema operativo o sus componentes.

  - **Sistema**. Muestra los eventos que se producen en los distintos componentes de Windows 7.

- **Eventos reenviados**. Este registro se utiliza para almacenar los eventos recopilados de equipos remotos (para ello, se deberá crear previamente una suscripción de evento).

- **Registros de aplicaciones y servicios**. Estos registros son una nueva categoría de los registros de eventos y permiten almacenar eventos de una única aplicación o componente en lugar de eventos que pueden tener un impacto en todo el sistema.

- **Suscripciones**. El visor de eventos permite ver eventos en un único equipo remoto. Sin embargo, la solución de un problema puede requerir el examen de un conjunto de eventos almacenados en varios registros de diferentes equipos.

El Visor de eventos puede mostrar los siguientes tipos de sucesos:

- **Crítico**. Corresponde a un error del que no puede recuperarse automáticamente la aplicación o el componente que desencadenó el evento.

- **Error**. Corresponde a un problema importante que puede afectar a la funcionalidad externa a la aplicación o al componente que desencadenó el evento.

- **Advertencia**. Corresponde a un evento que no es importante necesariamente, pero que indica la posibilidad de problemas en el futuro.

- **Información**. Corresponde a un evento que describe el funcionamiento correcto de una aplicación, un controlador o un servicio.

- **Auditoría correcta**. Indica que se ha realizado correctamente el ejercicio de los derechos de un usuario.

- **Error de auditoría**. Indica que se ha producido un error en el ejercicio de los derechos de un usuario.

- El servicio **Registro de eventos de Windows** se inicia automáticamente cuando se carga Windows 7 (puede deshabilitarse si se desea desde *Servicios* de la utilidad *Administración de equipos*).

Para trabajar con esta utilidad, siga los pasos siguientes:

- Para ejecutar el **Visor de eventos**, pulse en el menú **Inicio, Panel de control, Sistemas y Seguridad** y **Herramientas administrativas**. Finalmente, pulse en **Ver registro de eventos** y verá una pantalla parecida a la siguiente:

En el panel izquierdo se muestran las distintas opciones de eventos que se pueden visualizar.

- Pulse en el triángulo que hay a la izquierda del nodo **Registros de Windows** y se desplegarán sus nodos.

- Sitúese sobre uno de ellos y verá en el panel central información sobre los eventos correspondientes.

  En cada evento se muestra: el tipo de suceso, la fecha y la hora, el origen del evento, el número correspondiente al evento (un mismo evento puede tener varios registros) y su categoría (es la clasificación según lo define el origen).

  Además de dichos datos, muestra un icono a la izquierda de cada registro que corresponde al tipo de suceso:

- Un icono con una letra "**i**" azul en fondo blanco indica que es un suceso informativo, es decir, es un registro de un suceso realizado con éxito.

- Un icono con un signo "**!**" en fondo amarillo indica una advertencia de un error que no es significativo pero que puede ocasionar problemas en el futuro.

- Un icono con una signo "**!**" en fondo rojo indica un error (por pérdida de datos o por pérdida de funciones).

- Un icono con un signo "**X**" en fondo rojo indica un error crítico (por pérdida de datos o por pérdida de funciones).

- Un icono con forma de llave indica un intento de acceso de seguridad finalizado correctamente (sólo se muestran en el registro de seguridad).

- Un icono con forma de candado indica un intento de acceso de seguridad que no ha finalizado correctamente (sólo se muestran en el registro de seguridad).

- Si pulsa dos veces el botón izquierdo del ratón sobre un registro, verá información detallada sobre él. Ahora, puede desplazarse por la lista de registros si pulsa **Anterior** (flecha arriba) o **Siguiente** (flecha abajo). Pulse en **Cerrar** para volver a la pantalla principal.

- Puede ver los otros tipos de registros si pulsa sobre ellos.

## 14.8.1 Cómo configurar el Visor de eventos

Para configurar el Visor de eventos, siga los pasos siguientes:

- Ejecute el **Visor de eventos** y verá la pantalla principal de la utilidad.

- Sitúese sobre el registro que desea configurar (en el ejemplo, *Registro de aplicación*), muestre su menú contextual, seleccione **Propiedades** y verá la pantalla siguiente:

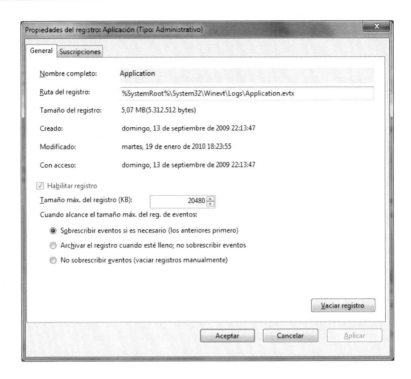

Está en la ficha **General** y en ella se encuentran los siguientes apartados:

- **Nombre completo**. Corresponde al nombre que aparecerá en el panel izquierdo.

- **Ruta de registro**. Corresponde al nombre y ubicación del archivo de registro seleccionado.

- **Tamaño del registro**. Muestra el tamaño actual del archivo de este registro.

- **Creado**. Muestra la fecha en que se creó este archivo de registro.

- **Modificado**. Muestra la fecha en que se realizó la última modificación en este archivo de registro (las entradas que se muestran que tienen fecha posterior están guardadas en la caché y aún no se han grabado en el archivo).

- **Con acceso**. Muestra la fecha en que se leyó o escribió por última vez en este archivo de registro.

- **Habilitar registro**. Indica si dicho registro está almacenando los eventos que se produzcan.

- **Tamaño máximo del registro**. Permite indicar el espacio máximo en KB que puede tener este archivo de registro.

- **Sobrescribir eventos si es necesario**. Al activar esta casilla, se está indicando que, si este registro llega a su tamaño máximo, cada nuevo suceso reemplazará al más antiguo.

- **Archivar el registro cuando esté lleno; no sobrescribir eventos**. Al activar esta casilla, se está indicando que cuando el archivo haya llegado a su tamaño máximo, se archivará automáticamente y no se sobrescribirá ningún evento.

- **No sobrescribir eventos (vaciar registros manualmente)**. Al activar esta casilla, se está indicando que se conservarán todos los sucesos aunque el registro haya llegado a su tamaño máximo y se tendrán que borrar los sucesos manualmente

- Si pulsa en la ficha **Suscripciones**, verá la pantalla siguiente (en caso de que el servicio **Recopilador de eventos de Windows** no se esté ejecutando, le mostrará un aviso en el que se lo indicará. Pulse en **Sí** para iniciarlo):

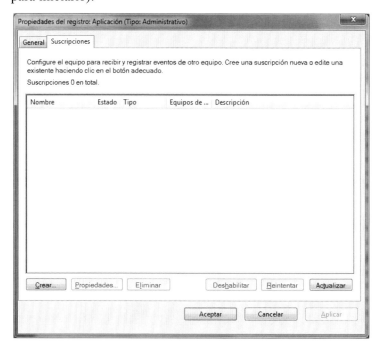

Si pulsa en **Crear**, pasará a una nueva pantalla en donde podrá añadir una nueva suscripción.

Si selecciona una suscripción de la lista, podrá ver sus **Propiedades** para modificar la suscripción, **Eliminar** dicha suscripción, **Deshabilitarla**, **Reintentar** su ejecución o **Actualizar** la lista.

- Cuando haya acabado, pulse en **Aceptar** para volver a la pantalla principal de la utilidad.

# 14.9 LA UTILIDAD DE CONFIGURACIÓN DEL SISTEMA

La utilidad de **Configuración del sistema** permite modificar la configuración del arranque del ordenador mediante casillas de verificación.

Para trabajar con esta utilidad, siga los pasos siguientes:

- Seleccione **Configuración del sistema** de **Herramientas administrativas** y verá la pantalla siguiente:

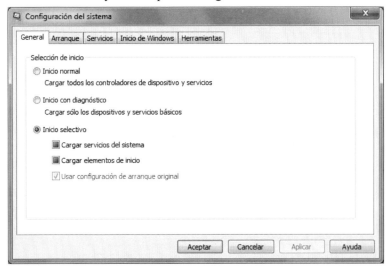

Está en la ficha **General** y en ella se encuentran los apartados siguientes:

- **Inicio normal**. Si activa esta casilla, estará indicando que el sistema se inicie normalmente, es decir, que cargue todos los controladores de dispositivos y servicios (es el método predeterminado).

- **Inicio con diagnóstico**. Si activa esta casilla, estará indicando que el sistema se cargue con los servicios y controladores básicos para intentar detectar un problema que haya en el sistema.

- **Inicio selectivo**. Si activa esta casilla, estará indicando que se inicie el sistema con los servicios y controladores básicos y los otros servicios y programas de inicio que el usuario seleccione activando las casillas que desee.

- Si pulsa en la ficha **Arranque**, verá la pantalla siguiente:

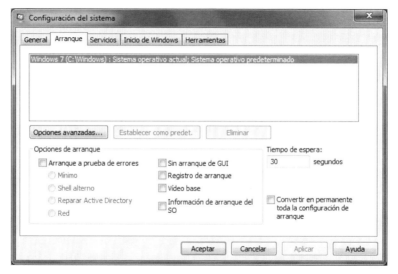

En ella se muestran las opciones de arranque para el sistema operativo y opciones de depuración avanzadas como:

- **Arranque a prueba de errores**. Si activa esta casilla, estará indicando que el sistema se inicie a prueba de errores para intentar detectar los problemas que hubiera. Tendrá que elegir entre las siguientes opciones:

  - **Mínimo**. Se arrancará con la interfaz gráfica de Windows en modo seguro, ejecutando únicamente los servicios críticos del sistema (los servicios de red estarán deshabilitados).

  - **Shell alterno**. Se arrancará con el Símbolo del sistema en modo seguro ejecutando únicamente los servicios críticos del sistema (los servicios de red y la interfaz gráfica estarán deshabilitados).

- **Reparar Active Directory**. Se arrancará con la interfaz gráfica de Windows en modo seguro, ejecutando únicamente los servicios críticos del sistema y Active Directory (los servicios de red estarán deshabilitados).

- **Red**. Se arrancará con la interfaz gráfica de Windows en modo seguro, ejecutando únicamente los servicios críticos del sistema y los servicios de red.

- **Sin arranque de GUI**. No mostrará la pantalla de bienvenida de Windows al arrancar el sistema.

- **Registro de arranque**. Almacenará toda la información del proceso de arranque en el archivo *\Windows\ntbtlos.txt*.

- **Vídeo base**. Se arrancará con la interfaz gráfica de Windows en modo VGA mínimo.

- **Información de arranque del sistema operativo**. Mostrará los nombres de los controladores a medida que se vayan cargando durante el proceso de arranque del sistema.

- **Convertir en permanente…** Si activa esta casilla, todas las selecciones quedarán permanentes y deberán modificarse de nuevo desde esta pantalla (no se desharán seleccionando **Inicio normal** de la ficha **General**).

- **Tiempo de espera**. En este apartado, puede indicar el tiempo que esperará al iniciar el sistema antes de arrancar el sistema operativo predeterminado.

- **Establecer como predeterminado**. Si hubiera más de un sistema operativo instalado en el equipo, podrá indicar cuál es el predeterminado.

- **Eliminar**. Si hubiera más de un sistema operativo instalado en el equipo, podrá seleccionar el que desee y pulsar este botón para eliminarlo.

- **Opciones avanzadas**. Si pulsa en este botón, verá la pantalla siguiente:

En ella se encuentran los apartados siguientes:

- **Número de procesadores**. Si activa esta casilla, podrá indicar el número de procesadores que desea utilizar en el arranque.

- **Cantidad máxima de memoria**. Si activa esta casilla, podrá indicar la cantidad de memoria máxima que desea utilizar en el arranque.

- **Bloqueo de PCI**. Si activa esta casilla, estará indicando que Windows no asigne de forma dinámica los recursos IO/IRQ a los dispositivos PCI y permite que dichos dispositivos sean configurados por la BIOS.

- **Depurar**. Si activa esta casilla, deberá indicar la configuración global de depuración para que se envíen los datos por el puerto indicado.

Cuando lo desee, pulse en **Aceptar** para volver a la pantalla anterior.

- Si pulsa en la ficha **Servicios**, verá una pantalla parecida a la siguiente:

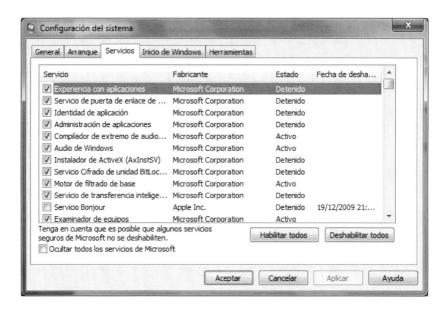

En ella se encuentran todos los servicios que se cargan al iniciar el equipo indicando el estado en el que se encuentran. Podrá habilitar o deshabilitar los que desee y ver los servicios que no son de Microsoft.

- Si pulsa en la ficha **Inicio de Windows**, verá una pantalla parecida a la siguiente:

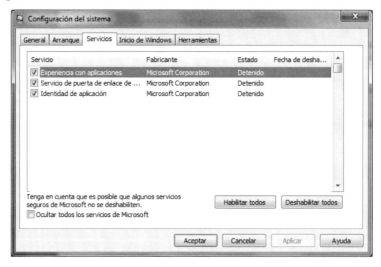

En ella se encuentran todas las aplicaciones que se cargan en el inicio junto con el fabricante, el programa ejecutable y la ubicación de la clave del Registro o el acceso directo para la ejecución de la aplicación. Podrá habilitar o deshabilitar las que desee.

- Si pulsa en la ficha **Herramientas**, verá una pantalla parecida a la siguiente:

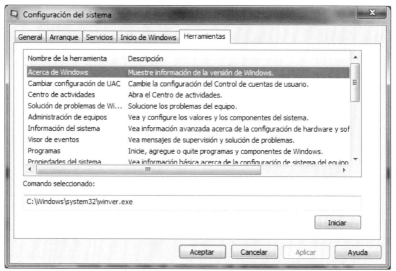

En ella se encuentra una lista de herramientas de diagnóstico y otras herramientas avanzadas que se pueden ejecutar.

Si selecciona una de ellas, en la parte inferior indicará el archivo ejecutable y su ubicación. Pulse en **Iniciar** para utilizarla.

Cuando haya finalizado, pulse en **Aceptar** para salir de la utilidad y reinicie el equipo (si fuera necesario).

# 14.10 LA MONITORIZACIÓN DEL RENDIMIENTO DEL EQUIPO

Para monitorizar el rendimiento del equipo, Windows 7 proporciona las siguientes herramientas:

- **Monitor de rendimiento**.

- **Monitor de confiabilidad**.

- **Conjuntos recopiladores de datos**.

## 14.10.1 Monitor de rendimiento

Para acceder a la aplicación seleccione **Monitor de rendimiento** de **Herramientas administrativas** del menú **Inicio** y verá la pantalla principal de la utilidad.

El **monitor de rendimiento** es una herramienta gráfica que sirve para visualizar datos sobre el rendimiento, en tiempo real y desde archivos de registro. Entre sus posibilidades se encuentran:

- Reunir datos de rendimiento en tiempo real tanto del equipo local como de cualquier otro equipo de la red.

- Ver los datos reunidos (tanto los actuales como los anteriores) en un registro de contadores de rendimiento.

- Presentar los datos en un gráfico, en un histograma o en un informe.

- Exportar los datos a Word u otras aplicaciones de Microsoft Office.

- Crear páginas HTML a partir de las vistas de rendimiento.

Para trabajar con el monitor de rendimiento, siga los pasos siguientes:

- Seleccione **Monitor de rendimiento** del panel izquierdo y verá la pantalla siguiente:

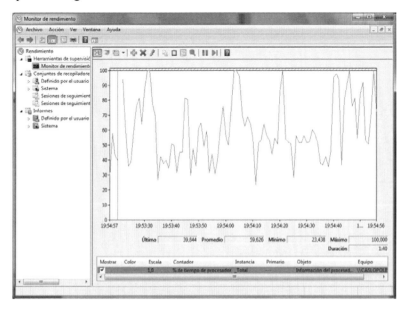

En ella se muestra un gráfico sobre el uso del procesador (en porcentaje) y, en su parte inferior, cinco valores:

- **Último**. Es el último valor leído.

- **Promedio**. Es la media de todos los valores leídos.

- **Mínimo**. Es el valor más pequeño de los leídos.

- **Máximo**. Es el valor mayor de los leídos.

- **Duración**. Muestra el tiempo que se tarda en crear un gráfico completo en la pantalla.

En la parte inferior, se muestra la leyenda correspondiente a cada uno de los distintos gráficos (incluyendo, color, escala, contador, instancia, objeto y equipo).

- Cuando haya finalizado, cierre la utilidad.

Para crear un gráfico nuevo, siga los pasos siguientes:

- Seleccione **Monitor de rendimiento** de **Herramientas administrativas**.

- Seleccione **Monitor de rendimiento** del panel izquierdo y verá la pantalla principal de la utilidad.

- Pulse en el quinto icono de la izquierda (**Eliminar**) para que se elimine el contador y se limpie la pantalla.

- Pulse en el cuarto icono de la izquierda (**Agregar**) y verá la pantalla siguiente:

En ella se encuentran los apartados siguientes:

- **Seleccionar contadores del equipo**. En este apartado podrá escribir el nombre del equipo sobre el que se va a realizar el gráfico (si pulsa en el triángulo que hay a la derecha del apartado, podrá seleccionarlo).

- Debajo, podrá **seleccionar el objeto que desea monitorizar** (si pulsa en el signo "v" se desplegarán los nodos de los objetos y si pulsa en la barra de desplazamiento vertical que hay a la derecha del apartado, se verán más objetos). Seleccione todos los objetos que desee monitorizar.

- **Instancias del objeto seleccionado**. En este apartado, podrá seleccionar la instancia que desea monitorizar, que estará en función del objeto seleccionado (por ejemplo, un equipo con dos discos duros tendrá dos instancias. El seguimiento de los datos se hará en cada instancia). Si lo desea, podrá indicar que desea realizarlo en todas las instancias.

- **Mostrar descripción**. Si activa esta casilla, le mostrará, en la parte inferior de la pantalla, información sobre el objeto seleccionado.

- Cuando haya hecho una selección de datos, pulse en **Agregar** y pasarán a la ventana de **Contadores agregados**.

- Si selecciona un contador y pulsa en **Quitar**, se eliminará de la lista.

- Cuando haya finalizado, pulse en **Aceptar** y volverá a la pantalla principal de la utilidad. Fíjese que ya se está monitorizando el sistema.

- En la parte inferior del gráfico, le muestra información sobre los contadores seleccionados. Si se sitúa en cualquiera de ellos, muestra su menú contextual y selecciona **Propiedades**, podrá modificar la escala, la apariencia, etc., del contador seleccionado.

- También puede borrar cualquiera de las líneas con información de los contadores seleccionados. Seleccione una de ellas y pulse [**SUPR**]. La línea desaparecerá y su gráfico también.

- Para guardar los datos, muestre su menú contextual y seleccione **Guardar configuración como**.

Indique la ubicación donde desea guardar el archivo y el nombre que desea ponerle. Se puede escoger entre dos formatos:

- **Página web** (con extensión *HTM*). Para poder incorporar el gráfico a una página web.

- **Informe** (con extensión *TSV*). Para poder exportar los datos a una hoja de cálculo.

Cuando haya finalizado, pulse en **Guardar**.

- Para guardar la imagen, muestre su menú contextual y seleccione **Guardar imagen como**.

Indique la ubicación en donde desea guardar el archivo y el nombre que desea ponerle (se guardará con extensión *GIF*).

Cuando haya finalizado, pulse en Guardar.

- Cuando desee finalizar el gráfico, muestre su menú contextual, seleccione **Quitar** todos los contadores, confirme que desea hacerlo y se limpiará la pantalla.

- Cuando haya acabado, cierre la utilidad.

## 14.10.2 Monitor de confiabilidad

El monitor de confiabilidad es una aplicación que cuantifica los problemas, tanto de *hardware* como de *software* que haya en el equipo, así como de otros cambios.

La aplicación valora la estabilidad del equipo entre 1 (menos estable) a 10 (más estable).

Para acceder a la aplicación pulse en menú **Inicio**, **Monitor**, **Panel de control**, **Sistema y seguridad y Centro de actividades**. Finalmente, pulse en **Monitor de confiabilidad** y verá la pantalla siguiente (en caso de no ver la opción **Monitor de confiabilidad** dentro del **Centro de actividades**, pulse en **Mantenimiento**, después, en **Ver historial de confiabilidad** y le abrirá directamente esta utilidad):

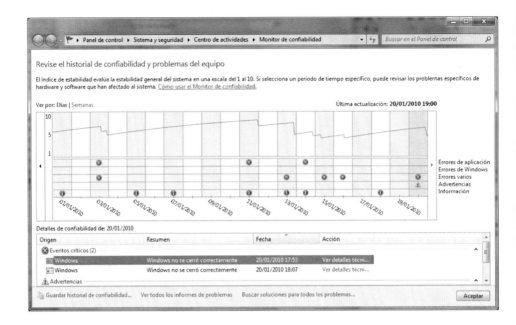

Para poder trabajar con la aplicación siga los siguientes pasos:

- Pulse en cualquier evento del gráfico para ver sus detalles.

- Pulse en **Días** o **Semanas** para ver el índice de estabilidad a lo largo de un período específico.

- Pulse en los elementos de la columna **Acción** para ver más información acerca de cada evento.

- Pulse en **Ver todos los informes de problemas** para observar únicamente los problemas que se hayan producido en el equipo. Esta vista no incluye los demás eventos del equipo que se muestran en el Monitor de confiabilidad, como los eventos relacionados con la instalación de *software*.

## 14.11 LA UTILIDAD SISTEMA

Esta utilidad permite ver y modificar distintas propiedades del equipo. Para trabajar con ella, pulse en el icono **Sistema** de **Sistemas y seguridad** del **Panel de control** del menú **Inicio** y verá una pantalla parecida a la siguiente:

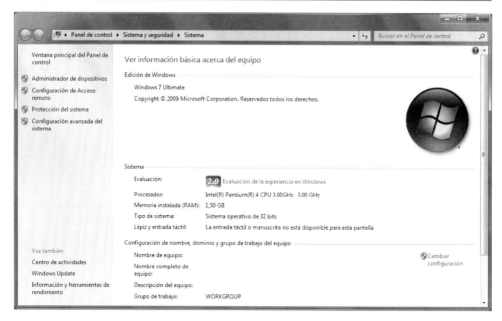

Se encuentra en la ficha **General** y muestra información sobre la versión del sistema operativo, el identificador del producto, el equipo y la activación de Windows.

Si pulsa en **Cambiar la configuración**, verá una pantalla parecida a la siguiente (también se puede acceder a ella desde **Configuración avanzada del sistema** de la pantalla principal de **Sistema**):

## 14.11.1 Hardware

Si pulsa en la ficha **Hardware**, verá la pantalla siguiente:

En ella se encuentran las opciones siguientes:

- **Administrador de dispositivos**. Al pulsar en este botón, mostrará una pantalla donde se encuentran todos los dispositivos del sistema (también se puede acceder a ella desde la pantalla principal de **Sistema**):

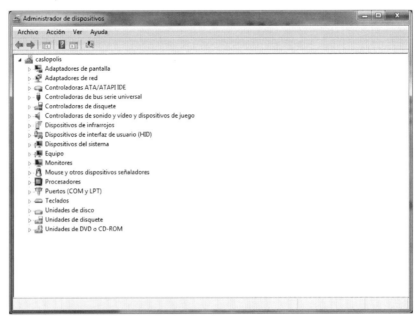

Si pulsa sobre el triángulo que hay a la izquierda de cualquier grupo de dispositivos, mostrará sus nodos. Si se sitúa sobre uno de los dispositivos, muestra su menú contextual y selecciona **Propiedades**, verá una pantalla parecida a la siguiente:

En ella se muestra información diversa sobre el dispositivo y su estado.

Si pulsa en la ficha **Controlador**, verá una pantalla parecida a la siguiente:

En ella se muestra información diversa del controlador del dispositivo. Hay disponibles cinco botones:

- **Detalles del controlador.** Al pulsar en este botón, se mostrará diversa información sobre los archivos correspondientes al controlador del dispositivo.

- **Actualizar controlador.** Al pulsar en este botón, se podrán actualizar los archivos del controlador del dispositivo.

- **Revertir al controlador anterior.** Al pulsar en este botón, se podrá volver al controlador anterior si se hubieran actualizado los archivos del controlador del dispositivo.

- **Deshabilitar.** Al pulsar en este botón, se podrá deshabilitar el dispositivo.

- **Desinstalar.** Al pulsar en este botón, se podrá desinstalar el dispositivo.

Si pulsa en la ficha **Detalles**, verá una pantalla parecida a la siguiente:

En ella se podrá ver o modificar el valor que se desee para las propiedades (si pulsa en el triángulo que hay a la derecha del apartado, podrá ir seleccionándolas).

Si pulsa en la ficha **Recursos**, verá una pantalla parecida a la siguiente:

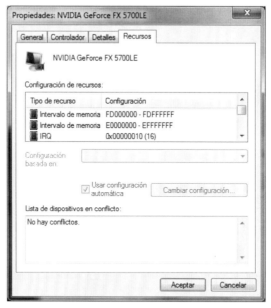

En ella se muestra la configuración de los recursos del controlador y la lista de conflictos (si el dispositivo no es *Plug and Play*, se podrá cambiar la configuración del recurso).

Algunos dispositivos pueden tener otras fichas o no tener algunas de las descritas anteriormente.

Cuando lo desee, pulse en **Aceptar** para volver a la pantalla del **Administrador de dispositivos**.

Cuando haya finalizado, cierre la utilidad y volverá a la pantalla de **Propiedades del sistema**.

*   **Configuración de la instalación de dispositivos**. Para asegurar la integridad del sistema, se han firmado digitalmente todos los archivos de Windows 7 y se comprueban automáticamente durante el proceso de la instalación.

    Al pulsar en este botón, mostrará la pantalla siguiente donde podrá modificar la configuración de la comprobación de la firma de los archivos:

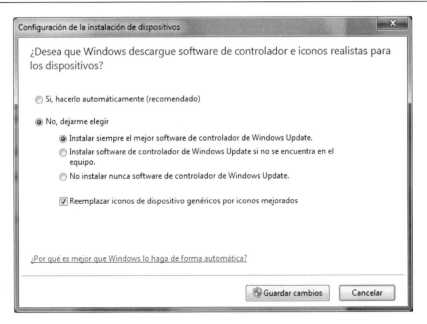

En ella se encuentran los apartados siguientes:

- **Si, hacerlo automáticamente**. Windows realizará automáticamente la descarga. Es recomendable para la integridad del equipo tener esta opción activada.

- **No, déjame elegir**. El usuario podrá seleccionar entre las siguientes opciones:

  - Instalar siempre el mejor *software* de controlador de *Windows Update*.

  - Instalar *software* de controlador de *Windows Update* si no se encuentra en el equipo.

  - No instalar nunca *software* de controlador de *Windows Update*.

Cuando haya finalizado, pulse en **Guardar cambios** y volverá a la pantalla anterior.

## 14.11.2 Opciones avanzadas

Si pulsa en la ficha **Opciones avanzadas**, verá la pantalla siguiente:

En ella se encuentran los bloques siguientes:

- **Rendimiento**. Al pulsar en el botón **Configuración**, verá la pantalla siguiente:

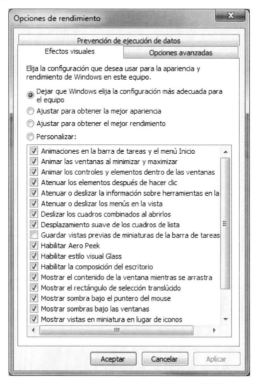

Está en la ficha **Efectos visuales** y en ella se encuentran los apartados siguientes:

- **Dejar que Windows elija la configuración más adecuada para el equipo**. Si activa esta casilla, restaurará la configuración de los efectos visuales (la lista inferior) predeterminada de Windows.

- **Ajustar para obtener la mejor apariencia**. Si activa esta casilla, se marcarán todas las casillas de la lista inferior.

- **Ajustar para obtener el mejor rendimiento**. Si activa esta casilla, se desmarcarán todas las casillas de la lista inferior.

- **Personalizar**. Si activa esta casilla, podrá marcar las casillas de la lista inferior que desee.

Si pulsa en la ficha **Opciones avanzadas**, verá la pantalla siguiente:

En el bloque **Programación del procesador** se determina si se asignan más recursos del procesador a los programas en primer plano que a los de segundo plano (**Programas**) o si todos los programas reciben los mismos recursos del procesador (**Servicios en segundo plano**).

En el bloque **Memoria virtual**, indica el tamaño total del archivo de paginación para todas las unidades de disco, es decir, una memoria virtual de almacenamiento en disco que simula el funcionamiento de la memoria aunque de forma más lenta. Así, ejecutará más programas de los que podría con la memoria RAM disponible. Si pulsa en **Cambiar**, verá la pantalla siguiente:

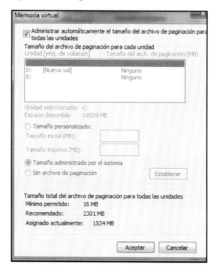

En ella se muestran todos los discos del equipo y se especifica el disco donde se encuentra el archivo de paginación con sus tamaños inicial y máximo.

Se pueden dar varias opciones:

- **Administrar automáticamente el tamaño**... Si se activa esta casilla, todas las demás se deshabilitarán, ya que Windows será el que administre el archivo de paginación.

- **Tamaño personalizado.** Si activa esta casilla, podrá indicar los valores que desea para el archivo de paginación.

  Si pulsa sobre la unidad en donde se encuentra el archivo de paginación, se podrán modificar dichos valores. En **Tamaño inicial** se puede poner el tamaño indicado en el apartado **Recomendado** de Tamaño total del archivo de paginación para todas las unidades y en **Tamaño máximo**, el que parezca conveniente. Cuando lo haya indicado, pulse en **Establecer.**

- **Tamaño administrado por el sistema.** Si activa esta casilla, permitirá que Windows elija los valores para el archivo de paginación.

- **Sin archivo de paginación.** Si activa esta casilla, hará que no haya archivo de paginación. Esta opción hará que el sistema vaya muy lento. Sólo se deberá utilizar cuando no haya suficiente espacio libre en el disco y mientras se añada más espacio libre.

Cuando haya finalizado, pulse en **Aceptar** y volverá a la pantalla anterior.

Si pulsa en la ficha **Prevención de ejecución de datos**, verá la pantalla siguiente:

La **Prevención de ejecución de datos (DEP)** ayuda a protegerse contra los virus y otras amenazas a la seguridad, mediante la supervisión de los programas para garantizar que utilizan la memoria de forma segura. Si comprueba que se está utilizando la memoria de forma insegura, *DEP* lo cerrará y enviará una notificación al usuario.

Se pueden dar dos opciones:

- **Activar DEP sólo para los programas…** Si activa esta casilla, estará indicando que *DEP* únicamente supervise los programas y servicios esenciales de Windows.

- **Activar DEP para todos los programas**... Si activa esta casilla, estará indicando que *DEP* supervise todos los programas y servicios exceptuando los que se encuentren en la lista inferior.

Si pulsa en **Agregar**, podrá añadir los ficheros ejecutables que desea excluir de la supervisión.

Si selecciona un programa de la lista y pulsa en **Quitar**, se eliminará (sin pedir confirmación).

Cuando lo desee, pulse en **Aceptar** para volver a la pantalla **Propiedades del sistema**.

- Si pulsa en el botón **Configuración** del bloque **Perfiles de usuario**, verá una pantalla en donde se indican los perfiles de usuario almacenados en el equipo.

En ella se encuentran los botones siguientes:

- **Cambiar tipo**. Si selecciona un perfil de usuario y pulsa en este botón, podrá cambiar el tipo de perfil del usuario de local a móvil o viceversa.

- **Eliminar**. Si selecciona un perfil de usuario y pulsa en este botón, se quitará de la lista.

- **Copiar a**. Si selecciona un perfil de usuario y pulsa en este botón, se copiará el perfil local de un usuario a una carpeta compartida).

Cuando haya finalizado, pulse en **Aceptar** para volver a la pantalla **Propiedades del sistema**.

- Si pulsa en el botón **Configuración** del bloque **Inicio y recuperación**, verá una pantalla parecida a la siguiente:

En dicha ventana están indicados los siguientes bloques: **Inicio del sistema** y **Error del sistema**.

- En el bloque **Inicio del sistema**, se encuentran los apartados que se ejecutarán cada vez que se inicie el sistema:

  - **Sistema operativo predeterminado**. Indica el sistema operativo que se cargará por defecto (si marca en el triángulo que hay a la derecha del apartado, mostrará los sistemas operativos que se pueden seleccionar).

  - **Mostrar la lista de sistemas operativos por**. Si activa esta casilla, estará indicando que el sistema espere el número de segundos indicado antes de iniciarse automáticamente la carga del sistema operativo predeterminado.

  - **Mostrar opciones de recuperación por**. Si activa esta casilla, estará indicando que el sistema espere el número de segundos indicado antes de que la opción de recuperación predeterminada se seleccione automáticamente (cuando el sistema se haya parado inesperadamente).

- En el bloque **Error del sistema**, se encuentran las opciones que se ejecutarán cuando ocurra un error grave en el sistema:

  - **Grabar un evento en el registro del sistema**. Esta casilla indica que se grabará información en el registro del sistema cuando se produzca un error (se podrá ver con el *Visor de eventos*).

  - **Reiniciar automáticamente**. Al activar esta casilla, se indica que el sistema se reinicie automáticamente cuando se produzca un error en el sistema.

  - **Escribir información de depuración**. En este apartado se deberá indicar la información que se guardará en el archivo de depuración (si pulsa en el triángulo que hay a la derecha del apartado, podrá seleccionarla). Las posibilidades son:

    - **Volcado de memoria pequeña**. Con esta posibilidad, se registra la mínima información útil que ayudará a identificar por qué se ha detenido inesperadamente el sistema.

- **Volcado de memoria del kernel**. Con esta posibilidad, se registra únicamente la memoria del núcleo que acelerará la identificación del problema.

- **Volcado de memoria completa**. Con esta posibilidad, se registrará todo el contenido de la memoria del sistema.

- **Archivo de volcado**. En este apartado, se podrá indicar el nombre del archivo donde se guardará el contenido de la memoria del sistema cuando se produzca un error grave para poder averiguar, posteriormente, la causa de dicho error.

- **Sobrescribir cualquier archivo existente**. Al activar esta casilla, se sobrescribirá el archivo, que se indicó en el apartado anterior, cuando ocurra un error grave.

Cuando haya acabado, pulse en **Aceptar** para volver a la pantalla **Propiedades del sistema**.

- Si pulsa en el botón **Variables de entorno**, verá una pantalla parecida a la siguiente:

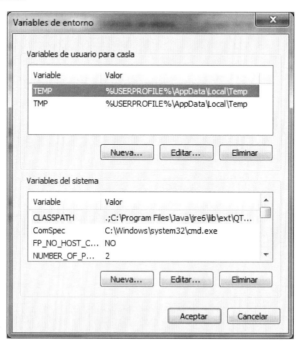

En la ventana superior se muestran las variables de entorno del usuario que tiene iniciada la sesión.

En la ventana inferior se muestran las variables del sistema (que son siempre las mismas independientemente del usuario que haya iniciado la sesión).

Se pueden realizar cambios en dichas variables (en las del sistema, únicamente si se es miembro del grupo Administradores) de la forma siguiente:

- Para cambiar una variable, seleccione la que se desee (del sistema o de usuario), pulse en **Editar** y mostrará la pantalla **Editar la variable de usuario o del sistema**.

  En el apartado **Valor de la variable**, indique el valor que desee y pulse en **Aceptar**.

- Para añadir una variable, pulse en **Nueva** y mostrará la pantalla **Nueva variable de usuario o del sistema**. Escriba el nombre que desee en el apartado **Nombre de la variable** y, en el apartado **Valor de la variable**, indique el valor que se desee, pulse en Aceptar y se añadirá a la ventana de variables correspondientes.

- Para borrar una variable, seleccione la que desee (del sistema o de usuario) y pulse en **Eliminar**.

Los cambios que se hagan en las variables del sistema tendrán efecto cuando se reinicie el equipo.

Los cambios que se hagan en las variables de usuario tendrán efecto cuando vuelva a iniciar sesión dicho usuario.

Cuando haya finalizado, pulse en **Aceptar** para volver a la pantalla de **Propiedades del sistema**.

## 14.11.3 Acceso remoto

Si pulsa en la ficha **Acceso remoto**, verá la pantalla siguiente (también podrá llegar a esta pantalla desde **Configuración de Acceso remoto** de la pantalla principal de **Sistema**):

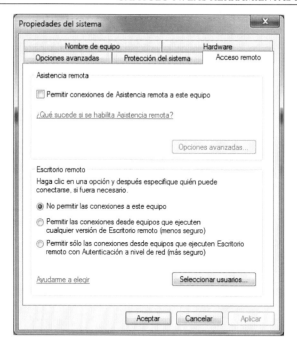

En ella se encuentran los apartados siguientes:

- **Permitir conexiones de Asistencia remota a este equipo**. Si esta casilla está activada, estará permitiendo que una persona de confianza le ayude de forma remota a solucionar un problema que hubiera en el equipo (por defecto, no se instala con el sistema operativo. Si desea hacerlo, deberá seleccionarla desde **Agregar características** de **Administrador del servidor**. Una vez que se haya instalado, estará accesible para poderse configurar).

Si pulsa en **Opciones avanzadas**, verá la pantalla siguiente:

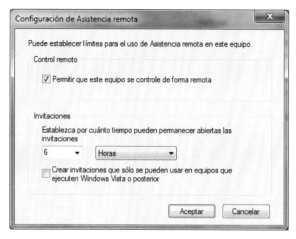

En ella se encuentran los apartados siguientes:

- **Permitir que este equipo esté controlado remotamente**. Si activa esta casilla, estará permitiendo que otro usuario pueda controlar el equipo de forma remota.

- **Establecer por cuánto tiempo pueden permanecer abiertas las invitaciones**. En este apartado, podrá indicar el tiempo que el usuario que disponga de una invitación, tiene para controlar de forma remota el equipo.

  La asistencia remota sólo puede establecerse entre dos equipos que utilizan Windows XP o posterior.

  - **Crear invitaciones que sólo se puedan usar…** Si activa esta casilla, únicamente se podrán crear invitaciones para equipos con Windows Vista o posterior.

  Para comenzar la asistencia remota, el usuario deberá solicitar ayuda a través del correo electrónico, Windows Messenger o utilizando una invitación guardada como un archivo.

  Cuando lo desee, pulse en **Aceptar** para volver a la pantalla de **Propiedades del sistema**.

- En el bloque **Escritorio remoto** se encuentran los apartados siguientes:

  - **No permitir las conexiones a este equipo**. Si activa esta casilla, evitará que los usuarios se puedan conectar a este equipo utilizando el Escritorio remoto.

  - **Permitir las conexiones desde equipos que ejecuten…** Si activa esta casilla, estará permitiendo que los usuarios se puedan conectar a este equipo utilizando cualquier versión de Escritorio remoto.

  - **Permitir sólo las conexiones desde equipos que ejecuten…** Si activa esta casilla, estará permitiendo que los usuarios se puedan conectar a este equipo utilizando Escritorio remoto con Autenticación a nivel de red (NLA). Esta versión del Escritorio remoto finaliza la autenticación antes de que se establezca la conexión completa a Escritorio remoto y de que aparezca la pantalla de inicio de sesión. Está disponible en equipos con Windows Vista o posterior.

Si pulsa en **Seleccionar usuarios**, podrá indicar los usuarios que tienen permitido acceder de forma remota al escritorio de su equipo. Cuando haya finalizado, pulse en **Aceptar** para volver a la pantalla **Propiedades del sistema**.

Cuando haya finalizado, pulse en **Aceptar** para cerrar la utilidad.

# Capítulo 15

# LA SEGURIDAD

## 15.1 LOS PERMISOS NTFS ESTÁNDAR

Cuando se establecen los permisos sobre un directorio se define el acceso de un usuario o de un grupo a dicho directorio y sus archivos.

Estos permisos sólo pueden establecerlos y cambiarlos el propietario o aquel usuario que haya recibido el permiso del propietario.

Una vez establecidos los permisos, afectarán a los archivos y subdirectorios que dependan de él, tanto los que se creen posteriormente como los que ya existían previamente; este hecho se denomina **herencia**. Si no desea que se hereden, deberá indicarse expresamente cuando se establezcan los permisos.

Hay tres modos de realizar cambios en los permisos heredados:

- Realizar los cambios en la carpeta principal y entonces la carpeta secundaria heredará estos permisos.

- Seleccionar el permiso contrario (**Permitir** o **Denegar**) para sustituir al permiso heredado.

- Desactivar la casilla de verificación **Incluir todos los permisos heredables del objeto primario de este objeto**. De esta manera, podrá realizar cambios en los permisos, ya que la carpeta no heredará los permisos de la carpeta principal.

Los permisos NTFS estándar para directorios que se pueden conceder o denegar son:

- **Control total**. Es el máximo nivel y comprende poder realizar todas las acciones tanto a nivel de archivos como de directorios.

- **Modificar**. Comprende todos los permisos, menos eliminar archivos y subdirectorios, cambiar permisos y tomar posesión.

- **Lectura y ejecución**. Comprende la visualización de los nombres de los archivos y subdirectorios, de los datos de los archivos, de los atributos y permisos y la ejecución de programas.

- **Mostrar el contenido de la carpeta**. Comprende los mismos permisos que **lectura y ejecución** pero aplicables sólo a las carpetas.

- **Lectura**. Comprende ver los nombres de los archivos y directorios, ver los datos de los archivos, así como ver los atributos y permisos.

- **Escritura**. Comprende crear archivos y subdirectorios, añadir datos a los archivos, modificar los atributos y leer los permisos.

- **Permisos especiales**. Se activa cuando se indican permisos más concretos (se indicará cómo hacerlo posteriormente).

Estos permisos son acumulables pero denegar el permiso **Control total** elimina todos los demás.

**NOTA**. Los permisos NTFS estándar para los archivos son muy similares a los de los directorios.

## 15.1.1 Cómo establecer los permisos NTFS estándar

Para establecer los permisos NTFS estándar, siga los pasos siguientes:

- Desde **Equipo** del menú **Inicio**, seleccione el directorio o archivo que desee (en el ejemplo, se seleccionará el directorio *Captura*), muestre su menú contextual, seleccione **Propiedades**, después **Seguridad** y verá la pantalla siguiente:

- En ella se encuentran los nombres de los usuarios, grupos e identidades especiales que tienen permisos sobre dicha carpeta o archivo y, debajo, los permisos estándar que posee cada uno de ellos.

- Si desea consultar los permisos de alguno de ellos, sitúese sobre él y verá que, en la parte inferior, se muestran los permisos que tiene establecidos. Si hay marcas grises, corresponden a permisos heredados.

- Si desea modificar los permisos de alguno de ellos, pulse en **Editar**, sitúese sobre él y verá que, en la parte inferior, se muestran los permisos que tiene establecidos. Si hay casillas grises, corresponden a permisos heredados. Active la casilla correspondiente al permiso deseado en la columna **Permitir**, se le concede el permiso, o **Denegar**, se le deniega el permiso.

- Si desea añadir otros usuarios o grupos a la lista de nombres, pulse en **Editar**, en **Agregar**, en **Opciones avanzadas** y, finalmente, en **Buscar ahora**. Se le abrirá una ventana con todos los posibles usuarios, grupos e identidades especiales a los que puede otorgar o denegar permisos.

- Si selecciona elementos de la lista, pulsa en **Aceptar** y vuelve a pulsar en **Aceptar**, se añadirán a los grupos o usuarios que tienen permisos sobre la carpeta o archivo. Una vez que estén en la lista, indique los permisos que desea conceder o denegar a cada uno de los usuarios que ha añadido.

- Si desea quitar algún usuario o grupo, sitúese sobre él, pulse en **Quitar** (no pedirá ninguna confirmación) y verá como se elimina de la lista.

- Pulse en **Aceptar** hasta volver a la pantalla principal de la utilidad.

- Cuando haya finalizado, cierre la utilidad.

# 15.2 LOS PERMISOS NTFS ESPECIALES

Generalmente, todo lo que necesitará para proteger los directorios y los archivos son los permisos NTFS estándar que se han descrito anteriormente. Sin embargo, si lo que desea crear es un sistema personalizado de permisos, puede utilizar los permisos NTFS especiales.

Puede establecer permisos NTFS especiales para directorios, para todos los archivos de los directorios seleccionados o para los archivos seleccionados; los no seleccionados mantendrán sus actuales permisos.

Estos permisos sólo puede establecerlos y cambiarlos el propietario o aquel usuario que haya recibido el permiso del propietario.

Los permisos NTFS especiales para directorios y archivos son:

- **Control total**. Es el máximo nivel y permite poder realizar todas las acciones tanto a nivel de archivos como de directorios.

- **Recorrer carpeta/ejecutar archivo**. El permiso **Recorrer carpeta**, que sólo afecta a los directorios, permite el desplazamiento por las carpetas para llegar a otros archivos o carpetas, incluso si el usuario no tiene permisos para las carpetas recorridas. Sólo entra en vigor cuando el grupo o usuario no tiene otorgado el derecho de usuario **Omitir la comprobación de recorrido** en la directiva de seguridad. El permiso **Ejecutar archivo** permite la ejecución de archivos de programa (únicamente afecta a los archivos) y al configurar el permiso **Recorrer carpeta** en un directorio no se define de manera automática el permiso **Ejecutar archivo** en todos los archivos de esa carpeta.

- **Mostrar carpeta/leer datos**. El permiso **Mostrar carpeta** sólo afecta a los directorios y permite ver los nombres de los archivos y subdirectorios de la carpeta. El permiso **Leer datos** permite ver los datos de los archivos y únicamente afecta a los archivos.

- **Leer atributos**. Permite ver los atributos normales de un archivo o directorio.

- **Leer atributos extendidos**. Permite ver los atributos extendidos de un archivo o directorio; estos atributos se definen mediante programas y pueden variar según el programa.

- **Crear archivos/escribir datos**. El permiso **Crear archivos**, sólo afecta a los directorios y permite la creación de archivos dentro de la carpeta. El permiso **Escribir datos**, que únicamente afecta a los archivos, permite los cambios en los archivos y la sobrescritura de su contenido.

- **Crear carpetas/anexar datos**. El permiso **Crear carpetas**, sólo afecta a los directorios y permite la creación de subdirectorios dentro de la carpeta. El permiso **Anexar datos** únicamente afecta a los archivos y permite el añadido de contenido al final del archivo pero no el cambio, eliminación ni sobrescritura de los datos existentes.

- **Escribir atributos**. Permite el cambio de los atributos normales de un archivo o directorio.

- **Escribir atributos extendidos**. Permite el cambio de los atributos extendidos de un archivo o directorio; estos atributos se definen mediante programas y pueden variar según el programa.

- **Eliminar subcarpetas y archivos**. Permite la eliminación de subdirectorios y archivos de una carpeta.

- **Eliminar**. Permite la supresión del archivo o directorio.

- **Permisos de lectura**. Permite ver los permisos del archivo o directorio.

- **Cambiar permisos**. Permite el cambio de los permisos del archivo o directorio.

- **Tomar posesión**. Permite la toma de posesión del archivo o directorio. El propietario de un archivo o carpeta siempre puede cambiar los permisos de la misma, independientemente de los permisos existentes que protejan al archivo o carpeta.

## 15.2.1 Cómo establecer los permisos NTFS especiales

Para establecer los permisos NTFS especiales de un archivo o directorio, siga los pasos siguientes:

- Desde **Equipo** del menú **Inicio**, seleccione el directorio o archivo que desee (en el ejemplo, se seleccionará el directorio *Captura*, pero el proceso a seguir es similar para un archivo), muestre su menú contextual, seleccione **Propiedades**, después **Seguridad** y verá la pantalla de **Propiedades** del directorio.

- Pulse en **Opciones avanzadas** y verá una pantalla en donde se encuentran los nombres de los usuarios, grupos e identidades especiales que tienen permisos sobre dicho directorio o archivo junto con una descripción de los permisos y dónde se aplican.

- Si desea modificar los permisos establecidos o los usuarios, pulse en **Cambiar permisos** y **Editar**, verá una pantalla parecida a la siguiente:

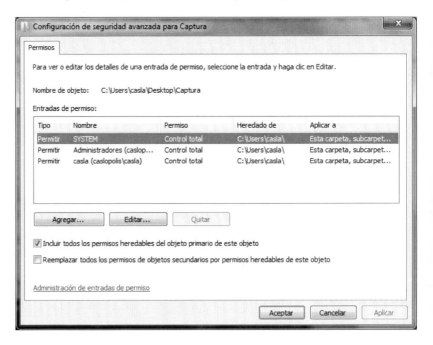

- Para poder modificar los permisos establecidos, pulse en **Editar** y verá una pantalla parecida a la siguiente:

- Como ve, muestra los permisos especiales que tiene establecidos el usuario o grupo seleccionado. Si hay casillas grises, corresponden a permisos heredados.

  Puede modificar los permisos que desee. Para ello, active la casilla correspondiente al permiso deseado en la columna **Permitir**, se le concede el permiso, o **Denegar**, se le deniega el permiso.

  Indique, en el apartado **Aplicar a**, el ámbito de los permisos que está indicando; puede modificar el ámbito si pulsa en el triángulo que hay a la derecha del apartado.

  Si activa la casilla **Aplicar estos permisos sólo a objetos y/o contenedores dentro de este contenedor**, evitará que los archivos y subcarpetas secundarias hereden estos permisos.

  Cuando haya finalizado, pulse en **Aceptar** y volverá a la pantalla anterior.

- Si desea añadir otros usuarios o grupos a la lista de nombres, pulse en **Agregar**, en **Opciones Avanzadas** y en **Buscar ahora**. Se le abrirá una ventana con todos los posibles usuarios, grupos e identidades especiales a los que puede otorgar o denegar permisos.

Si selecciona elementos de la lista, pulsa en **Aceptar** y vuelve a pulsar en **Aceptar**, pasará a la pantalla donde deberá indicar los permisos y ámbito de aplicación deseado. Cuando haya finalizado, pulse en **Aceptar** y verá que se añade a la lista de permisos de **Configuración de seguridad avanzada** del directorio.

- Si desea quitar algún usuario o grupo, sitúese sobre él, pulse en **Quitar** (no pedirá ninguna confirmación) y verá como se elimina de la lista.

- Si desea que los permisos de la carpeta principal no se hereden a esta carpeta secundaria (fíjese en que hay casillas de permisos que pueden estar en gris porque son permisos heredados), desactive la casilla **Incluir todos los permisos heredables del objeto primario de este objeto** y le mostrará la pantalla siguiente:

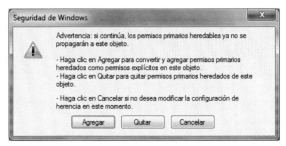

- Si pulsa en **Agregar**, concederá al objeto los permisos que tenía el objeto principal y podrán ser modificados.

- Si pulsa en **Quitar**, el objeto no heredará los permisos del objeto principal y podrán añadirse nuevos permisos.

- Si desea que los permisos indicados para esta carpeta se hereden a todos los subdirectorios secundarios, active la casilla **Reemplazar todos los permisos de objetos secundarios por permisos heredables de este objeto**, pulse en Aplicar y le mostrará una pantalla que le indica que se eliminarán los permisos explícitos indicados en los subdirectorios y archivos que cuelgan de este directorio. Pulse en **Sí** para continuar.

- Cuando haya finalizado, pulse en **Aceptar** hasta volver a la pantalla de **Propiedades** del directorio.

- Cuando haya finalizado, pulse en **Aceptar** para volver a la utilidad y ciérrela.

# 15.3 EL PROPIETARIO DE UN DIRECTORIO, UN ARCHIVO O UN OBJETO

Cuando un usuario crea un directorio, un archivo o un objeto, se convierte automáticamente en su propietario (también durante el proceso de instalación se adjudicaron propietarios a todos los directorios y archivos que se crearon).

Un propietario puede asignar permisos a sus directorios, archivos u objetos aunque no puede transferir su propiedad a otros usuarios. Puede conceder el permiso **Tomar posesión** que permitirá, a los usuarios que se les conceda, tomar posesión en cualquier momento.

También pueden tomar posesión los administradores pero no pueden transferirla a otros usuarios. De esta manera, un administrador que tome posesión y cambie los permisos podrá acceder a los archivos para los que no tienen concedido ningún permiso.

Para ver quién ha infringido los permisos asignados, puede comprobar la información de posesión, auditoría.

## 15.3.1 Cómo establecer el permiso de toma de posesión

Aunque es un permiso especial y se actúa como se ha indicado en el apartado anterior, como tiene consideraciones especiales, se indica expresamente cómo hacerlo. Para conceder el permiso de toma de posesión, siga los pasos siguientes:

- Desde **Equipo** del menú **Inicio**, seleccione el directorio compartido al que desea establecer el permiso de toma de posesión (en el ejemplo, **Captura**). Muestre su menú contextual, seleccione **Propiedades**, pulse en la ficha **Seguridad** y, después, pulse en **Opciones avanzadas**.

- Como va a modificar los permisos que tiene este objeto, pulse en **Cambiar permisos**, desactive la casilla **Incluir todos los permisos heredables del objeto primario de este objeto** y le mostrará la pantalla siguiente:

- Si pulsa en **Agregar**, concederá al objeto los permisos que tenía el objeto principal y podrán ser modificados.

- Si pulsa en **Quitar**, el objeto no heredará los permisos del objeto principal y podrán añadirse nuevos permisos.

- Seleccione al usuario o grupo al que desee dar el permiso **Tomar posesión** (en el ejemplo, **Administradores**), pulse en **Editar** y le mostrará los permisos que puede permitir o denegar.

- Desplácese hasta el último permiso, **Tomar posesión**, y verá si está permitido (en el ejemplo, sí está permitido).

- Active, si no lo está, su casilla **Permitir** para conceder la toma de posesión; si quisiera no autorizar dicho permiso, active su casilla **Denegar**. Cuando lo haya hecho, pulse en **Aceptar**.

- Pulse en **Aceptar** hasta salir de la pantalla de **Configuración de seguridad avanzada** del directorio.

- Vuelva a pulsar en **Aceptar** para salir de la pantalla de **Propiedades** y cierre la utilidad.

## 15.3.2 Cómo tomar posesión

Una vez que se ha establecido el permiso de tomar posesión, cualquier grupo o usuario que tenga concedido dicho permiso podrá tomar posesión de dicho directorio, archivo u objeto. Para ello, siga los pasos siguientes:

- Desde **Equipo** del menú **Inicio**, seleccione un archivo o un directorio de los que creó anteriormente (en el ejemplo, se seleccionará el directorio *Captura*), muestre su menú contextual, seleccione **Propiedades** y, después, pulse en la ficha **Seguridad**.

- Pulse en **Opciones avanzadas**, pulse en la ficha **Propietario** y verá la siguiente pantalla:

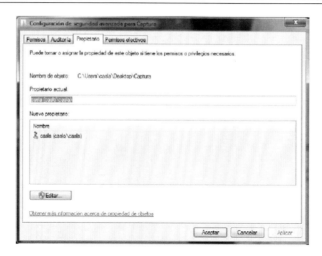

- Si desea añadir algún otro usuario o grupo a la lista, pulse en **Editar** y, después, en **Otros usuarios o grupos**, pulse en **Avanzadas** y, después, en **Buscar ahora**. Se le abrirá una ventana con todos los posibles usuarios, grupos e identidades especiales.

   Si selecciona elementos de la lista y pulsa en **Aceptar** dos veces, pasará a la ventana **Nuevo propietario**.

- Seleccione el usuario o grupo que desee para que tome posesión del directorio y pulse en **Aplicar**. Le mostrará un mensaje de aviso, pulse en **Aceptar** y verá como cambia el nombre del propietario.

- Si activa la casilla **Reemplazar propietario en subcontenedores y objetos**, reemplazará el propietario en todos los objetos y subcarpetas que cuelgan de esta carpeta.

- Cuando haya finalizado, pulse en **Aceptar** hasta volver a la pantalla principal de la utilidad.

- Cuando lo desee, cierre la utilidad.

## 15.4 LOS ATRIBUTOS DE ARCHIVOS Y DIRECTORIOS

Definir los atributos no es lo mismo que asignar permisos a un archivo o un directorio porque los atributos de un archivo o de un directorio son los mismos para todos los usuarios o grupos, mientras que los permisos para un archivo o un directorio pueden ser distintos para cada usuario o grupo.

Los atributos normales que se pueden definir son:

- **Sólo lectura**. Impide que se pueda sobrescribir o eliminar accidentalmente.

- **Oculto**. Impide que se visualice al listar y, por tanto, no se puede copiar ni suprimir a no ser que se conozca su nombre.

Los atributos avanzados que se pueden definir son:

- **Carpeta lista para archivarse** (**Archivo listo para archivarse** si es un archivo). Indica si el archivo o carpeta se debe guardar cuando se realice una copia de seguridad. Por defecto no está activado pero en cuanto se haga una modificación de los permisos se activará automáticamente.

- **Permitir que los archivos de esta carpeta...** (**Permitir que este archivo tenga...** si es un archivo). Indica que el archivo o carpeta se indexará para realizar una búsqueda rápida de texto en su contenido, propiedades o atributos. Por defecto está activado ya que es heredable desde el directorio raíz.

- **Comprimir contenido para ahorrar espacio en disco**. Indica que el archivo o carpeta se comprimirá automáticamente para ahorrar espacio en disco.

- **Cifrar contenido para proteger datos**. Indica que el archivo o carpeta se cifrará para evitar que su contenido pueda ser visto por otro usuario.

## 15.5 CÓMO ESTABLECER UN ATRIBUTO

Para establecer un atributo de un directorio o archivo, siga los pasos siguientes:

- Desde **Equipo** del menú **Inicio**, seleccione un archivo o un directorio de los que creó anteriormente (en el ejemplo, se seleccionará el directorio *Captura* pero el proceso a seguir es similar para un archivo una vez se haya seleccionado), muestre su menú contextual, seleccione **Propiedades** y verá la siguiente pantalla:

- Active la casilla del atributo que desee y pulse en **Aceptar** para volver a la pantalla principal de la utilidad.

- Cuando lo desee, cierre la utilidad.

## 15.6 CÓMO ESTABLECER LA COMPRESIÓN DE ARCHIVOS Y/O DIRECTORIOS

La compresión permite reducir el espacio que los archivos y/o directorios ocupan en el disco duro.

Puede haber dos tipos de compresión:

- **Compresión de carpetas**. Consiste en generar un fichero *zip* de directorios o archivos. Para realizarlo, seleccione **Carpeta comprimida** de **Enviar** del menú contextual de los archivos o directorios.

- **Compresión NTFS**. Con este tipo únicamente se pueden comprimir archivos y directorios en unidades formateadas para que sean utilizadas por el sistema NTFS y es la que se va a desarrollar en este apartado.

Si se mueve o copia un archivo en una carpeta comprimida, se comprime automáticamente.

Si se mueve un archivo de una unidad NTFS **distinta** a una carpeta comprimida, también se comprime automáticamente. Sin embargo, si se mueve un archivo de la **misma** unidad NTFS a una carpeta comprimida, el archivo conserva su estado original, comprimido o sin comprimir.

No se pueden cifrar los directorios ni los archivos que estén comprimidos.

Para comprimir el contenido de un directorio o un archivo con la **compresión NTFS**, siga los pasos siguientes:

- Desde **Equipo** del menú **Inicio**, seleccione un archivo o un directorio de los que creó anteriormente (en el ejemplo, se seleccionará el directorio *Captura* pero el proceso a seguir es similar para un archivo una vez se haya seleccionado), muestre su menú contextual, seleccione **Propiedades**, pulse en **Opciones avanzadas** y verá la pantalla siguiente:

- Active la casilla **Comprimir contenido para ahorrar espacio en disco** y pulse en **Aceptar** para volver a la pantalla de propiedades.

- Vuelva a pulsar en **Aceptar** y, si está estableciendo el atributo a un directorio que tiene subdirectorios o archivos, le mostrará una nueva pantalla para que indique si desea que los cambios que ha realizado en los atributos se apliquen sólo a dicha carpeta o también a todas sus subcarpetas y archivos.

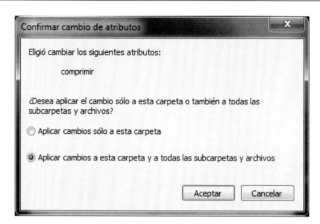

- Indique lo que desee (en el ejemplo se aplicará también a todas sus subcarpetas y archivos), pulse en **Aceptar** y volverá a la pantalla principal de la utilidad. Fíjese en que el directorio o archivo comprimido está escrito en un color distinto (azul).

- Cuando lo desee, cierre la utilidad.

# 15.7 CÓMO ESTABLECER EL CIFRADO DE ARCHIVOS O DIRECTORIOS

El **Sistema de archivos de cifrado (EFS)** permite a los usuarios almacenar sus datos en el disco de forma cifrada.

El **Cifrado** es el proceso de conversión de los datos a un formato que no puede ser leído por otro usuario. Cuando un usuario cifra un archivo, éste permanece automáticamente cifrado mientras esté almacenado en disco.

El **Descifrado** es el proceso de reconversión de los datos de un formato cifrado a su formato original. Cuando un usuario descifra un archivo, éste permanece descifrado mientras esté almacenado en un disco.

Los **agentes de recuperación** designados pueden recuperar datos cifrados por otro usuario. De esta forma, se asegura la accesibilidad a los datos si el usuario que los cifró ya no está disponible o ha perdido su clave privada.

Sólo se pueden cifrar archivos y directorios en volúmenes de unidades formateadas para ser utilizadas por el sistema NTFS.

Los archivos cifrados se pueden descifrar si se copian o mueven a una unidad que no esté formateada para ser utilizada por el sistema NTFS.

No se pueden cifrar las carpetas ni los archivos que estén comprimidos ni los archivos del sistema.

Al mover archivos descifrados a una carpeta cifrada, automáticamente se cifrarán en la nueva carpeta; sin embargo, la operación inversa no se hará automáticamente y se deberá realizar explícitamente el descifrado.

Cuando se cifra un directorio, el sistema preguntará si se desea que se cifren también todos los archivos y subcarpetas de dicho directorio. Si se decide hacerlo, se cifrarán todos los archivos y subcarpetas que se encuentren en dicha carpeta, así como los archivos y subcarpetas que se agreguen posteriormente a ella. Si se cifra sólo la carpeta, no se cifrarán los archivos ni las subcarpetas que contenga pero se cifrarán todos los archivos y subcarpetas que se agreguen posteriormente a ella.

Cuando se cifra un archivo, el sistema preguntará si se desea que se cifre también el directorio que lo contiene. Si decide hacerlo así, se cifrarán todos los archivos y subcarpetas que se agreguen posteriormente a la carpeta.

**NOTA**. Los programas que crean archivos de trabajo temporales pueden comprometer la seguridad del cifrado de archivos. Si utiliza algún programa de ese tipo, aplique el cifrado en las carpetas y no en los archivos individuales.

Para cifrar el contenido de un directorio o un archivo, siga los pasos siguientes:

- Desde **Equipo** del menú **Inicio**, seleccione un archivo o un directorio de los que creó anteriormente (en el ejemplo, se seleccionará el directorio *Captura* pero el proceso a seguir es similar para un archivo una vez se haya seleccionado), muestre su menú contextual, seleccione **Propiedades**, pulse en **Opciones avanzadas** y verá la pantalla siguiente:

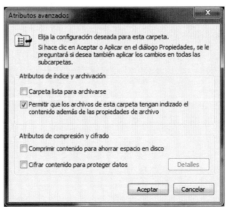

- Active la casilla **Cifrar contenido para proteger datos** y pulse en **Aceptar** para volver a la pantalla de propiedades.

- Vuelva a pulsar en **Aceptar** y, si está estableciendo el atributo a un directorio que tiene subdirectorios o archivos, le mostrará una nueva pantalla para que indique si desea que los cambios que ha realizado en los atributos se apliquen sólo a dicha carpeta o también a sus subcarpetas y archivos. Si está estableciendo este atributo a un archivo pero la carpeta donde se encuentra no está cifrada, le mostrará una nueva pantalla para que indique si desea que los cambios que ha realizado en los atributos se apliquen sólo al archivo o también a la carpeta en donde se encuentra.

- Indique lo que desee (en el ejemplo, se aplicará también a sus subcarpetas y archivos), pulse en **Aceptar** y volverá a la pantalla principal de la utilidad. Fíjese en que el directorio o archivo cifrado está escrito en un color distinto (verde).

- Cuando lo desee, cierre la utilidad.

## 15.8 CÓMO REALIZAR UNA COPIA DE SEGURIDAD

Las copias de seguridad permiten al usuario salvar los datos del ordenador y poder recuperarlos ante un problema que pudiera ocurrir.

Este proceso se recomienda realizarlo a menudo para tener una copia de respaldo de los datos e, incluso, cada vez que se instale un nuevo controlador o dispositivo, ante un posible conflicto en el equipo.

Con esta aplicación el usuario podrá programar la copia de los datos, realizar la copia en una unidad de disco externa, como otro disco duro o DVD, e, incluso, a través de la red. El proceso permitirá realizar copias tanto de grupos de ficheros como de unidades completas.

Para realizar una copia de seguridad siga los siguientes pasos:

- Para acceder a la herramienta de copia de seguridad, pulse en el menú **Inicio** y, a continuación, pulse en **Equipo**. Seguidamente, pulse con el botón derecho sobre la unidad de disco de la que desee hacer la copia de seguridad y pulse en **Propiedades**. En la nueva ventana seleccione la pestaña **Herramientas** y verá la siguiente pantalla:

- En la parte inferior de la ventana pulse en **Hacer copia de seguridad ahora...**

- Una vez realizado, el sistema abrirá la utilidad **Copias de seguridad y restauración**.

  En esta ventana se podrán configurar los parámetros de la copia de seguridad.

- Pulse en **Configurar copias de seguridad** (si ya realizó la configuración anteriormente, pulse en **Cambiar configuración**). Verá la siguiente ventana:

Seleccione el destino de la copia de seguridad entre la lista que le muestra (podrá usar un disco óptico, una memoria flash, otro disco duro local o un disco duro en red. Cualquiera de estos medios deberá tener, como mínimo, 1 GB de espacio libre para poderse utilizar; en el ejemplo, se seleccionará el disco local *E:*.

Si va a guardar la copia en un disco en red, pulse en **Guardar en una red**…

Verá la siguiente ventana:

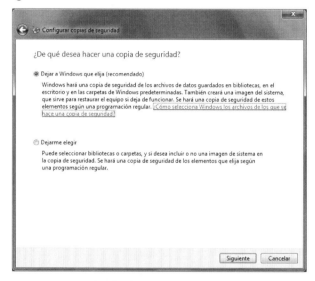

- En esta ventana se puede elegir entre las siguientes opciones:

  - **Dejar a Windows que elija**. Windows seleccionará los archivos más importantes para realizar la copia. Entre estos archivos se encuentran los datos guardados en bibliotecas, Escritorio y las carpetas predeterminadas de Windows. También realizará una imagen del sistema para poder restaurarlo en caso de necesitarse.

  - **Dejarme elegir**. El usuario será el que seleccione los archivos que van a formar parte de la copia de seguridad y si se realiza una imagen del sistema.

En el ejemplo se seleccionará esta opción. Pulse en **Siguiente** y verá la siguiente ventana:

- En esta ventana se seleccionará aquello que se va a agregar a la copia de seguridad. Si pulsa en la flecha situada al principio de cada elemento, se desplegará su contenido y podrá añadirlo a la copia marcándolo en el recuadro de validación.

Si quiere realizar una copia del sistema, pulse en la parte inferior **Incluir una imagen de sistema de las unidades**.

Al finalizar, pulse en **Siguiente** y verá la ventana:

- En esta ventana se muestran los datos seleccionados para realizar la copia de seguridad.

  Si desea programar las copias de seguridad, pulse en **Cambiar programación** y verá la siguiente ventana:

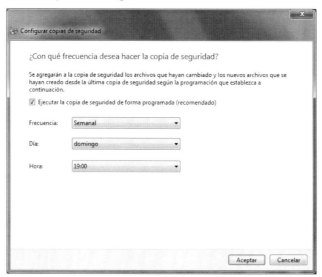

- En esta ventana se configurará la frecuencia con la que se realizarán las copias de seguridad.

  Para ello, active la opción **Ejecutar la copia de seguridad de forma programada**.

  Seguidamente, configure la frecuencia en la que se realizarán las copias, ya sean diarias, semanales o mensuales (en el ejemplo, se seleccionará copia semanal, día sábado a las 19:00).

Una vez finalizado, pulse en **Aceptar** para volver a la ventana anterior pero con nueva información:

- Para ejecutar la copia de seguridad, pulse en **Guardar configuración y ejecutar copia de seguridad**.

El sistema configurará y se pondrá a realizar la copia de seguridad (si se hubiera programado una copia de seguridad, el sistema se pondrá a prepararla).

El usuario podrá comprobar el estado de las copias de seguridad, el espacio disponible para las copias o el contenido, desde la ventana de **Copias de seguridad y restauración** del **Panel de control**, tal como se muestra en la siguiente ventana:

## 15.9 RESTAURAR UNA COPIA DE SEGURIDAD

El usuario podrá restaurar archivos concretos, grupos de archivos o todos los archivos de una copia de seguridad. También, podrá restaurar el sistema completo, devolviéndolo al estado que tenía cuando se realizó la copia de seguridad.

Para realizar este proceso, siga los pasos siguientes:

- Para acceder a la herramienta de copia de seguridad, pulse en el menú **Inicio** y, a continuación, pulse en **Equipo**. Seguidamente, pulse con el botón derecho sobre la unidad de disco de la que se desee hacer la restauración y pulse en **Propiedades**. En la nueva ventana seleccione la pestaña **Herramientas** y verá la siguiente pantalla:

- En la parte inferior de la ventana pulse en **Hacer copia de seguridad ahora…**

- Una vez realizado, el sistema abrirá la utilidad **Copias de seguridad y restauración**.

En la parte inferior, en el apartado **Restauración**, el usuario dispondrá de diferentes opciones de restauración:

- Si pulsa sobre **Restaurar mis archivos**, verá la siguiente ventana:

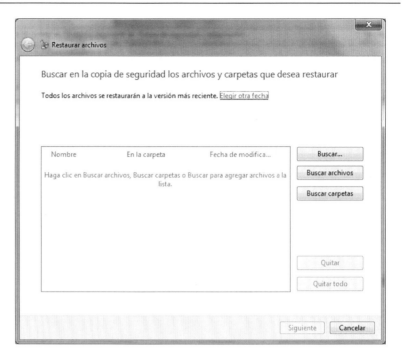

- Si pulsa sobre **Buscar**, en la ventana que se abrirá, podrá utilizar el buscador para localizar el archivo deseado de la copia de seguridad. Seguidamente, seleccione el o los archivos deseados y pulse en **Aceptar** para agregarlos a la lista de elementos a restaurar.

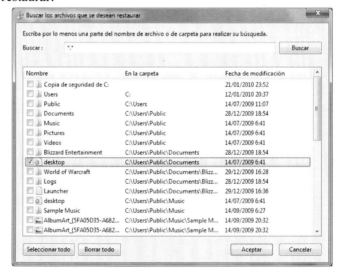

- Si pulsa en **Buscar archivos**, en la ventana que se abrirá podrá localizar los archivos en la copia de seguridad y añadirlos a la lista de elementos a restaurar pulsando sobre **Agregar archivos**.

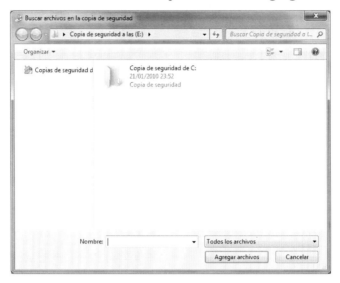

- Si pulsa en **Buscar carpetas**, en la ventana que se abrirá podrá localizar las carpetas en la copia de seguridad y añadirlas a la lista de elementos a restaurar pulsando sobre **Agregar carpertas**.

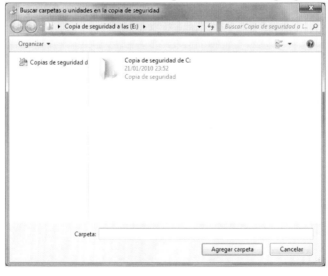

- Una vez seleccionados todos los elementos a restaurar, la ventana que se mostrará será parecida a la siguiente:

Pulse en **Siguiente** y en la nueva pantalla podrá seleccionar si el destino de los datos restaurados será la ubicación original o por el contrario será una nueva ubicación. Una vez seleccionado, pulse en **Restaurar** y el proceso de restauración comenzará a ejecutarse.

La última ventana ofrece la posibilidad de abrir la ubicación final de los archivos restaurados, pulsando en **Ver archivos restaurados**, o dar por finalizado el proceso, pulsando en **Finalizar**.

- Si en la ventana principal de **Copias de seguridad y restauración** pulsa sobre **Restaurar todos los archivos de usuarios**, podrá restaurar los archivos de todos los usuarios del equipo. Esta opción solicitará permisos de administrador para poder realizarse.

  Para realizar este proceso, siga las instrucciones descritas para la restauración de elementos por parte de un usuario.

- Para restaurar los elementos de una copia de seguridad localizada en otro equipo que ejecute Windows Vista o Windows 7, pulse en **Seleccionar otra copia de seguridad para restaurar archivos**. Verá la siguiente ventana:

Si la copia de seguridad no se muestra en el listado de copias, deberá conectar al equipo la unidad de almacenaje donde se realizó la copia.

También podrá acceder a la copia, si se realizó en red, pulsando sobre **Examinar ubicación de red**...

- Otra manera de acceder de manera rápida a la aplicación para restaurar elementos de una copia de seguridad es localizar el archivo donde se ha realizado la copia y pulsar dos veces con el botón izquierdo del ratón. Verá la siguiente ventana.

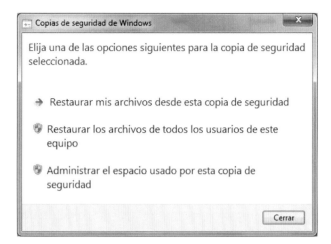

Seleccione la opción deseada y siga el procedimiento que se ha explicado con anterioridad para restaurar elementos de una copia de seguridad.

- La última opción, **Recuperar la configuración del sistema o el equipo**, permitirá al usuario restaurar el sistema en caso de problemas en el rendimiento del equipo. Este proceso deshace los cambios recientes en el sistema, pero deja intactos los archivos como documentos, imágenes y música. Desde allí, se pueden dar dos alternativas:

  - Pulse en **Abrir Restaurar sistema**. Verá una pantalla donde informará sobre el proceso. Para continuar, pulse en **Siguiente** y accederá a la siguiente ventana:

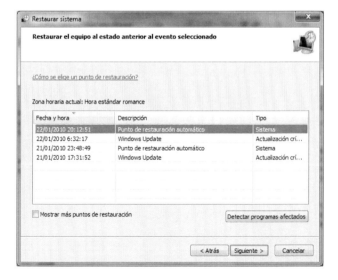

Seleccione el punto de restauración desde el que se va a realizar el proceso y pulse en **Siguiente**. Verá la siguiente ventana:

Pulse en **Finalizar** para que comience el proceso de restauración. Es posible que sea necesario reiniciar el equipo al finalizar el proceso.

- Pulse en **Métodos avanzados de recuperación** y verá la siguiente ventana:

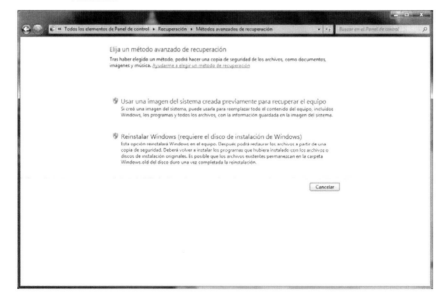

En ella, el usuario podrá seleccionar entre:

- **Usar una imagen del sistema creada previamente para recuperar el equipo**. Al pulsar sobre esta opción, el sistema consultará al usuario si desea realizar una nueva copia de seguridad como precaución ante posibles problemas al restaurar la copia antigua. Seguidamente se seleccionará la copia y se procederá a recuperarla.

- **Reinstalar Windows**. Con esta opción se reinstalará el sistema operativo en el equipo. Para realizarlo será necesario tener el disco de instalación de Windows.

  Cuando finalice, será necesario reinstalar todas las aplicaciones que hubiera en el equipo y restaurar los archivos personales desde una copia de seguridad.

# Capítulo 16

# LA RECUPERACIÓN DE LOS FALLOS

## 16.1 EL PROCESO DE ARRANQUE

Cuando Windows 7 se inicia, lo primero que se carga es el *MBR* y luego el sector de arranque.

Seguidamente, carga el **Administrador de arranque de Windows** (**Bootmgr**). Este fichero oculto, que se encuentra en el directorio raíz del disco del sistema, controla el proceso de arranque y muestra el menú de arranque multiarranque (si hubiera más de un sistema operativo instalado en el disco).

Después, llama al archivo **WinLoad.exe** que es el cargador del sistema operativo (se encuentra en el directorio *\Windows\system32*) y dar paso al archivo **ntoskrnl.exe** que se encargará del resto del arranque del sistema.

Así mismo, incluye otros dos archivos más:

- **Bcdedit.exe**. Es una aplicación (se encuentra en el directorio *\Windows\system32*) que permite editar los datos de configuración de arranque que se guardan en el archivo **Bcd.log** (se encuentra en el directorio *\boot* que es una carpeta oculta y del sistema).

- **Winresume.exe**. Permite cargar el sistema operativo después de una hibernación (se encuentra en el directorio *\Windows\system32*).

# 16.2 EL ADMINISTRADOR DE ARRANQUE DE WINDOWS

Desde Windows Vista, el archivo **boot.ini** ha desaparecido y, en su lugar, se incluye el denominado **Boot Configuration Data (BCD)**.

Este nuevo sistema es más versátil y permite el arranque en sistemas que no estén gestionados mediante BIOS. Utiliza el archivo **bcd.log** (se encuentra en el directorio \boot que es una carpeta oculta y del sistema) y para gestionar este archivo se deberá utilizar el programa **bcdedit**, que llevará a cabo las tareas habituales que antes se hacían simplemente editando el archivo **boot.ini** mediante el bloc de notas.

Se puede gestionar el administrador de arranque de Windows accediendo a **Panel de control, Sistema y seguridad, Sistema, Configuración Avanzada del Sistema**, pulsar en la pestaña **Opciones Avanzadas** y pulsando en **Configuración** del apartado **Inicio y Recuperación**. En **Sistema operativo predeterminado** se podrá elegir el sistema operativo que arrancará por defecto en un sistema multiarranque y el tiempo predeterminado que se mostrará la lista de los sistemas operativos instalados en el equipo.

# 16.3 EL ARCHIVO BCD.LOG

El archivo **Bcd.log** es un archivo binario que está almacenado en el directorio \boot que cuelga del directorio raíz del volumen del sistema, se crea en el momento de la instalación que es un directorio oculto y del sistema. Su edición es muy peligrosa porque puede hacer que haya que volver a reinstalar todo el sistema con la posible pérdida de datos que esto supondría.

Para ver el contenido del este archivo, vaya al menú **Inicio**, **Todos los programas**, **Accesorios**, sitúese sobre **Símbolo del sistema**, muestre su menú contextual y seleccione **Ejecutar como administrador** (deberá confirmar que desea realizarlo y, en caso de no ser administrador, indicar la contraseña correspondiente).

Una vez en la pantalla de **Símbolo del sistema**, escriba **bcdedit** y pulse [**INTRO**], le mostrará algo parecido a la pantalla siguiente (en el ejemplo, se encuentra la configuración de arranque de un sistema operativo único):

```
Administrador: Símbolo del sistema
Microsoft Windows [Versión 6.1.7600]
Copyright <c> 2009 Microsoft Corporation. Reservados todos los derechos.

C:\Windows\system32>bcdedit

Administrador de arranque de Windows
--------------------------------------
Identificador          {bootmgr}
device                 partition=C:
description            Windows Boot Manager
locale                 es-ES
inherit                {globalsettings}
default                {current}
resumeobject           {2840fb3a-a1e4-11de-ad92-88b58b034eca}
displayorder           {current}
toolsdisplayorder      {memdiag}
timeout                30

Cargador de arranque de Windows
--------------------------------------
Identificador          {current}
device                 partition=C:
path                   \Windows\system32\winload.exe
description            Windows 7
locale                 es-ES
inherit                {bootloadersettings}
recoverysequence       {2840fb3c-a1e4-11de-ad92-88b58b034eca}
recoveryenabled        Yes
osdevice               partition=C:
systemroot             \Windows
resumeobject           {2840fb3a-a1e4-11de-ad92-88b58b034eca}
nx                     OptIn
```

# 16.4 EL REGISTRO

La base de datos del **Registro** es una base de datos jerarquizada donde se guarda la información de configuración de Windows 7. Está organizada en una estructura jerárquica compuesta por categorías con sus respectivas subcategorías, claves, subclaves y entradas.

Antes de hacer nada en el Registro, es conveniente realizar una copia de seguridad (se describirá cómo realizarlo en un apartado posterior). De todas maneras, aunque cometa un error al modificar una entrada del Registro, no se preocupe, al reiniciarlo, si se produce algún error crítico, le mostrará un mensaje en el que podrá escoger **La última configuración válida conocida** y perderá los cambios realizados que motivaron el error (en cualquier caso, siempre podría recuperarlo desde la copia de seguridad).

Puede echar una ojeada al Registro desde el **Editor del registro**. Para ello, abra el menú **Inicio**, y escriba **REGEDIT.EXE** en el cuadro de búsqueda (se encuentra en el directorio \*Windows*), seleccione y pulse sobre el resultado de la búsqueda y le mostrará la pantalla siguiente:

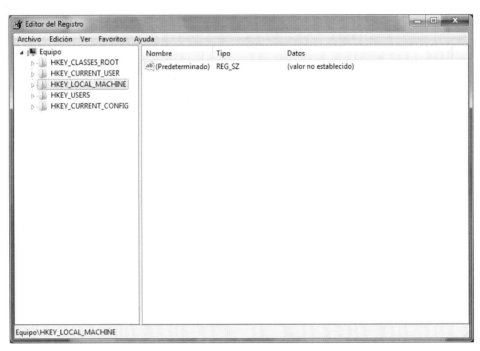

La pantalla que le muestra se encuentra dividida en dos paneles. En el panel izquierdo se encuentran las categorías de la base de datos del registro:

| CATEGORÍAS | FUNCIÓN |
|---|---|
| **HKEY_CLASSES_ROOT** | Esta categoría contiene archivos y vínculos **OLE** y datos de asociación de archivo y clase. Dichos datos están también en **HKEY_LOCAL_MACHINE\SOFTWARE\ Classes** o en **HKEY_CURRENT_USER\ SOFTWARE\Classes**. |
| **HKEY_CURRENT_USER** | Esta categoría muestra el perfil del usuario actual (carpetas del usuario, configuración del escritorio y las configuraciones del Panel de control). Es un subconjunto de la información de **HKEY_USERS** correspondiente al usuario actual. |
| **HKEY_LOCAL_MACHINE** | Es la categoría más importante del Registro. Contiene información sobre el *hardware* del equipo y el *software* instalado. Hay zonas que se reconstruyen cada vez que se inicia el ordenador para reflejar la actual configuración del *hardware*. |

| CATEGORÍAS | FUNCIÓN |
|---|---|
| **HKEY_USERS** | Contiene todos los perfiles de usuarios (incluyendo el perfil por defecto). Después del primer inicio, sólo encontrará dos tipos de perfiles: el perfil por defecto y los de los usuarios existentes (aparecen como una serie de cifras precedidas por **S** y separadas por guiones). |
| **HKEY_CURRENT_CONFIG** | En esta categoría se encuentran las configuraciones actuales de *software* y *hardware* del equipo. Es un subconjunto de **HKEY_LOCAL_MACHINE\SYSTEM\ CurrentControlSet\Hardware Profiles\ Current** correspondiente a la configuración actual. |

Fíjese en que tiene una estructura jerárquica que puede ver si pulsa en el signo triángulo que hay a la izquierda de cada una de las categorías, claves y subclaves.

Por ejemplo, si pulsa en **HKEY_LOCAL_MACHINE**, se desplegarán las subcategorías correspondientes:

**BCD00000000**

**COMPONENTS**

**HARDWARE**

**SAM**

**SECURITY**

**SOFTWARE**

**SYSTEM**

Observe que en algunas de ellas hay un signo triángulo a su izquierda, lo que quiere decir que, a su vez, puede volver a desplegar las claves que forman parte de ella.

Las subcategorías **SAM** y **SECURITY** de **HKEY_LOCAL_MACHINE** están deshabilitadas.

Si se sitúa sobre una de las claves o subclaves y pulsa el botón izquierdo del ratón, le mostrará (en el panel derecho de la pantalla) las entradas correspondientes a dicha clave o subclave:

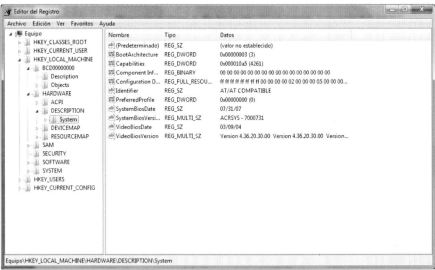

Fíjese en que, en la parte inferior izquierda, le indica la clave (**System**), subcategoría (**HARDWARE**) y categoría (**HKEY_LOCAL_ MACHINE**) en la que se encuentra.

Por ejemplo, si selecciona la clave **Environment** de la categoría **HKEY_CURRENT_USER**, verá las siguientes entradas en el panel derecho de la ventana:

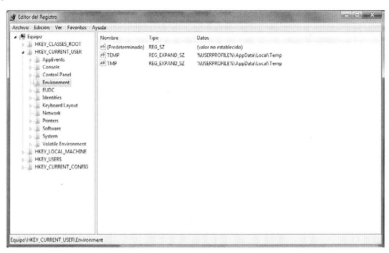

Estas entradas están divididas en tres partes:

- Nombre.

- Tipo de datos de que está formada.

- Datos.

Por ejemplo, en la pantalla anterior, la segunda entrada tiene como nombre **TEMP**, es de tipo **REG_EXPAND_SZ** y su valor actual es: **%USERPROFILE%\AppData\Local\Temp**.

Hay seis tipos posibles de datos:

| TIPO DE DATOS | DESCRIPCIÓN |
|---|---|
| REG_BINARY | Son datos de tipo binario sin procesar y se presentan en formato hexadecimal. No intente modificarlos desde aquí, es mejor que utilice las utilidades que permiten modificarlos desde el Panel de control. |
| REG_DWORD | Son datos representados por un número de cuatro *bytes* de longitud y se presentan en formato binario, hexadecimal o decimal. |
| REG_EXPAND_SZ | Son cadenas de datos de longitud variable. |
| REG_MULTI_SZ | Es una cadena múltiple de datos. |
| REG_SZ | Es una cadena de texto de longitud fija. |
| REG_FULL_RESOURCE_ DESCRIPTOR | Es una serie de tablas anidadas diseñadas para almacenar una lista de recursos. |

Si pulsa dos veces el botón izquierdo del ratón sobre una entrada, le mostrará el **Editor de cadenas**:

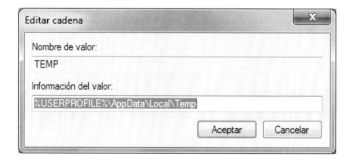

Aquí podrá introducir series de caracteres, datos binarios, hexadecimales, decimales, una serie múltiple de caracteres o una serie de tablas anidadas (en función del tipo de datos correspondiente) y, cuando haya finalizado, pulse en **Aceptar**.

Como ejemplo de las posibilidades del Editor del Registro, puede modificar la configuración de colores del escritorio. Para ello, dentro de la ventana **HKEY_CURRENT_USER**, pulse dos veces el botón izquierdo del ratón sobre **ControlPanel** y, después, pulse en **Colors**.

Verá que en el panel derecho le muestra unas claves de tipo **REG_SZ** que contienen los valores que representan los distintos colores del escritorio. Los valores representan la intensidad de los colores (con valores que van de 0 a 255).

Por ejemplo, si desea poner un fondo verde en el escritorio, pulse dos veces el botón izquierdo del ratón sobre la clave **Background** y, en la ventana del editor de cadenas, escriba: **0 254 0**. Salga del Editor del Registro y reinicie la sesión como el mismo usuario (cuando vuelva a aparecer el escritorio, lo verá con un fondo verde intenso).

De la misma manera, puede modificar los marcos de las ventanas, los colores del título, etc.

También puede ver las impresoras instaladas. Para ello, vaya a la ventana **HKEY_LOCAL_MACHINE** y sitúese sobre **SOFTWARE**.

Abra el menú **Edición** y seleccione **Buscar**.

Escriba **Printers**, desactive la casilla **Sólo cadenas completas** (para que busque cualquier frase que contenga dicha palabra) y marque en **Buscar siguiente**.

Cierre la ventana **Buscar** y verá, en el panel izquierdo de la ventana, que ha encontrado una clave **Printers**. Pulse [F3] varias veces hasta que llegue a la subclave **HKEY_LOCAL_MACHINE\SOFTWARE\Microsoft\Windows NT\ CurrentVersion\Print\ Printers**.

Pulse en el signo triángulo y le mostrará las impresoras que tiene instaladas en el equipo (desplace la ventana con la barra horizontal o vertical si fuera preciso).

Si pulsa sobre una impresora, verá que en el panel derecho de la ventana aparecen las entradas correspondientes a la configuración de la impresora.

Puede verlas, pero tenga cuidado de no modificar ninguna entrada de tipo binario ya que podría tener problemas de los que no se enteraría hasta que no fuera a imprimir y, si ya hubiese reiniciado varias veces el servidor, no podría recuperar **La última configuración válida conocida**, por lo que debería volver a instalar la impresora.

# 16.5 LAS OPCIONES DE ARRANQUE AVANZADAS

Las **opciones de arranque avanzadas** permiten reparar el equipo e iniciar el sistema con un número mínimo de controladores de dispositivos y servicios. De esta manera, si un nuevo controlador de dispositivo o programa de *software* recién instalado impiden que el equipo se inicie, podrá hacerlo en modo seguro para después eliminar el *software* o controlador de dispositivo del equipo que esté provocando el conflicto.

No funcionará si los archivos de sistema están dañados, si no están presentes, si el disco duro está dañado o si tiene errores.

Las opciones de arranque avanzadas son:

- Reparar el equipo.
- Modo seguro.
- Modo seguro con funciones de red.
- Modo seguro con símbolo del sistema.
- Habilitar el registro de arranque.
- Habilitar vídeo de baja resolución (640 x 480).
- La última configuración válida conocida.
- Modo de restauración de servicios de directorio.
- Modo de depuración.
- Deshabilitar el reinicio automático en caso de error del sistema.
- Deshabilitar el uso obligatorio de controladores firmados.
- Iniciar Windows normalmente.

Para acceder a ellas, deberá pulsar [**F8**] al inicio del proceso de arranque del sistema

## 16.5.1 Reparar el equipo

Esta opción mostrará una lista de herramientas de recuperación del sistema. Estas herramientas se utilizarán para intentar reparar los problemas de inicio, ejecutar diagnóstico o restaurar el sistema.

Puede acceder también a estas herramientas con el disco de instalación de Windows 7.

Al seleccionar la opción de **Reparar el equipo**, el sistema comenzará la carga de las herramientas. Seguidamente solicitará la distribución del teclado (Español, en el ejemplo) y, finalmente, solicitará la contraseña de administrador del equipo. Para finalizar, pulse en **Aceptar** y verá la siguiente pantalla:

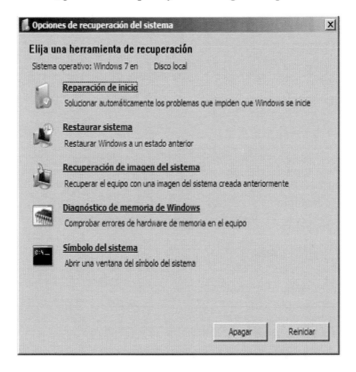

Las opciones que ofrece este menú son las siguientes:

- **Reparación de inicio**. Esta herramienta corrige automáticamente los problemas que impiden que el sistema se inicie correctamente. Entre estos problemas pueden estar la falta o corrupción de alguno de los archivos de sistema.

- **Restaurar sistema**. Esta opción restaura los archivos de sistema a un momento anterior. Este retroceso no afecta a archivos personales del usuario. Este proceso no podrá deshacerse, aunque sí será posible ejecutar de nuevo la aplicación y elegir otro punto de restauración de entre los que el sistema ofrezca.

- **Recuperación de imagen del sistema**. Esta opción recuperará una imagen realizada con anterioridad por el usuario. Para conocer el procedimiento para crear una imagen del sistema, siga las instrucciones del epígrafe *Cómo realizar una copia de seguridad* del capítulo anterior).

- **Diagnóstico de memoria de Windows**. Esta opción buscará errores de *hardware* en la memoria del equipo.

- **Símbolo del sistema**. Desde esta opción se tendrá acceso a la línea de comandos donde se podrán realizar operaciones relacionadas con la recuperación o ejecutar otras herramientas. Esta opción requiere de conocimientos avanzados para su correcta utilización.

## 16.5.2 Modo seguro

Permite iniciar el sistema únicamente con los archivos y controladores básicos: ratón (exceptuando el ratón serie), monitor, teclado, unidades de disco, vídeo de baja resolución,servicios predeterminados del sistema y ninguna conexión de red.

## 16.5.3 Modo seguro con funciones de red

Permite iniciar el sistema únicamente con los archivos y controladores básicos indicados anteriormente junto con las funciones de red.

## 16.5.4 Modo seguro con símbolo del sistema

Permite iniciar el sistema únicamente con los archivos y controladores básicos indicados anteriormente. Después de iniciar una sesión, se mostrará el símbolo del sistema en lugar del escritorio de Windows.

## 16.5.5 Habilitar el registro de arranque

Permite iniciar el sistema mientras se registran todos los controladores y servicios que el sistema cargó, o no, en un archivo. Este archivo se denomina

**NTBTLOG.TXT** (se encuentra en el directorio \*Windows*). El modo seguro, modo seguro con funciones de red y modo seguro con símbolo de sistema agregan al registro de inicio una lista de los controladores y servicios que se han cargado.

El registro de arranque permite determinar la causa exacta de los problemas de inicio del sistema.

## 16.5.6 Habilitar vídeo de baja resolución (640 x 480)

Permite iniciar el sistema con el controlador básico de vídeo de baja resolución (640 x 480). Se utiliza cuando se ha instalado un nuevo controlador para la tarjeta de vídeo que hace que no se inicie correctamente el sistema.

Siempre se habilita el modo de vídeo de baja resolución cuando se inicia el sistema en modo seguro, modo seguro con funciones de red o modo seguro con símbolo de sistema.

## 16.5.7 La última configuración válida conocida

Permite iniciar el sistema con la información que Windows tenía antes de los últimos cambios realizados en el Registro, que son los que provocan que el sistema no se inicie.

Con esta opción, no se solucionan los problemas causados por controladores o archivos dañados o perdidos y, además, se perderán todos los cambios que se hayan realizado en el Registro.

## 16.5.8 Modo de restauración de Servicios de directorio

El modo de restauración de servicios de directorio se utiliza únicamente en equipos que sean controladores de dominio y, después de realizar un chequeo de los discos duros, permite restaurar el directorio *SYSVOL* y el Directorio Activo utilizando la utilidad Copia de seguridad y restaurando el Estado del sistema (se deberá autenticar como administrador del dominio y no se podrá realizar si se cuenta únicamente con un controlador de dominio).

## 16.5.9 Modo de depuración

Permite iniciar el sistema mientras se envía información de depuración a otro equipo a través de un cable serie conectado al puerto COM2 a otro ordenador con el debugger activo.

## 16.5.10 Deshabilitar el reinicio automático en caso de error del sistema

Evita que Windows se reinicie automáticamente después de haberse producido un error del sistema que produzca un bloqueo. Seleccione esta opción únicamente en caso de que Windows quede atrapado en un bucle en el que se genera un error, intenta reiniciarse y vuelve a generar el error reiteradamente.

## 16.5.11 Deshabilitar el uso obligatorio de controladores firmados

Permite la carga de controladores que no están firmados por Microsoft.

# Capítulo 17

# WINDOWS 7 EN RED

## 17.1 ACTIVAR LA DETECCIÓN DE REDES EN WINDOWS 7

La **detección de redes** es una configuración de red que:

- Determina si otros equipos y dispositivos de la red son *visibles* desde su equipo y si otros equipos de la red pueden *ver* su equipo.

- Determina si puede tener acceso a dispositivos y archivos compartidos de otros equipos de la red y si las personas que usan otros equipos de la red pueden tener acceso a los dispositivos y archivos compartidos de su equipo.

- Ayuda a proporcionar el nivel adecuado de seguridad y acceso a un equipo, basándose en la ubicación de las redes a las que se conecta.

Existen dos estados de detección de redes:

- **Activado**

- **Desactivado**

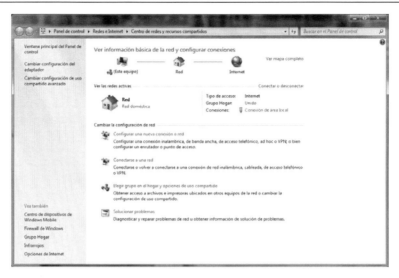

Cuando se conecta a una red, en función de la ubicación de red que elija, Windows asigna un estado de detección de redes a la red y abre los puertos de Firewall de Windows apropiados. Por tanto, se pueden dar varios problemas:

- No se ve ningún equipo ni dispositivo en la carpeta **Red**. Esto puede producirse por dos motivos:

  - **El equipo no está conectado a la red**. En este caso, pulse en **Conectarse a una red** y seleccione la red que desee.

  - **La detección de redes le impide ver otros equipos y dispositivos**. Compruebe si la opción de detección de redes del equipo está desactivada desde **Cambiar configuración de uso de compartido avanzado** en el **Centro de redes y recursos compartidos**.

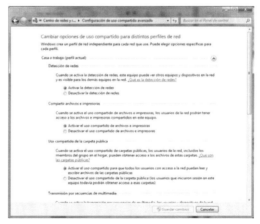

Si está desactivada la detección de redes pulse en **Activar la detección de redes** y, después, pulse en **Guardar cambios** (si le solicita una contraseña de administrador o una confirmación, escriba la contraseña o proporcione la confirmación).

- No se ve un equipo o dispositivo que debería verse en la carpeta **Red**. Esto se puede producir por dos motivos:

    - **El equipo o dispositivo no está en la red**. Para resolver este problema, agregue el equipo a la red conectándolo al concentrador o conmutador, o mediante el asistente para conectarse a una red (si la red es inalámbrica).

    - **La configuración de detección de redes del equipo que no se ve está desactivada**. Para cambiar la configuración de detección de redes en otro equipo, inicie sesión en él y pulse en el menú **Inicio**, en **Panel de control**, **Redes e Internet** y en **Centro de redes y de recursos compartidos**. Pulse en **Cambiar configuración de uso de compartido avanzado**, **Detección de redes** y pulse en **Activar la detección de redes** y, después, pulse en **Guardar cambios**.

**NOTA**. Puede tardar varios minutos hasta que los equipos con versiones anteriores de Windows se detecten y puedan verse en la carpeta **Red**.

Cuando se accede a la carpeta **Red** y está desactivada la detección de redes, se indica en la parte superior de la pantalla, pudiéndose activar desde ese lugar.

# 17.2 ACTIVAR EL USO COMPARTIDO DE ARCHIVOS EN WINDOWS 7

Se pueden compartir archivos en Windows 7 de dos maneras:

- **Desde cualquier carpeta del equipo**. Con este método de compartir archivos puede decidir quién podrá realizar cambios en los archivos que comparte y qué tipo de cambios (de haber alguno) pueden realizarse en los mismos. Puede hacerlo estableciendo permisos de uso compartido que se pueden conceder a un individuo o a un grupo de usuarios de la misma red.

- **Desde la carpeta pública del equipo**. Con este método de compartir archivos, puede copiar o mover archivos a la carpeta pública y se comparten desde dicha ubicación. Si activa el uso compartido de archivos para la carpeta pública, cualquiera con una cuenta de usuario y una contraseña en el equipo, así como *Todos* en la red, podrán ver todos los archivos de la carpeta pública y sus subcarpetas. No se puede limitar a las personas para que sólo vean algunos archivos de la carpeta pública. Sin embargo, pueden establecerse permisos que limiten a las personas el acceso a la carpeta pública o que les limiten el cambio de archivos o la creación de nuevos.

  También se puede activar el uso compartido protegiéndole con contraseña. De esta manera, limitará el acceso a la carpeta pública a las personas con una cuenta de usuario y contraseña en el equipo. De manera predeterminada, el acceso de red a la carpeta pública está desactivado a menos que lo habilite

Para habilitar el uso compartido de archivos e impresoras en un equipo con Windows 7, asegúrese de que la detección de redes y el uso compartido de impresoras están activados siguiendo estos pasos:

- Abra el **Centro de redes y recursos compartidos** desde el **Panel de control.**

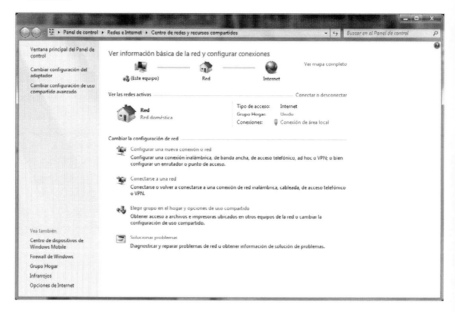

- Si la detección de redes está desactivada, pulse en **Cambiar configuración de uso de compartido avanzado**, **Detección de redes,**

y active **Activar la detección de redes** y, después, pulse en **Guardar cambios** (si le solicita una contraseña de administrador o una confirmación, escriba la contraseña o proporcione la confirmación).

- Si el uso compartido de archivos e impresoras está desactivado, active la opcion **Activar el uso compartido de archivos e impresoras** y, a continuación, pulse en **Guardar cambios** (si le solicita una contraseña de administrador o una confirmación, escriba la contraseña o proporcione la confirmación).

- Si todavía tiene problemas al compartir archivos o una impresora de una red, asegúrese de que el Firewall de Windows no está bloqueando **Compartir archivos e impresoras**. Para ello, vea el epígrafe *Activar el compartir archivos en el Firewall de Windows*.

# 17.3 ACTIVAR EL COMPARTIR ARCHIVOS EN EL FIREWALL DE WINDOWS

Si tiene problemas al compartir archivos o una impresora de una red, compruebe que el Firewall de Windows no está bloqueando **Compartir archivos e impresoras**. Para ello, siga los pasos siguientes:

- Abra el **Firewall de Windows** desde el **Panel de control**.

- Pulse en **Permitir un programa o una característica a través de Firewall de Windows** (se encuentra en el panel izquierdo) y, si le solicita una contraseña de administrador o una confirmación, escriba la contraseña o proporcione la confirmación.

- En la lista **Programa o puerto**, asegúrese de que la casilla **Compartir archivos e impresoras** está activada y, a continuación, pulse en **Aceptar**.

# 17.4 MONTAJE Y CONFIGURACIÓN DE UNA RED CON UN SWITCH

Para montar una red con varios ordenadores utilizando un conmutador, únicamente es necesario disponer de:

- Los ordenadores que se deseen utilizar teniendo cada uno de ellos una tarjeta de red correctamente instalada y configurada.

- Un conmutador o *switch* que tenga suficientes puertas para los ordenadores que se deseen conectar. En caso de querer conectar más ordenadores que puertas tenga el *switch*, se podrán poner varios en cascada, uniéndolos con un cable normal (si los conmutadores son modernos) o con un cable cruzado si son antiguos y poseen un puerto *UPLINK*.

- Un cable *RJ45* por ordenador (en caso de haber más de un *switch*, hará falta un cable más por *switch* que exceda de uno).

Una vez se disponga de todo el material, únicamente será necesario conectar cada ordenador con el *switch* mediante un cable *RJ45* y ya estará preparada la red local.

Ahora habrá que configurar cada ordenador para que funcionen en red. Normalmente, los conmutadores no precisan ser configurados. No obstante, hay conmutadores avanzados que pueden ser configurador para montar una *VLAN* o llevar a cabo tareas estadísticas (en este libro no se mostrará cómo configurar un conmutador, ya que no son tareas básicas para montar una red).

Para tener acceso a Internet, habrá que instalar un router *ADSL* al *switch*.

## 17.5 CONEXIÓN DE UN EQUIPO A UN CONMUTADOR/CONCENTRADOR

Para configurar un equipo conectado a un conmutador/concentrador para que funcione en red, siga los pasos siguientes:

- Pulse en el menú **Inicio, Panel de control, Redes e Internet** y, finalmente, en **Centro de redes y recursos compartidos.**

- En la nueva ventana pulse sobre **Cambiar configuración del adaptardor** (se encuentra en el panel izquierdo), pulse con el botón derecho del ratón sobre **Conexión de área local** y seleccione **Propiedades**.

- Si se lo indica, pulse **Continuar** para indicar que desea dar permiso para seguir con la operación. Verá que hay varios elementos instalados, entre ellos **Cliente para redes Microsoft, Compartir impresoras y archivos para redes Microsoft, Protocolo Internet versión 4 (TCP/IPv4)** y **Protocolo Internet versión 6 (TCP/IPv6)**. Fíjese que el cuadrado que hay a su izquierda está marcado, ya que en caso contrario, dichos elementos estarían desactivados.

- Para conectar un equipo a un conmutador/concentrador, no es necesario modificar las configuraciones que vienen por defecto a excepción de la dirección IP asignada de forma dinámica (si no se cuenta con un servidor DHCP que la proporcione).

- Ahora se va a identificar cada uno de los equipos. Para ello, pulse **Equipo** (situado en el escritorio) con el botón derecho del ratón, elija **Propiedades**, pulse en **Cambiar configuración** y pulse en **Continuar** para poder continuar con el proceso (si se lo pide).

- Pulse en **Cambiar** e indique un nombre distinto para cada uno de los equipos conectados a la red y hágalos formar parte del mismo grupo de trabajo (si desea también podrá unir un ordenador a un dominio). Cuando haya finalizado, pulse en **Aceptar** dos veces y reinicie los equipos si así se le indica.

- Cuando se hayan reiniciado, seleccione la opción **Red** del menú **Inicio** y verá que se muestran los equipos. Pulse sobre otro equipo (recuerde que únicamente accederá directamente a dicho equipo si el usuario se encuentra dado de alta en ambos equipos y tiene la misma contraseña. En caso contrario, le mostrará una ventana para que indique el usuario y la contraseña con la que desea conectarse) y verá los directorios que tiene compartidos.

- Pulse sobre el directorio compartido que desee y verá los archivos que se encuentran en él y podrá actuar con ellos en función de los permisos que tiene adjudicados.

**NOTA**. Si tiene problemas al compartir archivos o una impresora de una red, asegúrese de que el Firewall de Windows no está bloqueando **Compartir archivos e impresoras.**

## 17.6 CONFIGURACIÓN TCP/IP ESTÁTICA PARA UN EQUIPO

Para configurar el protocolo **TCP/IP** de forma estática (es decir, para asignar al equipo una dirección IP fija), siga los pasos siguientes:

- Pulse en el menú **Inicio**, **Panel de control**, **Redes e Internet** y, finalmente, en **Centro de redes y recursos compartidos**.

- En la ventana que se ha abierto, pulse sobre **Cambiar configuración del adaptardor** (se encuentra en el panel izquierdo), pulse con el botón derecho del ratón sobre **Conexión de área local** y seleccione **Propiedades**.

- Si se lo indica, pulse en **Continuar** para indicar que desea dar permiso para seguir con la operación. Verá que hay varios elementos instalados, entre ellos **Cliente para redes Microsoft**, **Compartir impresoras y archivos para redes Microsoft**, **Protocolo Internet versión 4 (TCP/IPv4)** y **Protocolo Internet versión 6 (TCP/IPv6)**. Fíjese que el cuadrado que hay a su izquierda está marcado, ya que en caso contrario, dichos elementos estarían desactivados.

- En la pantalla que le muestra, seleccione **Protocolo Internet versión 4 (TCP/IPv4)** y pulse en **Propiedades**. Le mostrará una pantalla parecida a la siguiente:

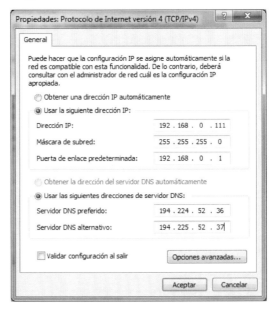

En ella se encuentran las opciones siguientes:

- **Obtener una dirección IP automáticamente**. Si activa esta casilla es porque dispone de un servidor DHCP que le va a dar una dirección IP para trabajar en la red.

- **Usar la siguiente dirección IP**. Si activa esta casilla es porque desea indicar una dirección IP fija para el equipo. Tendrá que indicar los datos siguientes:

  - **Dirección IP**. En ella se ha de indicar la **dirección IP** asignada al equipo (no deberá estar utilizada en ningún otro equipo ya que daría errores al no poder estar duplicada). En el ejemplo, se trata de una red de tipo **C**, la dirección del ordenador es 192.168.0.111.

  - **Máscara de subred**. Automáticamente el sistema le dirá la máscara de subred que le corresponde (en el ejemplo, es 255.255.255.0). Este valor no deberá cambiarlo a no ser que haya realizado una segmentación de la red.

  - **Puerta de enlace predeterminada**. Cuando la red se comunica con el exterior con otras redes o con Internet, es necesario utilizar un encaminador (un router). En este apartado se ha de indicar la dirección IP privada del router. En caso de no poner ninguna dirección o de no disponer de router, el equipo no tendría salida a Internet.

- **Obtener la dirección del servidor DNS automáticamente**. Si activa esta casilla es porque dispone de un servidor DHCP que le va a indicar las direcciones IP de los servidores DNS que realizan la traducción de direcciones.

- **Usar las siguientes direcciones de servidor DNS**. Si activa esta casilla es porque desea indicar una o dos direcciones IP fijas para los servidores DNS que realizan la traducción de direcciones. En este caso, tendrá que indicar las direcciones IP de dichos servidores.

- **Opciones avanzadas**. Permite realizar modificaciones en los datos que acaba de indicar. Normalmente, no es necesario utilizar estas opciones, a no ser que desee indicar más de una dirección IP para el equipo o más de dos servidores DNS.

- Para terminar la configuración del protocolo **TCP/IPv4**, pulse en **Aceptar** varias veces hasta que se cierren las ventanas que ha abierto.

Para configurar el proptocolo TCP/IP versión 6 siga los pasos siguientes para instalarlo:

- Desde la pantalla **Propiedades de Conexión de área local**, seleccione **Protocolo Internet versión 6 (TCP/IPv6)** y pulse en **Propiedades**. Le mostrará una pantalla parecida a la siguiente:

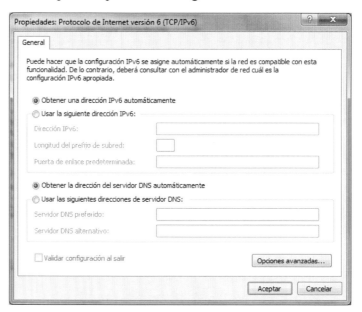

- En ella se encuentran las opciones siguientes:

    - **Obtener una dirección IPv6 automáticamente**. Si activa esta casilla es porque dispone de un servidor DHCP que le va a dar una dirección IP para trabajar en la red.

    - **Usar la siguiente dirección IPv6**. Si activa esta casilla es porque desea indicar una dirección IP fija para el equipo. Tendrá que indicar los datos:

        - **Dirección IPv6**. En ella se ha de indicar la **dirección IPv6** asignada al equipo (no deberá estar utilizada en ningún otro equipo ya que daría errores al no poder estar duplicada).

        - **Longitud del prefijo de subred**. Es el valor que indica cuántos bits contiguos de la parte izquierda de la dirección componen el prefijo de subred.

        - **Puerta de enlace predeterminada**. Cuando la red se comunica con el exterior, con otras redes o con Internet, es necesario utilizar encaminador o un **router**. En este apartado se ha de indicar la dirección IP privada del router. En caso de no poner ninguna dirección o de no disponer de router, el equipo no tendría salida a Internet.

- **Obtener la dirección del servidor DNS automáticamente**. Si activa esta casilla es porque dispone de un servidor DHCP que le va a indicar las direcciones IP de los servidores DNS que realizan la traducción de direcciones.

- **Usar las siguientes direcciones de servidor DNS**. Si activa esta casilla es porque desea indicar una o dos direcciones IP fijas para los servidores DNS que realizan la traducción de direcciones. En este caso, tendrá que indicar las direcciones IP de dichos servidores.

- **Opciones avanzadas**. Permite realizar modificaciones en los datos que acaba de indicar. Normalmente, no es necesario utilizar estas opciones, a no ser que desee indicar más de una dirección IP para el equipo o más de dos servidores DNS.

- Para terminar la configuración del protocolo **TCP/IPv6**, pulse **Aceptar** varias veces hasta que se cierren las ventanas que ha abierto

# 17.7 CONCEPTOS SOBRE COMPARTICIÓN DE DIRECTORIOS

Para ver los directorios compartidos, pulse en menú **Inicio**, **Panel de control**, **Sistemas y seguridad**, **Herramientas administrativas** y, finalmente, en **Administración de equipos**.

Cuando le muestre la nueva pantalla, en su parte izquierda verá la lista de herramientas disponibles, despliegue **Carpetas compartidas**, seleccione **Recursos compartidos** y verá una pantalla parecida a la siguiente:

Fíjese en que el directorio **Windows** está compartido con el nombre **ADMIN$** y sólo para funciones de administración remota y, por tanto, no pueden concederse permisos sobre él.

Así mismo, la unidad **C:\\** está compartida con el nombre **C$** y también para funciones de administración remota.

# 17.8 CÓMO COMPARTIR UN DIRECTORIO

Para compartir un directorio, deberá estar conectado como administrador y tendrá que crear el directorio si no lo estuviera, para luego proceder a compartirlo. Para ello, siga los pasos siguientes:

- Desde **Equipo**, sitúese en el directorio de donde desea colgar la carpeta que va a crear (en el ejemplo, *C:*) y seleccione **Nueva carpeta**.

  Indique el nombre que va a dar al directorio (en el ejemplo, *Captura*) y pulse [**INTRO**].

- Sitúese sobre el directorio nuevo, pulse el botón derecho del ratón, seleccione **Propiedades** y, después, **Compartir**.

- Pulse en **Uso compartido avanzado** y, después, en **Compartir esta carpeta**. Verá la pantalla siguiente:

- En el apartado **Nombre del recurso compartido**, indique el nombre que desea darle (en el ejemplo, *Captura*, que es el que indica por defecto).

  En **Establecer el límite de usuarios simultáneos en** indique el número de usuarios que pueden conectarse simultáneamente.

  En el apartado **Comentarios**, indique un breve comentario para este recurso compartido.

  El botón **Permisos** se explicará en el apartado *Los permisos de carpetas compartidas* de este capítulo.

- Cuando haya finalizado, pulse en **Aceptar**.

Otra posibilidad más simplificada de realizarlo con esta misma utilidad es de la manera siguiente:

- Sitúese sobre el directorio que desee, pulse el botón derecho del ratón, seleccione **Compartir** y **Usuarios** específicos (también podrá seleccionar **Grupo en el hogar** con los atributos de Sólo lectura o Lectura y escritura) y verá la pantalla siguiente:

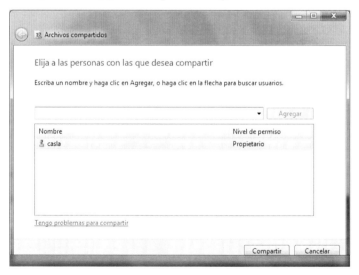

- En ella, le muestra el propietario de la carpeta. Pulse en el triángulo que hay a la derecha del primer apartado y le mostrará los posibles usuarios para compartir la carpeta, además de **Todos** y **Grupo en el hogar**.

- Seleccione al usuario y pulse en **Agregar.** Si desea modificar los permisos de algún usuario, pulse en el triángulo que hay a la derecha del nivel de permisos adjudicado y se desplegará la lista de niveles posibles. Seleccione el que desea adjudicar y se modificará en la lista anterior.

- Si desea eliminar algún usuario de dicha lista, pulse en el triángulo que hay a la derecha del nivel de permisos adjudicado y seleccione **Quitar.**

- Cuando haya finalizado, pulse en **Compartir** y le mostrará una nueva pantalla en donde le indica que la carpeta está compartida.

- Cuando lo desee, pulse en **Listo** y habrá finalizado el proceso.

Otra posibilidad de realizarlo es utilizando la utilidad **Administración de equipos**. Para ello, siga los pasos siguientes:

- Pulse en menú **Inicio, Panel de control, Sistemas y seguridad, Herramientas administrativas** y, finalmente, en **Administración de equipos**. Verá la pantalla principal de la utilidad.

- Pulse el botón izquierdo del ratón sobre el signo triángulo que hay en **Carpetas compartidas**, que está en el panel izquierdo, y se desplegará su contenido:

  - **Recursos compartidos**.
  - **Sesiones**.
  - **Archivos abiertos**.

- Muestre el menú contextual de **Recursos compartidos**, seleccione **Recurso compartido nuevo**, pulse en **Siguiente** y le mostrará esta pantalla:

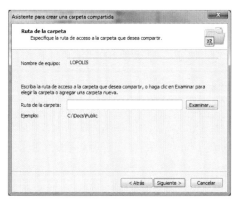

- Indique la ruta de la carpeta que desea compartir (puede pulsar en **Examinar** para seleccionarla. Si en esa pantalla pulsa en **Crear nueva carpeta**, podrá crearla previamente), pulse en **Siguiente** y verá la pantalla:

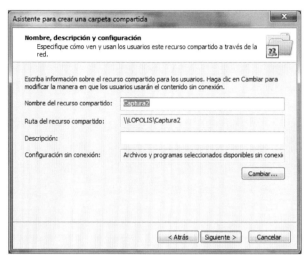

- Indique el nombre que desea dar al recurso compartido y una breve descripción del recurso.

  En el apartado **Configuración sin conexión** indique si el contenido de este recurso compartido estará disponible para los usuarios cuando no se pueda establecer una conexión. Si pulsa en **Cambiar**, podrá modificar la opción que le da por defecto. Cuando haya finalizado, pulse en **Aceptar**.

- Cuando haya finalizado, pulse en **Siguiente** y verá la pantalla:

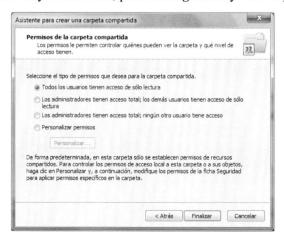

- Puede indicar los permisos que desee para la carpeta que acaba de compartir. Cuando acabe, pulse en **Finalizar** y le mostrará la pantalla de finalización del asistente en donde le dice que ya está compartida la carpeta.

- Si desea volver a compartir otra carpeta, active la casilla **Cuando haga clic en Finalizar, volver a ejecutar el asistente para compartir otra carpeta**; en caso contrario, pulse en **Finalizar** directamente y saldrá del asistente.

## 17.9 CÓMO ACCEDER A LOS DIRECTORIOS COMPARTIDOS

Ahora que ya ha creado los directorios compartidos, los usuarios pueden acceder a ellos desde **Red** del menú **Inicio**.

En la pantalla que le muestra, seleccione el equipo en donde se encuentran los directorios compartidos, seleccione el que desee y le mostrará su contenido.

## 17.10 CÓMO CONECTARSE A LOS DIRECTORIOS

Una vez que un directorio está compartido, una forma sencilla de conectarse a él es asignarle una letra de unidad, que podrá ser una de las que haya disponibles desde la *A* a la *Z*, para poder acceder a él desde **Equipo**.

Por ejemplo, para conectar el directorio *Captura* a la letra *F:* siga los pasos siguientes:

- Abra la opción **Red** y siga los pasos necesarios hasta que seleccione el servidor que desee.

- Elija un directorio compartido y pulse el botón derecho del ratón.

- Seleccione **Conectar a unidad de red** y verá la pantalla siguiente:

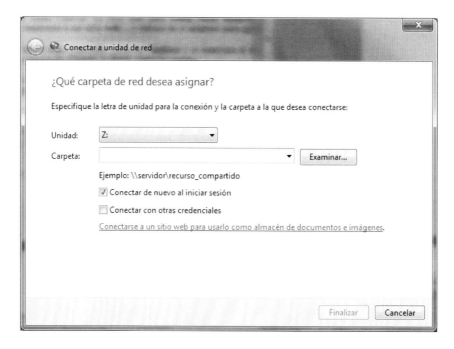

Puede cambiar la letra que va a estar asignada al directorio compartido si pulsa en el triángulo que hay a la derecha del apartado **Unidad**.

Si desea volver a conectar cuando vuelva a iniciar la sesión, active la casilla **Conectar de nuevo al iniciar sesión**.

Si no tiene permiso para acceder al directorio compartido, deberá indicar un nombre de usuario que sí tenga permiso para acceder a él, pulsando en el apartado **Conectar con otras credenciales**.

Si desea conectar un sitio web para usarlo como almacén, pulse en el apartado **Conectarse a un sitio web**... y entrará en el asistente para agregar conexiones de red.

- Cuando haya finalizado, pulse en **Finalizar** y se conectará al directorio para mostrarle su contenido. Cuando lo desee, cierre la ventana.

- Si abre **Equipo**, verá que aparece la letra junto al nombre de recurso compartido en el apartado **Ubicación de red** y podrá acceder a él rápidamente.

## 17.11 LOS PERMISOS DE CARPETAS COMPARTIDAS

Cuando se establecen los permisos de un directorio compartido, únicamente son efectivos cuando se tiene acceso al directorio a través de la red, es decir, no protegen a los directorios cuando se abren localmente en el equipo. Para los directorios locales deben utilizarse los permisos *NTFS*.

Estos permisos se aplican a todos los archivos y subdirectorios del directorio compartido y se puede especificar, además, el número máximo de usuarios que pueden acceder al directorio a través de la red.

Para establecer estos permisos se ha de ser miembro de los grupos **Administradores**, **Operadores de servidores** o de un grupo que tenga los derechos de usuario adecuados.

Los permisos de carpetas compartidas que se pueden otorgar son:

- **Sin acceso**. Cuando no tiene permitido ningún permiso sobre el directorio.

- **Leer**. Permite ver los nombres de los archivos y subdirectorios, ver datos de los archivos y ejecutar programas.

- **Cambiar**. Se tienen los mismos permisos que en Leer y, además, permite crear subdirectorios y archivos, modificar datos en archivos, borrar archivos y subdirectorios.

- **Control total**. Tiene todos los permisos anteriores y, además, modificar los permisos.

### 17.11.1 Cómo establecer los permisos de las carpetas compartidas

Para establecer los permisos de las carpetas compartidas, siga los pasos siguientes:

- Desde **Equipo** del menú **Inicio**, seleccione el directorio compartido en el que desea establecer permisos (en el ejemplo, *Captura*). Muestre su menú contextual, seleccione **Propiedades**, **Compartir** y **Uso compartido avanzado**.

- Pulse en **Permisos** y verá la pantalla siguiente:

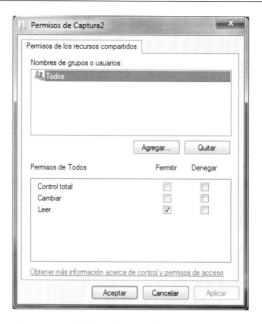

- Fíjese que tiene permitido el permiso **Leer** para la identidad especial **Todos** (corresponde a todos los usuarios y grupos).

- Puede activar o desactivar las casillas que desee tanto de la columna Permitir, se le concede el permiso correspondiente, como de la columna Denegar, se le deniega el permiso correspondiente.

- Si pulsa en **Agregar**, en **Opciones Avanzadas** y en **Buscar ahora**, se le abrirá una ventana con todos los posibles usuarios, grupos e identidades especiales a las que puede otorgar o denegar permisos.

  Si selecciona elementos de la lista, pulsa en **Aceptar** y vuelve a pulsar en **Aceptar**, se añadirán a los grupos o usuarios que tienen permisos sobre la carpeta. Una vez que estén en la lista, indique los permisos que desea conceder o denegar a cada uno de los usuarios que ha añadido.

- Si selecciona un usuario, grupo o identidad especial y pulsa en **Quitar**, se eliminará de la lista junto con los permisos establecidos.

- Pulse en **Aceptar** para salir de la pantalla de **Permisos**.

- Vuelva a pulsar en **Aceptar** dos veces para salir de la pantalla de **Propiedades**.

Otra posibilidad de realizarlo es empleando la utilidad **Administración de equipos**. Para ello, siga los pasos siguientes:

- Pulse en menú de **Inicio**, **Panel de control**, **Sistemas y seguridad**, **Herramientas administrativas** y finalmente en **Administración de equipos**.

- Pulse el botón izquierdo del ratón sobre el signo triángulo que hay en **Carpetas compartidas**, que está en el panel izquierdo, y se desplegará su contenido:

  - **Recursos compartidos**.

  - **Sesiones**.

  - **Archivos abiertos**.

- Pulse el botón izquierdo del ratón sobre **Recursos compartidos** y, en el panel derecho, verá las carpetas compartidas que hay actualmente.

- Seleccione la carpeta compartida que desee, pulse el botón derecho del ratón y, de su menú contextual, seleccione **Propiedades**.

- Pulse en la pestaña **Permisos de los recursos compartidos** y verá la misma pantalla que la indicada anteriormente.

- Realice los mismos procesos que los indicados anteriormente y, cuando acabe, pulse en **Aceptar** para volver a la utilidad.

- Cuando haya finalizado, cierre la utilidad.

## 17.12 LOS RECURSOS COMPARTIDOS ESPECIALES

Normalmente, se entiende por recursos compartidos especiales aquellos recursos que ha creado el sistema operativo para tareas administrativas y que, en la mayoría de los casos, no deben ser eliminados ni modificados, aunque también los usuarios pueden crear este tipo de recursos compartidos.

Estos recursos compartidos especiales son:

- **ADMIN$**. Es un recurso que utiliza el sistema durante la administración remota del equipo. Siempre es la raíz del sistema y corresponde al directorio donde se instaló, por ejemplo, **C:\Windows**.

- **IPC$**. Es un recurso que comparte las *canalizaciones con nombre* esenciales para la comunicación entre programas. Se utiliza durante la administración remota de un equipo y al ver sus recursos compartidos.

- **NETLOGON**. Es un recurso que utiliza el servicio de **Inicio de sesión** de los controladores de dominio para procesar el script de inicio de sesión. Corresponde al subdirectorio **\Windows\sysvol\ sysvol\<nombre del dominio>\scripts**.

- **SYSVOL**. Es un recurso que utiliza el servicio de **Inicio de sesión** de los controladores de dominio y corresponde al directorio **\Windows\ sysvol\sysvol\**.

- **PRINT$**. Es un recurso utilizado para la administración remota de impresoras.

- **FAX$**. Es un recurso utilizado por los clientes durante el proceso de envío de un fax.

- **letra_de_unidad$**. Es un recurso que permite conectar con el directorio raíz de un dispositivo de almacenamiento (por ejemplo, **C$** es el nombre de un recurso mediante el cual los administradores pueden tener acceso a la unidad **C:** del servidor a través de la red).

## 17.12.1 Cómo establecer recursos compartidos especiales

Si se ha fijado, casi todos los recursos compartidos especiales para tareas administrativas acaban en **$**; para verlos se ha de hacer desde **Recursos compartidos** de **Carpetas compartidas** de la **Administración de equipos**.

Para establecer un recurso de este tipo, siga los siguientes pasos:

- Seleccione **Administración de equipos** de **Herramientas administrativas** del menú **Inicio** y verá su pantalla principal.

- Pulse el botón izquierdo del ratón sobre el signo triángulo que hay en **Carpetas compartidas**, que está en el panel izquierdo, y se desplegará su contenido:

  - **Recursos compartidos**.

  - **Sesiones**.

  - **Archivos abiertos**.

- Pulse el botón derecho del ratón sobre **Recursos compartidos** y, de su menú contextual, seleccione **Recurso compartido nuevo**, pulse en **Siguiente** y le mostrará una nueva pantalla.

- Indique la ruta de la carpeta que desea compartir, puede pulsar en **Examinar** para seleccionarla. Si en esa pantalla pulsa en **Crear nueva carpeta**, podrá crearla previamente (en el ejemplo se seleccionará *D:\*), pulse en **Siguiente** y le mostrará una pantalla de aviso en la que le pide conformidad para compartir una unidad completa. Cuando la haya leído, pulse en **Aceptar** y verá la pantalla siguiente:

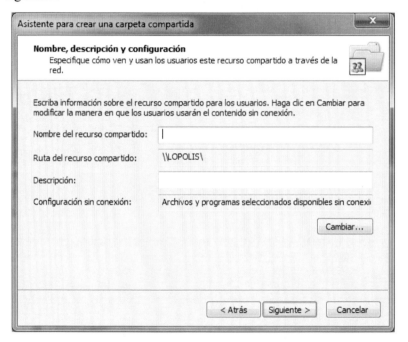

- Indique el nombre que desea dar al recurso compartido (en el ejemplo, *J$*) y una breve descripción del recurso.

- En el apartado **Configuración sin conexión** indique si el contenido de este recurso compartido estará disponible para los usuarios cuando no se pueda establecer una conexión. Si pulsa en **Cambiar**, podrá modificar la opción que le da por defecto. Cuando haya finalizado, pulse en **Aceptar**.

- Cuando haya finalizado, pulse en **Siguiente** y verá la pantalla:

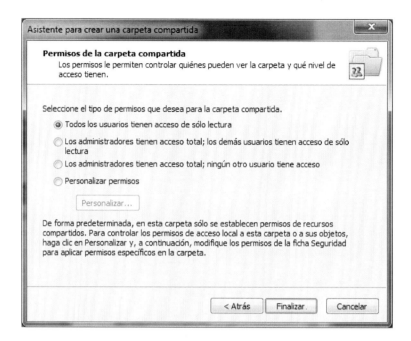

- Puede indicar los permisos que desee para la carpeta que acaba de compartir. Cuando acabe, pulse en **Finalizar** y le mostrará la pantalla de finalización del asistente en donde le dice que ya está compartida la carpeta.

- Desactive la casilla **Cuando haga clic en Finalizar, volver a ejecutar el asistente para compartir otra carpeta**, pulse en **Finalizar** y saldrá del asistente.

- Fíjese que el recurso compartido especial que acaba de crear está en la lista. Cuando haya finalizado, cierre la utilidad.

Desde **Ejecutar** escriba **\\nombre del equipo\recurso compartido especial** y pulse [**INTRO**] y verá que se muestran todas las carpetas del disco correspondiente del servidor.

## 17.13 CÓMO COMPARTIR UNA IMPRESORA

Si desea compartir una impresora y no lo hizo cuando la añadió al equipo, pulse en el menú **Inicio**, seleccione **Dispositivos e impresoras** y verá la lista de impresoras que hay en el equipo. Seleccione la impresora que desee compartir y muestre su menú contextual. Pulse en **Propiedades de impresora** y, después, en la pestaña **Compartir**. Verá la pantalla siguiente:

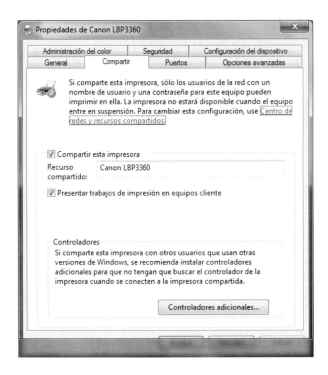

En ella puede modificar si la impresora está compartida (**Compartir impresora**), el nombre que mostrará (**Recurso compartido**) y dónde procesar los trabajos de impresión (**Procesar trabajos de impresión en equipos cliente**).

También puede instalar otros controladores adicionales para la impresora (así, podrá ser usada por otros usuarios que los necesiten y que utilicen otras versiones de Windows). Para ello, pulse en **Controladores adicionales**, active las casillas correspondientes a los entornos que desee y pulse en **Aceptar**.

## 17.14 EL GRUPO HOGAR

El **Grupo Hogar** es una nueva característica implantada en Windows 7 gracias a la cual los usuarios de una misma red doméstica podrán compartir archivos e impresora de una manera cómoda y sencilla.

El acceso a este grupo se podrá proteger con una contraseña de uso obligatorio para todos los usuarios que necesiten acceder a los datos.

Podrá unirse a un Grupo Hogar con cualquier edición de Windows 7, pero sólo se podrán crear en las versiones Home Premuim, Profesional o Ultimate. También es necesario que esté habilitado IPv6.

Para crear un Grupo Hogar siga los siguientes pasos:

- Pulse en el menú **Inicio**, **Panel de control**, **Redes e Internet** y, finalmente, en **Centro de redes y recursos compartidos**. Verá una imagen parecida a la siguiente:

- El Grupo Hogar sólo funciona cuando la red del equipo está configurada como **Red doméstica**. En el ejemplo, se observa que la red está configurada como **Red de trabajo** y, por tanto, se deberá cambiar.

  Para ello, pulse sobre **Red de trabajo,** seleccione **Red doméstica**, indique lo que desea compartir, pulse en **Siguiente** y le mostrará la contraseña que se utilizará en el Grupo Hogar que está creando, anótela y pulse en **Finalizar**. De esta manera, la red quedará configurada correctamente para crear el Grupo Hogar.

- Para crear un Grupo Hogar (si es la primera vez que lo realiza y no está unido a una red de trabajo o pública), pulse sobre **Elegir grupo en el hogar y opciones de uso compartido** y verá la siguiente ventana:

Pulse en **Elegir lo que desea compartir y ver la contraseña del grupo en el hogar** para seleccionar qué elementos va a compartir y si compartirá impresoras, tal como se muestra en la siguiente ventana. Cuando lo haya indicado, pulse en **Siguente**:

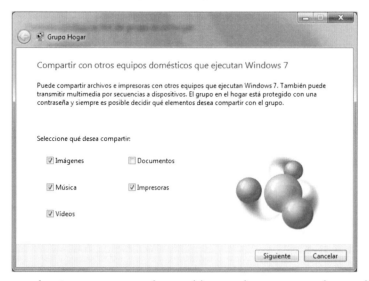

Para poder tener acceso a los archivos e impresoras, el usuario se deberá acreditar con una contraseña que le muestra en esta pantalla.

Si pulsa en **Imprimir contraseña e instrucciones**, podrá imprimir una copia de la contraseña y las instrucciones para conectar un equipo al Grupo Hogar:

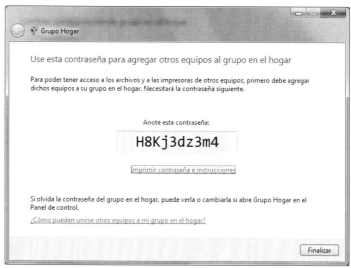

Pulse en **Finalizar** para terminar y verá la siguiente ventana (esta misma ventana es la que verá cuando pulse en **Elegir grupo en el hogar y opciones de uso compartido** cuando ya está creado el Grupo Hogar):

En esta ventana se podrá configurar el Grupo Hogar:

- En el apartado **Compartir bibliotecas e impresoras** se seleccionarán aquellas bibliotecas que se quieran compartir, marcando o desmarcando cada una de ellas.

  Si necesita personalizar qué bibliotecas o elementos se comparten, desde **Equipo**, seleccione el elemento que desea compartir en el Grupo Hogar y pulse en **Compartir con**, de la barra de herramientas, seleccionando **Grupo en el hogar** y los permisos que se quieran dar.

  Si por el contrario, se quiere dejar de compartir un elemento, seleccione dicho elemento desde **Equipo** y pulse en **Compartir con**. Al desplegar el menú contextual, seleccione **Nadie**.

  Para compartir sólo con determinados usuarios, pulse en **Compartir con** y pulse en **Usuarios específicos**. Seleccione los usuarios y pulse **Agregar** y **Compartir** para finalizar.

  Para cambiar el nivel de acceso, pulse en **Compartir con** y seleccione **Grupo en el hogar (lectura)** o **Grupo en el hogar (lectura y escritura)**.

- En el apartado **Compartir multimedia con dispositivos** podrá activar la opción **Transmitir por secuencias imágenes, música y vídeos a todos los dispositivos de la red doméstica**. Esta opción permitirá, por ejemplo, compartir música con un reproductor multimedia de red.

  Si pulsa en **Elegir opciones de transmisión**…, accederá a una ventana donde podrá configurar más detalladamente esta opción.

- En el apartado **Otras acciones del grupo en el hogar** se encuentran varias opciones como:

  - **Ver o imprimir la contraseña del grupo en el hogar.** Permite ver e imprimir la contraseña del Grupo Hogar.

  - **Cambiar la contraseña.** Permite el cambio de la contraseña del Grupo Hogar.

  - **Abandonar el grupo en el hogar.** Abandona el Grupo Hogar.

- **Cambiar configuración de uso compartido avanzado.** Accede a la ventana **Configuración de uso compartido avanzado** desde la que se puede modificar la detección de redes, uso de archivos compartidos, etc.

- **Iniciar el Solucionador de problemas de Grupo Hogar.** Inicia el asistente para solucuinar problemas con el Grupo Hogar.

Una vez que se haya creado el Grupo Hogar, para que otros equipos se unan a ese Grupo Hogar, desde cada equipo, pulse en el menú **Inicio**, **Panel de control**, **Redes e Internet** y, finalmente, en **Grupo Hogar**.

Pulse en **Unirse ahora** y, en la siguiente ventana, se configurarán las bibliotecas que va a compartir el nuevo equipo. Pulse en **Siguiente** y el sistema le solicitará la contraseña de acceso al Grupo Hogar con al que se quiere unir.

Cuando la haya indicado, pulse en **Siguiente** para finalizar.

# Capítulo 18

# EL MODO XP PARA WINDOWS 7

## 18.1 INTRODUCCIÓN

Muchos de los programas diseñados para Windows XP no funcionaban correctamente en Windows Vista.

Es por este motivo que Microsoft ha solucionado este problema de compatibilidad en Windows 7, desarrollando una herramienta que permite virtualizar un escritorio de Windows XP en Windows 7. A esta herramienta se la denomina **Modo XP para Windows 7**. De esta manera, el usuario podrá instalar aplicaciones diseñadas para XP en su equipo con Windows 7 sin problemas de compatibilidad.

## 18.2 HABILITAR EL MODO XP EN WINDOWS 7

No todos los equipos pueden soportar la virtualizacion de *hardware*, por este motivo será necesario comprobar si es compatible la tecnología del equipo antes de instalar esta utilidad.

Para comprobar esta compatibilidad será necesario descargarse un programa que analice el *hardware* del equipo e informe al usuario.

Se podrá descargar la aplicación desde la siguiente dirección URL de la página de Microsoft: *http://go.microsoft.com/fwlink/?LinkId=163321*.

También, se podrán descargar desde las páginas de Intel y AMD las utilidades para comprobar dicha compatibilidad. Las direcciones son las siguientes:

- **Intel**

  *http://www.intel.com/support/processors/tools/piu/*

- **AMD**

  *http://support.amd.com/us/Pages/dynamicDetails.aspx?ListID=c5cd2 c08-1432-4756-aafa-4d9dc646342f&ItemID=172*

En el ejemplo, se descargará y ejecutará la aplicación para los procesadores Intel.

Al ejecutar la aplicación, ésta realizará un análisis del *hardware* del equipo y mostrará un informe detallando su compatibilidad. En la ventana siguiente muestra en la primera línea, **Tecnología de virtualización** con el valor **Sí**. Por ello, el equipo comprueba que es compatible.

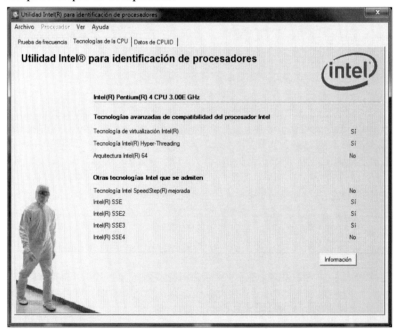

Una vez realizada esa comprobación, será necesario acceder a la BIOS del equipo para activar la virtualización (para realizar este proceso, consulte el manual de la placa base del equipo).

Después de activar esta característica en la BIOS, será necesario descargarse dos aplicaciones desde la página de Microsoft:

- **Windows XP Mode** (es una imagen de Windows XP SP3).

- **Windows Virtual PC** (es el programa de virtualización).

Podrá realizar ambas descargas desde la página de Microsoft Virtual PC. En dicha página se deberá indicar la versión de Windows 7 que tenga instalada el equipo y el idioma. Seguidamente, se pulsará en los enlaces de descarga de ambas aplicaciones.

La dirección web de la página de descarga es: *http://www.microsoft.com/windows/virtual-pc/download.aspx* y verá la ventana siguiente:

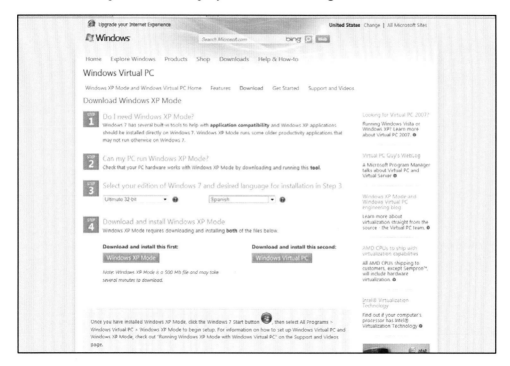

Una vez descargadas ambas aplicaciones, se realizará su instalación.

La primera aplicación que se deberá instalar es Windows Virtual PC. Para ello, ejecute el instalador y siga las instrucciones del asistente.

Una vez instalada, pulse en menú **Inicio**, **Todos los programas**, **Windows Virtual PC** y, finalmente, en **Windows XP Mode**.

Al realizarlo, el programa solicitará que se descarge **Windows XP Mode**. Si pulsa sobre **Descargar**, comenzará a realizarlo; si, por el contrario, ya se ha descargado (como es el caso del ejemplo), pulse en **Cancelar**. Seguidamente, localice el archivo descargado de **Windows XP Mode** con el explorador de Windows y ejecútelo pulsando dos veces sobre él. De esta manera, comenzará la instalación que durará aproximadamente media hora (dependiendo del equipo), siendo necesario reiniciar el equipo al término de ésta.

Una vez reiniciado el equipo, inicie la máquina virtual pulsando en el menú **Inicio**, **Todos los programas**, **Windows Virtual PC** y, finalmente, en **Windows XP Mode**.

Al finalizar la carga, se abrirá un escritorio virtual de Windows XP. De esta manera, estarán ejecutándose al mismo tiempo ambas versiones de Windows, pudiendo trabajar con ellas simultáneamente.

## 18.3 TRABAJAR CON EL MODO XP EN WINDOWS 7

Con **Windows Virtual PC** podrá trabajar en Windows XP como si fuera el sistema operativo nativo del equipo. Podrá instalar aplicaciones específicas de XP, las cuales no se podrían ejecutar en Windows 7 por problemas de compatibilidad.

Para instalar una aplicación, realice los pasos habituales como con cualquier instalación.

El funcionamiento que se describe hasta el momento es idéntico a cualquier máquina virtual, pero el modo XP de Windows 7 ha conseguido integrar de manera más eficiente ambos sistemas.

Al realizar una instalación en la máquina virtual, el sistema añadirá un acceso directo en el menú **Inicio** de Windows 7, desde el que se accederá a la nueva aplicación sin necesidad de abrir la máquina virtual.

Para acceder, pulse en el menú **Inicio**, **Todos los programas**, **Windows Virtual PC**. Verá que se ha creado una nueva carpeta llamada **Aplicaciones de**

**Windows Xp Mode** y, dentro de ella, se encuentran los accesos a las aplicaciones que se han instalado dentro de la máquina virtual.

Lo novedoso del sistema es que al pulsar sobre el acceso directo de la aplicación, ésta se ejecutará sin necesidad de ejecutar la máquina virtual y, además, se ejecutará directamente sobre Windows 7, como si fuera una aplicación instalada sobre el sistema operativo nativo, pudiendo realizar todas las tareas habituales y sin ninguna referencia visual de que se está ejecutando bajo una máquina virtual.

# LAS TECLAS DE ACCESO RÁPIDO

## 19.1 TECLAS DE ACCESO RÁPIDO EN WINDOWS 7

**Zona de escritorio**

- [**Botón de Windows**]+[**M**]. Minimiza todas las ventanas abiertas.

- [**Botón de Windows**]+[**SHIFT**]+[**M**]. Deshace el minimizar todas las ventanas.

- [**Botón de Windows**]+[**D**]. Muestra el escritorio.

- [**Botón de Windows**]+[**Arriba**]. Maximiza la ventana.

- [**Botón de Windows**]+[**Abajo**]. Minimiza/Restaura la ventana.

- [**Botón de Windows**]+[**Izquierda**]. Ancla la ventana en el borde izquierdo.

- [**Botón de Windows**]+[**Derecha**]. Ancla la ventana en el borde derecho.

- [**Botón de Windows**]+[**SHIFT**]+[**Abajo**]. Restaura el tamaño vertical.

- [**Botón de Windows**]+[**SHIFT**]+[**Izquierda**]. Mueve la ventana al monitor izquierdo.

- **[Botón de Windows]+[SHIFT]+[Derecha]**. Mueve la ventana al monitor derecho.

- **[Botón de Windows]+[Barra espaciadora]**. Activa *Aero Peek* del escritorio.

- **[Alt]+[F4]**. Cierra la ventana activa.

- **[Alt]+[Tab]**. Cambia a la ventana anterior activa.

- **[Alt]+[Esc]**. Pasa por todas las ventanas abiertas.

- **[Botón de Windows]+[TAB]**. Activa el *Flip 3D*.

- **[Botón de Windows]+[CTRL]+[TAB]**. Activa el *Flip 3D* persistente.

- **[Botón de Windows]+[P]**. Abre las opciones del modo presentación.

- **[Botón de Windows]+[G]**. Muestra los gadgets del escritorio.

- **[Botón de Windows]+[L]**. Bloquea el ordenador.

- **[Botón de Windows]+[X]**. Abre el centro de movilidad.

- **[Botón de Windows]+[+]**. Activa la lupa.

**Zona barra de tareas**

- **[Botón de Windows]+[Número del 1 al 0]**. Abre la aplicación anclada correspondiente.

- **[CTRL]+[Click a ícono anclado]**. Pasa por las ventanas abiertas de un programa.

- **[SHIFT]+[Click a ícono anclado]**. Abre una nueva instancia de un programa.

- **[CTRL]+[SHIFT]+[Click a ícono anclado]**. Abre una nueva instancia de un programa como administrador.

- **[SHIFT]+[Click derecho a ícono]**. Muestra un menú de ventana.

- **[SHIFT]+[Click derecho a ícono agrupado]**. Muestra un menú de ventana.

- **[Botón de Windows]+[T]**. Pasa por las ventanas abiertas utilizando el *Live Preview*.

- **[Botón de Windows]+[SHIFT]+[T]**. Lo mismo que antes pero en orden inverso.

- **[Botón de Windows]+[R]**. Abre la ventana de **Ejecutar**.

# ÍNDICE ALFABÉTICO